ROBERT HARRIS

Robert Harris est né en 1957 à Nottingham, en Grande-Bretagne. Après des études à l'université de Cambridge, il entre en 1978 à la BBC comme reporter et réalisateur pour des émissions prestigieuses comme *Panorama*. Il quitte la télévision en 1987 pour devenir éditorialiste politique à l'*Observer*, puis au *Sunday Times* ; il est élu « éditorialiste de l'année » en 1992.

Depuis 1984, il a publié trois essais, parmi lesquels *Selling Hitler* (1986), portant sur les carnets intimes de Hitler, ainsi que deux biographies de personnalités politiques britanniques. Il se tourne ensuite vers la fiction avec *Fatherland* (1992) et *Enigma* (1995), qui sont rapidement reconnus comme des modèles du thriller historique. Ils ont été traduits dans une trentaine de langues et se sont vendus à plus de six millions d'exemplaires dans le monde.

Robert Harris, poursuivant son œuvre romanesque avec *Archange* et *Pompéi*, vit actuellement dans le Berkshire, en Grande-Bretagne, avec son épouse et leurs trois enfants.

IMPERIUM

DU MÊME AUTEUR
CHEZ POCKET

ROBERT HARRIS

IMPERIUM

Traduit de l'anglais par Natalie Zimmermann

PLON

Titre original :
Imperium

ISBN : 978-2-266-17406-0

À LA MÉMOIRE
d'Audrey Harris
(1920-2005)

et pour Sam

« Tiron, M. Tullius, secrétaire particulier de Cicéron. Il fut non seulement le transcripteur des discours de Cicéron et son assistant en matière de travaux littéraires, mais il se fit lui aussi connaître en tant qu'auteur et fut l'inventeur de l'art de la sténographie, qui permit de prendre en totalité et correctement les propos des orateurs publics, aussi rapide que pût être leur débit. Après la mort de Cicéron, Tiron fit l'acquisition d'une ferme dans les environs de Putéoles, où, d'après Hieronymus, il se retira et vécut jusqu'à l'âge de cent ans. Asconius Pedianus (dans *Milon. 38*) fait référence au quatrième livre d'une vie de Cicéron par Tiron. »

Dictionary of Greek and Roman Biography and Mythology, vol. III, édité par William L. Smith, Londres, 1851.

Innumerabilia tua sunt in me officia, domestica, forensia, urbana, provincialia, in re privata, in publica, in studiis, in litteris nostris...

« Les services que tu m'as rendus sont innombrables – aussi bien chez moi qu'à l'extérieur, à Rome et à l'étranger, dans mes affaires privées et publiques, dans mes études et mes œuvres littéraires... »

Cicéron, lettre à Tiron, 7 novembre, 50 av. J.-C.

PREMIÈRE PARTIE

SÉNATEUR

79 av. J.-C. – 70 av. J.-C.

Urbem, urbem, mi Rufe, cole et in ista luce viva !
« Rome, accroche-toi à Rome, mon cher ami,
et vis dans la lumière ! »

Cicéron, lettre à Caelius,
26 juin, 50 av. J.-C.

I

Mon nom est Tiron. Pendant trente-six ans, j'ai été le secrétaire particulier de l'homme d'Etat romain Cicéron. Au début, cela s'est révélé excitant, puis surprenant, puis difficile et, enfin, extrêmement dangereux. Pendant toutes ces années, je crois qu'il a passé plus de temps avec moi qu'avec quiconque, y compris sa famille. J'ai assisté à ses entretiens privés et porté ses messages confidentiels. J'ai consigné par écrit ses discours, ses lettres, ses œuvres littéraires, même ses poèmes – un tel flot de mots que j'ai dû inventer un système d'écriture abrégée afin de pouvoir le suivre, système qui est toujours utilisé pour retranscrire les délibérations du Sénat et pour lequel on m'a récemment accordé une modeste pension. Celle-ci, ajoutée à divers legs et à la générosité de quelques amis, me suffit pour vivre ma retraite. Je n'ai pas de gros besoins. Les vieux vivent d'air pur, et je suis très vieux – près de cent ans, du moins c'est ce qu'on me dit.

Au cours des décennies qui ont suivi sa mort, on m'a souvent demandé, généralement à mi-voix, comment était réellement Cicéron, mais je me suis toujours tu. Comment aurais-je pu déterminer qui était un espion du gouvernement et qui ne l'était pas ? Je m'attendais à tout moment à être arrêté. Mais puisque ma vie atteint son terme et que je n'ai plus peur de rien – pas même de la torture car je ne durerais pas un instant entre les mains du *carnifex* ou de ses assistants –, j'ai décidé de répondre par cette œuvre. Je me fonderai sur ma mémoire, et sur les documents qui m'ont été confiés. Comme le temps qui me reste ne pourra être que court, je me propose d'écrire vite, en utilisant mon système de notes, sur quelques dizaines de petits rouleaux du plus fin papyrus – du Hieratica, rien de moins – que je conserve depuis longtemps à cet effet. Je réclame à l'avance votre indulgence pour mes erreurs et maladresses de style. Je prie aussi les dieux de me laisser arriver à la fin avant que ma propre fin ne me rattrape. Les dernières paroles que Cicéron m'a adressées ont été pour me demander de dire la vérité à son sujet, et c'est ce que je vais m'employer à faire. S'il n'apparaît pas toujours comme un parangon de vertu, eh bien, qu'il en soit ainsi. Le pouvoir confère à un homme bien des privilèges, mais des mains propres en font rarement partie.

C'est bien le pouvoir et cet homme que, tel Virgile, je vais chanter. Par pouvoir, j'entends le pouvoir politique, officiel – celui que nous connaissons en latin sous le nom d'*imperium* –, le pouvoir de vie et de mort dont un individu est investi par l'Etat. Ils ont été des centaines à le rechercher, mais Cicéron s'est révélé unique dans l'histoire de la République en ce qu'il l'a poursuivi sans autre ressource pour l'aider que son propre talent. Il ne venait pas, contrairement à Metellus ou Hortensius, de ces grandes familles aristocratiques qui bénéficiaient de générations de faveurs politiques à faire revaloir au moment des élections. Il ne disposait pas, tel un Pompée ou un César, d'une armée puissante pour soutenir sa candidature. Il ne possédait pas l'immense fortune de Crassus pour lui faciliter la tâche. Tout ce qu'il avait, c'était sa voix – et par sa seule volonté, il en a fait la voix la plus célèbre du monde.

J'avais vingt-quatre ans quand je suis entré à son service. Il en avait vingt-sept. J'étais esclave de maison, né dans la propriété familiale située dans les collines près d'Arpinum, et je n'avais jamais vu Rome. Lui était avocat, épuisé nerveusement et luttant pour surmonter des handicaps naturels considérables. Rares étaient ceux qui auraient parié sur nos chances respectives de réussir un jour.

La voix de Cicéron, loin d'être l'instrument redoutable qu'elle deviendrait par la suite, était criarde et parfois sujette au bégaiement. Je crois que le problème venait de ce que les mots se bousculaient dans sa tête, et que, dans les moments de tension, ils se coinçaient dans sa gorge comme deux moutons qui, poussés par le reste du troupeau, cherchent à passer un portail en même temps. Quoi qu'il en soit, ces mots étaient le plus souvent trop affectés pour que son public en saisît le sens. Son auditoire agité le surnommait « le Fin Lettré », ou « le Grec » – termes qui n'étaient pas censés être des compliments. Quoique nul ne doutât de son talent d'orateur, il n'avait pas la carrure pour soutenir ses ambitions, et la tension que faisaient subir à ses cordes vocales des plaidoiries de plusieurs heures, souvent en plein air et par tous les temps, le laissait enroué, presque aphone pendant des jours. Une insomnie chronique et une digestion difficile ajoutaient encore à ses malheurs. Pour parler crûment, s'il voulait s'élever dans la politique, comme il y aspirait désespérément, il lui fallait une aide professionnelle. Il décida donc de s'éloigner pendant quelque temps de Rome, de voyager à la fois pour se détendre et pour consulter les plus grands professeurs de rhétorique, dont la plupart vivaient en Grèce et en Asie Mineure.

Comme j'étais chargé de m'occuper de la petite bibliothèque de son père et que je me débrouillais pas mal en grec, Cicéron demanda s'il pouvait m'emprunter, comme on emprunte un livre, et m'emmener avec lui dans l'Est. Mon travail consisterait à superviser tous les préparatifs, louer les moyens de transport, payer les professeurs, etc., puis, au terme d'une année, je devais revenir à mon ancien maître. Mais au bout du compte, comme tant de livres utiles, on ne m'a jamais rendu.

Le jour de notre embarquement, nous nous retrouvâmes dans le port de Brindes. Cela se passait pendant le consulat de Servilius Vatia et de Claudius Pulcher, dans la six cent soixante-quinzième année de la fondation de Rome. Cicéron n'avait alors rien du personnage imposant qu'il est devenu plus tard et dont la physionomie était si célèbre qu'il ne pouvait marcher dans les rues les plus tranquilles sans se faire reconnaître. (Je me demande bien ce qu'il est advenu des milliers de bustes et de portraits qui ornaient autrefois tant de demeures privées et bâtiments publics. Se pourrait-il qu'ils aient *tous* été détruits et brûlés ?) Le jeune homme qui se tenait sur le quai en cette matinée de printemps était maigre et voûté, doté d'un cou anormalement long dans lequel une pomme d'Adam grosse comme le poing d'un bébé ne cessait de monter et descendre chaque fois qu'il déglutissait. Il avait les yeux globuleux, le teint olivâtre et les joues creuses ; bref, c'était l'image même de la mauvaise santé. Je me souviens d'avoir pensé : *Eh bien, Tiron, tu ferais mieux de profiter au maximum de ce voyage, parce qu'il risque de ne pas durer longtemps.*

Nous nous sommes d'abord rendus à Athènes, où Cicéron s'était promis d'étudier la philosophie à l'Académie. Je portai son sac dans la salle de cours et m'apprêtais à sortir quand il me rappela pour me demander où j'allais.

— M'asseoir à l'ombre avec les autres esclaves, répondis-je. A moins que je puisse faire autre chose pour ton service.

— Très certainement, dit-il. Je voudrais que tu fasses quelque chose d'extrêmement ardu. Je voudrais que tu restes ici avec moi pour apprendre un peu de philosophie, afin que je puisse avoir quelqu'un avec qui m'entretenir pendant nos longs voyages.

Je le suivis donc, et j'eus le privilège d'entendre Antiochus d'Ascalon énoncer lui-même les trois principes du stoïcisme – la vertu suffit au bonheur, rien n'est bon à l'exception de la vertu et il ne faut pas se fier à ses émotions –, trois règles simples qui, si seulement les hommes pouvaient les suivre, résoudraient la plupart des problèmes de l'humanité. Cicéron et moi avons par la suite souvent débattu de ces questions, et, dans ces sphères de l'esprit, nos différences de condition étaient généralement oubliées. Nous restâmes six mois auprès d'Antiochus, puis repartîmes vers la destination réelle de notre voyage.

L'école de rhétorique dominante à l'époque était celle que l'on appelait la méthode « asiatique ». D'un style recherché et fleuri, riche d'expressions pompeuses et de rythmes sonnants, ces discours s'accompagnaient de force balancements du corps et grands pas de long en large. A Rome, son principal représentant était Quintus Hortensius Hortalus, universellement considéré comme le plus grand orateur du moment et dont le jeu de jambes élaboré lui avait valu le nom de « Maître de Danse ». Cicéron, qui avait le chic pour repérer tous ses tours, se fit fort de retrouver tous les mentors d'Hortensius : Ménippe de Stratonice, Denys de Magnésie, Eschyle de Cnide, Xénocle d'Adramyth – ces noms seuls donnent une idée de leur style. Cicéron passa plusieurs semaines avec chacun d'eux, à étudier patiemment leurs méthodes jusqu'à ce qu'il eût enfin le sentiment de les avoir bien évalués.

— Tiron, me dit-il un soir en grignotant son assiettée habituelle de légumes bouillis, j'ai eu mon content de ces maîtres sautillants et parfumés. Affrète un bateau pour nous mener de Loryma à Rhodes. Nous allons essayer une autre tactique et suivre l'enseignement d'Apollonios Molon.

Par un matin de printemps, juste après l'aube, alors que le détroit de la mer des Carpates était aussi lisse et lactescent qu'une perle (pardonnez-moi ces fioritures occasionnelles : j'ai trop lu de poésie grecque pour conserver un style latin austère), nous laissâmes le continent pour gagner sur un bateau à rames cette vieille île déchiquetée où la silhouette corpulente de Molon lui-même nous attendait sur le quai.

Ce Molon était avocat, originaire d'Alabanda, et avait déjà plaidé brillamment dans les tribunaux romains. Il avait même été invité à s'adresser au Sénat en grec – honneur unique –, après quoi il s'était retiré à Rhodes et avait ouvert son école de rhétorique. Sa théorie sur l'art oratoire, totalement à l'opposé de la méthode asiatique, était simple : Ne bouge pas trop, tiens ta tête droite, ne t'écarte pas du sujet, fais-les rire, fais-les pleurer et, quand tu as gagné leur sympathie, va vite t'asseoir – « car, disait Molon, rien ne sèche plus vite qu'une larme ». Cela correspondait bien davantage au goût de Cicéron, et il s'en remit entièrement aux mains de Molon.

La première mesure de Molon fut de lui servir ce soir-là un bol d'œufs durs à la sauce d'anchois, puis, quand Cicéron les eut terminés – non sans se plaindre, je peux vous le dire –, une pièce de viande rouge grillée au charbon de bois accompagnée d'une tasse de lait de chèvre.

— Il faut que tu t'étoffes, jeune homme, lui dit-il en tapotant sa propre poitrine massive. Aucune note puissante n'est jamais sortie d'un pipeau chétif.

Cicéron le foudroya du regard, mais finit consciencieusement son assiette et, cette nuit-là, dormit profondément pour la première fois depuis des mois. (Je le sais parce que je dormais par terre, juste devant sa porte.)

Les exercices physiques commencèrent à l'aube.

— Parler au forum, expliqua Molon, c'est un peu comme disputer une course à pied. Il faut de la force et de la résistance.

Il lui asséna alors un semblant de coup de poing. Cicéron poussa une exclamation et recula en titubant, manquant presque de tomber. Molon lui fit écarter les jambes, genoux tendus, et se plier vingt fois de suite pour toucher le sol de chaque côté de ses pieds. Il le fit ensuite allonger sur le dos, les mains croisées derrière la tête, et se relever vingt fois sans bouger les jambes. Il le fit allonger sur le ventre et se soulever par la seule force de ses bras, vingt fois encore, et toujours sans plier les genoux. Ce fut le régime de la première journée. De nouveaux exercices s'ajoutèrent tous les jours qui suivirent, et leur durée s'allongea. Cicéron avait retrouvé le sommeil, et n'avait plus de problèmes pour manger non plus.

En ce qui concerne les cours d'éloquence proprement dits, Molon emmenait son élève impatient dans le jardin ombragé, en pleine chaleur, et lui faisait réciter ses exercices – le plus souvent une scène de procès ou un monologue de Ménandre – tout en gravissant une côte raide sans s'arrêter. De cette façon, avec pour seul public les lézards qui fuyaient sous ses pieds et les cigales qui chantaient dans les oliviers, Cicéron renforça ses poumons et apprit à prononcer d'un trait un maximum de mots.

— Place ton discours au milieu, lui recommanda Molon. C'est là qu'est la puissance. Rien de trop haut ni de trop bas.

L'après-midi, afin qu'il obtienne une voix mieux timbrée, Molon l'emmenait sur la plage de galets, s'éloignait d'une bonne cinquantaine de pas (portée maximale de la voix humaine) et le faisait déclamer contre les grondements et chuintements de la mer – ce qui se rapprochait le plus, assurait-il, du murmure de trois mille personnes en plein air, ou de la rumeur de plusieurs centaines d'hommes bavardant au Sénat. Ce seraient là des distractions auxquelles Cicéron devrait s'habituer.

— Mais qu'en est-il de la teneur de ce que je vais dire ? demanda Cicéron. Ne suis-je pas censé retenir leur attention principalement par la puissance de mes arguments ?

— La teneur du discours ne me concerne pas, répondit Molon avec un haussement d'épaules. Souviens-toi de Démosthène : « Il n'y a que trois choses qui comptent dans l'art du discours : l'élocution, l'élocution et encore l'élocution. »

— Et mon bégaiement ?

— Le b-b-bégaiement ne me g-g-gêne pas non plus, répliqua Molon avec un sourire et un clin d'œil. Sérieusement, cela suscite l'intérêt et produit une impression d'honnêteté fort utile. Démosthène lui-même zozotait légèrement. Le public s'identifie à ces défauts de prononciation. Seule la perfection est ennuyeuse. Et maintenant, avance un peu sur la plage et fais en sorte que je t'entende toujours.

J'eus donc le privilège, depuis le tout début, d'assister à la transmission des techniques de l'éloquence d'un rhéteur à un autre.

— Il ne saurait y avoir de mouvements efféminés du cou, de gestes intempestifs des doigts. Ne bouge pas les épaules. Et s'il faut te servir de tes doigts, essaie de poser le majeur contre le pouce et de tendre les trois doigts restants – comme ça, c'est bien. Les yeux, bien sûr, sont *toujours* tournés dans la direction du geste, sauf quand il s'agit d'un rejet : « O dieux, épargnez-nous un tel fléau ! » ou « Je ne pense pas mériter un tel honneur ».

Il ne fallait absolument rien écrire, car aucun orateur digne de ce nom ne songerait à lire un texte ou consulter des pages de notes. Molon préconisait pour mémoriser les discours la méthode classique, qui consistait à explorer la maison de l'orateur.

— Place le premier thème que tu veux aborder dans le vestibule et imagine-le posé là, puis place le deuxième dans l'atrium et ainsi de suite, en parcourant ta maison comme tu le ferais naturellement si tu devais en faire le tour, assignant une partie de ton discours non seulement à chaque pièce, mais à chaque alcôve et chaque statue sur ton chemin. Assure-toi que chacun de ces coins est bien éclairé, clairement défini et bien repérable. Sinon, tu risquerais d'avancer en tâtonnant tel un ivrogne qui essaie de retrouver son lit après une fête.

Durant ce printemps et cet été-là, Cicéron ne fut pas le seul élève de l'académie de Molon. Il fut bientôt rejoint par son jeune frère Quintus et son cousin Lucius, ainsi que par deux de ses amis : Servius, juriste pointilleux qui se destinait à la magistrature, et Atticus – le fringant, charmant Atticus – qui ne s'intéressait nullement à l'art oratoire dans la mesure où il vivait à

Athènes et n'avait aucune intention de faire carrière dans la politique, mais qui se plaisait en la compagnie de Cicéron. Tous s'émerveillèrent devant les transformations qui s'étaient opérées sur sa santé et sa physionomie et, lors de leur dernier dîner ensemble – avec l'automne, le temps était venu de rentrer à Rome –, ils se réunirent pour entendre les effets des enseignements de Molon sur son éloquence.

Je voudrais pouvoir me souvenir de ce dont parla Cicéron ce soir-là après dîner, mais je crains d'être la preuve vivante de l'assertion cynique de Démosthène, selon laquelle la teneur du discours n'est rien à côté de la façon de le dire. Je me tenais discrètement dans l'ombre, hors de vue, et je ne me rappelle plus aujourd'hui que les papillons de nuit tourbillonnant comme des cendres autour des torches, la lueur des étoiles au-dessus de la cour, et le visage transporté des jeunes gens, empourpré par les flammes et tourné vers Cicéron. Mais je me souviens des paroles que Molon a prononcées ensuite, quand son protégé, avec un salut en direction d'un jury imaginaire, eut regagné sa place. Après un long silence, il se leva et dit d'une voix rauque :

— Moi aussi, Cicéron, je t'admire, mais je pleure sur le sort de la Grèce quand je songe que le savoir et l'éloquence, la seule gloire qui lui fût restée, sont devenus par toi la conquête des Romains. Rentre chez toi, ajouta-t-il en désignant de ses trois doigts tendus la mer sombre et lointaine de l'autre côté de la terrasse éclairée par les lampes. Rentre chez toi, mon garçon, *et fais la conquête de Rome.*

Très bien, facile à dire. Mais comment faire ? Comment conquérir Rome sans autres armes que sa voix ?

La première étape est évidente : il faut devenir sénateur.

A cette époque, pour avoir le droit d'entrer au Sénat, il était nécessaire d'être âgé d'au moins trente et un an et d'être millionnaire. Ou, pour être exact, il fallait pouvoir montrer un capital d'un million de sesterces aux autorités pour être apte à se présenter aux élections annuelles du mois de juillet, où l'on élisait vingt nouveaux sénateurs pour remplacer ceux qui étaient morts l'année précédente, ou qui étaient devenus trop pauvres pour conserver leur siège. Comment Cicéron allait-il trouver un million ? Certainement, son père ne disposait pas d'une telle quantité d'argent : la propriété familiale était modeste et déjà lourdement hypothéquée. Il se trouvait donc confronté aux trois options traditionnelles. Or, gagner une telle somme eût pris bien trop de temps, et la voler eût été beaucoup trop risqué. Il ne lui restait donc plus que le mariage. Ainsi, peu après son retour, il choisit d'épouser Terentia, qui, à dix-sept ans, était androgyne, plate de poitrine et coiffée de boucles noires courtes et serrées. Elle avait pour demi-sœur une vierge vestale, marque du statut social de sa famille. Et surtout, elle était propriétaire de deux ensembles de taudis à Rome, de forêts en proche campagne, et d'une ferme ; valeur totale : un million et quart. (Ah, Terentia, laide, noble et riche – quel phénomène tu faisais ! Je l'ai revue il y a quelques mois à peine, portée en litière découverte sur la route côtière en direction de Naples, hurlant à ses porteurs d'accélérer le mouvement : les cheveux blancs, la peau fripée, mais sinon tout à fait elle-même.)

C'est ainsi que Cicéron finit par devenir sénateur – en fait, considéré d'ores et déjà comme le meilleur avocat de Rome après Hortensius, il arriva en tête des scrutins –, puis partit dans la province de Sicile effectuer son année de service obligatoire auprès du gouvernement avant d'être autorisé à prendre son siège. Il avait la charge de questeur, soit le tout premier niveau de la magistrature. Les épouses n'avaient pas le droit d'accompagner leur mari durant ces services civils, aussi Terentia – au grand soulagement de Cicéron, j'en suis sûr – resta à la maison. Mais je le suivis, car j'étais déjà devenu une sorte de prolongement de lui-même, dont il se servait sans même y penser, comme d'une main ou d'un pied supplémentaire. L'une des raisons qui me rendaient si indispensable était que j'avais conçu une méthode pour noter ses paroles aussi vite qu'il les prononçait. Après de modestes innovations – je puis humblement me targuer d'avoir inventé l'esperluette –, mon système finit par devenir un recueil de quelque quatre mille symboles. Je m'aperçus, par exemple, que Cicéron se plaisait à répéter certaines expressions, que j'appris à réduire à une seule ligne, voire à quelques points –, prouvant ainsi ce que la plupart des gens savent déjà, à savoir que les politiciens ne cessent de répéter essentiellement la même chose. Il me dictait ses textes dans son bain ou sur sa banquette, dans des voitures bringuebalantes ou lors de promenades dans la campagne. Il n'était jamais à court de mots, et je n'étais jamais à court de symboles pour les capturer et les fixer pour l'éternité alors qu'ils s'envolaient vers les cieux. Nous étions faits l'un pour l'autre.

Pour en revenir à la Sicile, ne vous inquiétez pas : je ne décrirai pas notre travail trop en détail. Comme tant de choses en politique, c'était déjà assez ennuyeux à vivre pour ne pas revenir dessus quelque soixante années plus tard. Ce qui fut mémorable cependant, et significatif, fut le voyage du retour. Cicéron le repoussa volontairement d'un mois, de mars à avril, pour être sûr de traverser Putéoles pendant la vacance du Sénat, au moment précis où toute la classe politique huppée se trouverait dans la baie de Naples pour profiter des bains sulfureux. Je reçus alors l'ordre de louer la plus belle embarcation à douze rames que je pourrais trouver, afin qu'il pût entrer dans le port en grande pompe, portant pour la première fois la toge bordée de pourpre d'un sénateur de la République romaine.

Cicéron s'était en effet convaincu qu'il avait si bien réussi en Sicile qu'il serait sûrement le centre de toutes les attentions à Rome. Sur une centaine de places de marché étouffantes, à l'ombre d'un millier de platanes siciliens poussiéreux et infestés de guêpes, il avait dispensé la justice de Rome avec équité et dignité. Il avait fait l'acquisition d'une immense provision de grain pour nourrir les électeurs dans la capitale romaine et l'avait fait acheminer là-bas pour un prix incroyablement bas. Ses discours, lors des cérémonies officielles, avaient été des modèles de tact. Il avait même feint de s'intéresser aux conversations locales. Il savait qu'il s'en était bien sorti et se vanta de ses succès dans un flot de rapports officiels envoyés au Sénat. Je dois avouer qu'il m'est arrivé d'édulcorer ceux-ci avant de les remettre au courrier officiel, et que j'essayai à plusieurs reprises de suggérer que la Sicile n'était peut-être pas exactement le centre du monde. Mais il n'y prêta aucune attention.

Je le vois encore maintenant, se tenant à la proue du navire, les yeux rivés sur le port de Putéoles alors que nous rentrions en Italie. Qu'espérait-il ? Je me le demande. Un orchestre pour l'accueillir en musique ? Une délégation consulaire pour lui remettre une couronne de laurier ? Il y avait bien une foule, mais elle n'était pas là pour lui. Hortensius, qui briguait déjà le consulat, donnait un banquet sur plusieurs bateaux de plaisance aux couleurs vives ancrés à proximité, et les invités attendaient d'être conduits à la fête. Cicéron mit pied à terre, passant inaperçu. Il regarda autour de lui sans comprendre et, à ce moment-là, quelques-uns des convives qui remarquèrent sa tenue sénatoriale flambant neuve s'approchèrent de lui. Se réjouissant à l'avance, il redressa les épaules.

— Sénateur, appela l'un d'eux, qu'y a-t-il de neuf à Rome ?

Cicéron parvint à conserver son sourire.

— Je n'arrive pas de Rome, mon cher. Je reviens de ma province.

Un rouquin, visiblement ivre, s'exclama :

— Oooooooh ! *Mon cher !* Il revient de sa *province…*

Il y eut un ricanement, à peine réprimé.

— Qu'y a-t-il de si drôle ? fit un troisième, désireux d'apaiser les choses. Ne savez-vous pas qu'il revient d'Afrique ?

Le sourire de Cicéron devenait héroïque.

— En fait, c'est de Sicile.

Il dut y avoir d'autres réflexions de la même veine. Je ne puis m'en souvenir. Les gens s'éloignèrent lorsqu'ils comprirent qu'ils n'obtiendraient pas de nouveaux ragots de la capitale, puis, très vite, Hortensius arriva et emmena le reste de ses invités sur leurs bateaux. Il adressa un salut plutôt civil à Cicéron, mais s'abstint de l'inviter à se joindre à la fête. Nous restâmes seuls sur le quai.

Vous pourriez penser qu'il s'agit là d'un incident sans importance, pourtant, Cicéron disait lui-même que c'est à cet instant précis que son ambition avait pris en lui la solidité d'un roc. Il avait été humilié – humilié par sa propre vanité – et s'était vu donner la preuve brutale de son insignifiance dans le monde. Il resta longtemps planté là, à regarder Hortensius et ses amis festoyer sur l'eau et écouter le son joyeux des flûtes. Lorsqu'il se détourna enfin, il avait changé. Je n'exagère pas. Je l'ai vu dans ses yeux. *Fort bien*, semblait dire son expression, *vous pouvez batifoler ; moi je vais travailler.*

« Je suis, messieurs, enclin à penser que cette expérience m'a été plus précieuse que si j'avais été accueilli par des salves d'applaudissements. Je cessai dès lors de supputer ce que le monde avait dû entendre dire de moi : à partir de ce jour, je pris soin d'apparaître quotidiennement en personne. Je me mis à vivre dans le regard du public. A fréquenter le forum. Ni mon gardien ni le sommeil n'empêchèrent qui que ce soit d'entrer pour venir me voir. Même lorsque je n'avais rien à faire, je ne pouvais me résoudre à l'oisiveté, aussi n'ai-je jamais rien connu qui ressemblât à un moment de loisir. »

Je suis tombé récemment sur ce passage de l'un de ses discours et je puis en certifier la véracité. Il s'éloigna du port tel un homme perdu dans un rêve, traversa Putéoles et gagna la grand-route sans se retourner une seule fois. Je fis ce que je pus pour le suivre en prenant le plus possible de bagages. Au début, il avait l'allure lente et pensive mais, peu à peu, il accéléra le pas pour enfin marcher si rapidement en direction de Rome que j'eus peine à rester à sa hauteur.

C'est là-dessus que s'achève mon premier rouleau de papier, et que commence la véritable histoire de Marcus Tullius Cicéron.

II

Le jour qui allait se révéler crucial commença comme une journée ordinaire, une heure avant l'aube, et Cicéron fut, comme toujours, le premier de la maisonnée à se lever. Je restai un moment allongé dans l'obscurité, à écouter le parquet résonner au-dessus de ma tête tandis qu'il pratiquait les exercices qu'il avait appris à Rhodes lors d'un séjour déjà vieux de six ans, puis je roulai ma paillasse et me rinçai le visage. C'était le 1er novembre : il faisait froid.

Cicéron habitait une maison modeste à un étage sur la crête du mont Esquilin, cernée par un temple d'un côté et un immeuble de l'autre. Cependant, si l'on se donnait la peine de monter sur le toit, on était récompensé par une belle vue sur les grands temples du mont Capitole, à environ un demi-mille à l'ouest, de l'autre côté de la vallée brumeuse. Cette maison appartenait en fait à son père, mais le vieux monsieur n'était plus en très bonne santé, et ne quittait guère la campagne. Cicéron en jouissait donc seul, avec son épouse Terentia et leur fille de cinq ans, Tullia, ainsi qu'une douzaine d'esclaves : moi, les deux secrétaires qui travaillaient sous mes ordres, Sositheus et Laurea, l'intendant Eros, le gestionnaire des affaires de Terentia,

Philotimus, deux servantes, une bonne, une nourrice, une cuisinière, un valet et un gardien. Il y avait aussi quelque part un vieux philosophe grec et aveugle, Diodotus le Stoïque, qui allait parfois jusqu'à sortir de sa chambre pour se joindre à Cicéron au dîner dès que son maître avait besoin d'une séance d'enseignement intellectuel. Nous étions donc quinze à la maison. Terentia ne cessait de se plaindre du manque de place, mais Cicéron refusait de déménager parce qu'il était encore dans sa période homme-du-peuple et que la maison se prêtait bien à cette image.

La première chose que je fis ce matin-là, comme tous les matins, fut de glisser à mon poignet gauche une cordelette à laquelle était fixé un petit polyptyque de ma conception. Il ne s'agissait pas de la tablette de cire simple ou double habituelle, mais de quatre plaquettes recto verso insérées chacune dans un cadre de hêtre très mince équipé de charnières afin que je puisse les replier et fermer l'ensemble. De cette façon, je pouvais prendre beaucoup plus de notes en une seule séance de dictée que le secrétaire moyen ; même ainsi, le torrent de mots quotidien de Cicéron était tel que je mettais toujours quelques carnets supplémentaires dans mes poches. Puis j'écartai le rideau de mon alcôve et traversai la cour pour gagner le tablinum, où j'allumai les lampes et vérifiai que tout était prêt. La pièce avait pour unique mobilier un buffet sur lequel trônait une coupe de pois chiches. (Le nom de Cicéron dérivant de *cicer*, qui signifie pois chiche, Marcus Tullius pensait qu'un nom inhabituel était un avantage en politique, et il s'évertuait à attirer l'attention dessus.) Une fois satisfait, je franchis l'atrium et pénétrai dans le vestibule, où le portier attendait déjà, la main posée sur le gros verrou de métal. Je vérifiai la lueur qui filtrait par la fenêtre étroite et, lorsque je la jugeai suffisamment claire, adressai un signe de tête au portier, qui fit coulisser les verrous.

Dehors, dans la rue glaciale, la foule habituelle des miséreux et des désespérés patientait déjà. Je pris note de la présence de chacun à mesure qu'ils passaient le seuil de la maison. La plupart m'étaient familiers ; je demandai le nom de ceux que je ne connaissais pas et renvoyai ceux dont les problèmes étaient insolubles. Le mot d'ordre était « s'il a le droit de vote, fais-le entrer », aussi le tablinum fut-il rapidement plein de visiteurs anxieux qui cherchaient chacun à obtenir une fraction du temps du sénateur. Je patientai dans l'entrée jusqu'à ce que la file eût disparu au-dehors, et m'apprêtais à me retirer lorsqu'une silhouette endeuillée, aux vêtements poussiéreux, aux cheveux et à la barbe hirsutes, surgit à la porte. Je dois avouer qu'elle me fit une belle peur.

— Tiron, s'exclama l'homme. Loués soient les dieux !

Et il s'effondra, épuisé, contre le chambranle, me contemplant d'un regard pâle et mort. J'estimai qu'il devait avoir une cinquantaine d'années. J'eus du mal au début à le situer, mais il entre dans les attributions d'un secrétaire politique de mettre des noms sur des visages et, peu à peu, malgré son allure générale, une image commença à se former dans mon esprit : celle d'une grande demeure surplombant la mer, d'un jardin d'agrément, d'une collection de statues en bronze, d'une ville quelque part en Sicile, dans le Nord – Therme, c'était bien cela.

— Sthenius de Therme, dis-je en lui tendant la main. Soyez le bienvenu.

Il ne m'appartenait pas de faire le moindre commentaire sur son apparence, ni de lui demander ce qu'il faisait à des centaines de milles de chez lui, dans une détresse si évidente. Je le laissai dans le tablinum et me rendis dans le bureau de Cicéron. Le sénateur, qui devait passer au tribunal dans la matinée pour défendre un jeune homme accusé de parricide, et qui devait ensuite assister dans l'après-midi à la séance du Sénat, pétrissait une petite balle de cuir pour faire travailler ses doigts tandis que son valet le drapait dans sa toge. Il écoutait le jeune Sositheus lui lire une lettre tout en dictant un message à Laurea, à qui j'avais enseigné les rudiments de mon système de notes abrégées. En me voyant entrer, il me lança la balle – que je rattrapai sans ciller – et me réclama d'un geste la liste des visiteurs. Il la lut avidement, comme toujours. Quel poisson avait-il ferré ? Un citoyen éminent d'une famille utile ? Un Sabatini peut-être ? Un Pomptini ? Ou un homme d'affaires assez riche pour voter parmi les premières centuries aux élections consulaires ? Mais il n'y avait aujourd'hui que le menu fretin coutumier, et son visage se rembrunit jusqu'à ce qu'il lise le dernier nom.

— Sthenius ? s'exclama-t-il, interrompant sa dictée. C'est bien ce Sicilien, n'est-ce pas ? Cet homme riche qui possède tous ces bronzes ? Nous ferions mieux de découvrir ce qu'il veut.

— Les Siciliens ne votent pas, fis-je remarquer.

— *Gracieusement*, dit-il sans sourire. Et puis, il a des bronzes. Je le verrai en premier.

J'allai donc chercher Sthenius, qui se vit accorder le traitement habituel – le sourire estampillé, la poignée de main virile, le regard franc et soutenu – puis désigner un siège et demander ce qui l'amenait à Rome. J'avais commencé à me rappeler certains détails à propos de Sthenius. Nous avions séjourné par deux fois chez lui à Therme, alors que Cicéron était venu entendre une cause en ville. C'était alors l'un des citoyens les plus en vue de la province, mais il semblait avoir perdu toute sa vigueur et son assurance. Il avait, annonça-t-il, besoin d'aide. La ruine le menaçait. Il était en danger de mort. On l'avait dépouillé.

— Vraiment ? dit Cicéron distraitement, tout en jetant un coup d'œil sur un document. Vous avez toute ma sympathie, ajouta-t-il, blasé, en avocat occupé qu'il était, par les malheurs des autres. Dépouillé par qui ?

— Par le gouverneur de Sicile, Gaius Verrès.

Le sénateur leva vivement les yeux.

Il ne fut plus ensuite question de couper la parole à Sthenius. Pendant que le Sicilien déversait son histoire, Cicéron chercha mon regard et me fit signe de prendre des notes – il voulait que tout cela fût consigné. Lorsque Sthenius finit par s'interrompre pour reprendre son souffle, il intervint d'une voix douce pour lui demander de revenir un peu en arrière, au jour, près de trois mois plus tôt, où il avait reçu la lettre de Verrès.

— Quelle a été ta réaction ?

— Cela m'a un peu inquiété. Il avait une… certaine réputation. Comme son nom signifie sanglier, les gens de chez nous le surnomment le Sanglier qui a du Sang sur le Groin. Mais je ne pouvais guère refuser.

— Tu as encore sa lettre ?

— Oui.

— Et Verrès y mentionne-t-il précisément ta collection d'art ?

— Oh ! oui. Il dit qu'il en a beaucoup entendu parler et qu'il veut la voir.

— Et combien de temps après est-il venu séjourner chez toi ?

— Très peu de temps. Une semaine tout au plus.

— Etait-il seul ?

— Non, il avait ses licteurs avec lui. Il a fallu que je trouve à les loger eux aussi. Les gardes du corps sont toujours des brutes épaisses, mais ceux-ci étaient de la pire engeance que j'aie jamais rencontrée. Leur chef, Sextius, est le bourreau de toute la Sicile. Il exige des pots-de-vin de ses victimes en menaçant de saboter le travail – tu sais, de les estropier – s'ils ne le paient pas avant.

Sthenius déglutit et se mit à respirer plus fort. Nous attendîmes.

— Prends ton temps, conseilla Cicéron.

— Je pensais qu'après son voyage, Verrès voudrait prendre un bain, puis que nous pourrions dîner – mais non, il dit qu'il voulait voir mes collections sur-le-champ.

— Tu avais de fort belles pièces, si je me souviens bien.

— C'était ma vie, sénateur. Je ne saurais le dire autrement. Trente années passées à voyager et marchander pour rassembler cette collection. De l'argenterie, des peintures, des bronzes corinthiens, déliens… rien que je n'eusse moi-même choisi et entretenu. J'avais *Le Discobole* de Myron, *Le Doryphore* de Polyclète, des coupes en argent de Mentor. Verrès ne tarit pas d'éloges. Il dit qu'une telle collection réclamait une assistance plus nombreuse. Il assura qu'elle méritait d'être présentée au public. Je n'y prêtai guère attention jusqu'au moment où, alors que nous dînions sur la terrasse, j'entendis du bruit en provenance de la cour intérieure. Mon intendant vint alors me prévenir qu'un chariot tiré par des bœufs était arrivé, et que les licteurs de Verrès y chargeaient toutes les pièces.

Sthenius se tut à nouveau, et je pus sans peine imaginer la honte éprouvée par un homme si fier : sa femme pleurant, la maisonnée en état de choc, les contours poussiéreux des socles où avaient reposé les statues. On n'entendait plus dans le bureau que le bruit de mon style sur la cire.

— N'as-tu pas porté plainte ? s'enquit Cicéron.

— Auprès de qui ? Du gouverneur ? fit Sthenius avec un rire amer. Non, sénateur. J'étais en vie, n'est-ce pas ? S'il en était resté là, j'aurais digéré mes pertes et vous n'auriez jamais entendu parler de moi. Mais collectionner peut devenir une maladie, et je puis t'assurer que le gouverneur Verrès en est gravement atteint. Te souviens-tu de ces sculptures qui ornent la place de la ville ?

— Oui, absolument. Trois très beaux bronzes. Mais tu ne vas pas me dire qu'il les a dérobées aussi ?

— Il a essayé. C'était le troisième jour qu'il passait sous mon toit. Il m'a demandé à qui elles appartenaient. Je lui ai répondu qu'elles étaient la propriété de la ville, et cela depuis des siècles. Tu sais qu'elles ont quatre cents ans ? Il a répliqué qu'il voulait l'autorisation de les déplacer dans sa résidence de Syracuse, également comme un prêt, et m'a demandé de faire les démarches auprès du conseil. J'avais compris quel genre d'homme il était, aussi ai-je répondu que je ne pouvais en tout honneur l'obliger. Il est parti le soir même. Quelques jours après, je reçus une assignation à comparaître le 5 octobre devant le préteur. J'étais poursuivi pour faux et usage de faux.

— Qui avait porté plainte ?

— Un de mes ennemis du nom d'Agathinus. C'est un client de Verrès. Ma première pensée a été de l'affronter. Je n'ai rien à craindre quand il s'agit de mon honnêteté. De ma vie, je n'ai jamais falsifié un document. Mais j'ai alors appris que le juge ne serait autre que Verrès lui-même, et qu'il avait déjà fixé ma peine. Je devais être fouetté devant toute la ville pour mon insolence.

— Alors tu t'es enfui ?

— Le soir même. J'ai pris un bateau sur la côte en partance pour Messana.

Cicéron appuya son menton sur sa paume et contempla Sthenius. Je connaissais bien cette attitude. Il sondait le témoin.

— Tu as dis que l'audience se tenait le 5 du mois dernier. Sais-tu ce qui s'est passé ?

— C'est ce qui m'amène ici. J'ai été condamné par contumace à être fouetté – et à payer une amende de cinq mille sesterces. Mais il y a pis encore. Au tribunal, Verrès a assuré qu'on avait de nouvelles preuves contre moi, cette fois comme quoi j'avais espionné pour le compte des rebelles en Espagne. Il doit y avoir un nouveau procès à Syracuse le 1er décembre.

— Mais l'espionnage est un crime capital.

— Sénateur, crois-moi, il a décidé de me faire crucifier. Il s'en vante ouvertement. D'ailleurs, je ne serais pas le premier. J'ai besoin d'aide. Je t'en prie. Vas-tu m'aider ?

Je crus qu'il allait tomber à genoux pour embrasser les pieds du sénateur, et je soupçonne Cicéron d'avoir craint la même chose, car il se leva promptement et se mit à arpenter la pièce.

— Il me semble qu'il y a deux aspects dans cette affaire, Sthenius. D'un côté le vol de ton bien, et là, franchement, je ne vois pas trop ce qu'on peut y faire. Pourquoi crois-tu que des hommes tels que Verrès cherchent avant tout à être gouverneurs ? C'est parce qu'ils savent qu'ils pourront alors se servir à discrétion. Le second aspect est la manipulation d'une procédure légale… et là, il y a davantage d'espoir.

« Je connais en Sicile plusieurs personnes dotées de grandes connaissances juridiques, et l'une d'elles habite même à Syracuse. Je vais lui écrire dès aujourd'hui pour la prier, comme une faveur personnelle, de s'occuper de ton affaire. Je lui donnerai même mon opinion sur ce qu'il convient de faire. Elle devrait adresser un recours auprès du tribunal pour annuler les poursuites du fait que tu n'es pas sur place pour y répondre. Si cette démarche échoue et que Verrès insiste, ton avocat devra venir à Rome pour soutenir que l'accusation est infondée.

Le Sicilien secouait la tête.

— Si un avocat de Syracuse pouvait convenir, sénateur, je n'aurais pas parcouru tout ce chemin jusqu'à Rome.

Je sentais bien que Cicéron ne voyait pas avec plaisir où tout cela pouvait conduire. Une telle affaire l'accaparerait probablement pendant des jours, et les Siciliens, comme je le lui avais rappelé, ne votaient pas. *Gracieusement*, certes !

— Ecoute, dit-il sur un ton rassurant, ton affaire est solide. Verrès est manifestement corrompu. Il abuse de l'hospitalité des gens. Il vole. Il lance de fausses accusations. Il fomente des exécutions. Sa position est indéfendable. N'importe quel avocat de Syracuse pourra te défendre, je t'assure. Et maintenant, si tu veux bien m'excuser, j'ai beaucoup de clients à recevoir et l'on m'attend au tribunal dans moins d'une heure.

Il me fit un signe de tête et je m'avançai, posant une main sur le bras de Sthenius pour le diriger vers la sortie. Le Sicilien se dégagea.

— Mais c'est toi qu'il me faut, insista-t-il.

— Pourquoi ?

— Parce que mon seul espoir que justice puisse être rendue réside ici, et pas en Sicile, où Verrès contrôle les tribunaux. Et parce que tout le monde me dit que Marcus Cicéron est pratiquement le meilleur avocat de Rome.

— Ah oui, vraiment ? fit Cicéron, irrité, avec une soudaine nuance de sarcasme. Eh bien, pourquoi ne pas s'adresser directement au meilleur. Pourquoi ne pas aller voir tout de suite Hortensius ?

— J'y ai pensé, avoua sans malice son visiteur. Mais il a refusé. Il représente déjà Verrès.

Je raccompagnai le Sicilien et revins trouver Cicéron, resté seul dans son bureau, penché en arrière sur son siège, en train de contempler le mur tout en jonglant avec une balle de cuir. Son bureau était jonché de livres juridiques, et *Les Précédents de plaidoiries* d'Hostilius faisaient partie de ceux qui étaient ouverts. *Les Conditions de vente* de Manilius en étaient un autre.

— Tu te rappelles l'ivrogne aux cheveux roux qui se trouvait sur le quai de Putéoles, le jour où nous sommes rentrés de Sicile ? « Ooooooh ! *Mon cher !* Il revient de sa *province…* »

Je hochai la tête.

— C'était Verrès. (La balle passait d'une main dans l'autre, puis inversement.) Ce type est ce qu'il y a de pire en matière de corruption.

— Je suis étonné qu'Hortensius fraye avec lui.

— Ça t'étonne ? Pas moi, dit-il en cessant de lancer sa balle pour l'examiner dans sa paume ouverte. Le Maître de Danse et le Sanglier…

Il rumina un moment.

— Il faudrait qu'un homme dans ma position soit devenu fou pour se frotter à Hortensius et Verrès combinés, surtout pour un Sicilien qui n'est même pas citoyen romain.

— C'est vrai.

— C'est vrai, répéta-t-il.

Il prononça cependant ces mots avec une curieuse hésitation qui me fait parfois me demander s'il n'avait pas déjà embrassé tout le tableau – l'ensemble extraordinaire des possibilités et des conséquences, disposées comme une mosaïque à l'intérieur de son crâne. Mais si tel était le cas, je ne pus jamais m'en assurer, car au même instant, sa fille, Tullia, arriva en courant, toujours en chemise de nuit, afin de lui montrer quelques dessins d'enfant. Aussitôt, Cicéron reporta toute son attention sur elle, et il la souleva pour la mettre sur ses genoux.

— C'est toi qui as fait ça ? Tu as *vraiment* fait ça toute seule… ?

Je le laissai et retournai dans le tablinum pour annoncer que nous avions pris du retard et que le sénateur devait partir pour le tribunal. Sthenius ruminait toujours dans son coin. Il me demanda quand il pourrait espérer une réponse, à quoi je répondis simplement qu'il devrait attendre avec les autres. Peu après, Cicéron apparut en personne, donnant la main à Tullia. Il salua l'assistance d'un signe de tête, s'adressant à chacun en l'appelant par son nom (« la première règle en politique, Tiron : ne jamais oublier un visage »). Il était impeccable, comme toujours, les cheveux pommadés et coiffés en arrière, la peau parfumée, la toge lavée de frais ; les souliers de cuir rouge propres et luisants ; le visage buriné par des années de plaidoirie en plein air – soigné, mince, en forme : il resplendissait. Tous le suivirent dans le vestibule, où il souleva la petite fille pour la présenter à l'assemblée. Puis il la tourna vers lui et déposa un baiser retentissant sur ses lèvres pour lui dire au revoir. Il y eut un « Ahhh » prolongé, accompagné de quelques applaudissements isolés. Ce n'était pas seulement pour amuser la galerie – il aurait embrassé sa fille de la même façon s'ils avaient été seuls car il aimait la petite Tulliola plus qu'il aimât jamais quiconque de toute sa vie – mais il savait que l'électorat romain était du genre sentimental, et qu'une réputation de père aimant ne pouvait pas lui faire de mal.

Ainsi nous sortîmes dans le matin de novembre plein de promesses, pour plonger dans le brouhaha naissant de la ville. Cicéron marchait devant et je me tenais à ses côtés, une tablette de cire prête à servir ; Sositheus et Laurea fermaient la marche avec les coffrets à documents contenant toutes les preuves dont il aurait besoin pour son intervention au tribunal. Puis, de part et d'autre de notre cortège, cherchant à attirer l'attention du sénateur tout en s'estimant heureux de profiter de son aura, une vingtaine de parasites et demandeurs divers descendaient avec nous les pentes ombragées et respectables du mont Esquilin en direction de la puanteur, de la fumée et du vacarme de Subura. Là, la hauteur des maisons empêchait le soleil de pénétrer, et la foule dense écrasa notre phalange de partisans en une file discontinue qui persista cependant à s'attacher à nos pas. Cicéron était un personnage célèbre en ce quartier, un héros des commerçants et boutiquiers dont il avait déjà défendu les intérêts et qui le regardaient passer depuis des années. Sans qu'il eût besoin de ralentir le pas, son œil bleu et acéré enregistrait chaque tête baissée, chaque salut de la main, et il était rare que j'eusse à lui glisser un nom à l'oreille – il connaissait ses électeurs bien mieux que moi.

Je ne sais pas ce qu'il en est aujourd'hui, mais il y avait à l'époque six ou sept tribunaux qui fonctionnaient de façon quasi permanente, chacun siégeant dans une partie distincte du forum, de sorte qu'à l'heure de l'ouverture des séances, on pouvait à peine avancer entre les avocats et les juristes qui couraient partout. Pour arranger les choses, le préteur de chaque cour arrivait systématiquement de chez lui précédé d'une demi-douzaine de licteurs pour lui dégager la voie, et le hasard voulut que notre petit cortège parvienne au forum à l'instant même où Hortensius – lui-même préteur à l'époque – paradait en direction du Sénat. Nous fûmes tous retenus par sa garde pour laisser passer le grand homme. Aujourd'hui encore, je ne pense pas qu'il ait ignoré intentionnellement Cicéron, car c'était un homme aux manières raffinées, presque efféminées : il ne l'avait tout simplement pas reconnu. Mais la conséquence fut que le prétendument meilleur avocat de Rome après lui dut ravaler le salut cordial qui lui venait aux lèvres et jeta au dos du soi-disant meilleur avocat un regard de mépris d'une telle intensité que je fus surpris de ne pas voir Hortensius se frotter l'échine, juste entre les deux omoplates.

Nous devions ce matin-là nous rendre à la cour d'assises centrale, rassemblée devant la basilique Aemilia, où Caïus Popillius Laenas était, à quinze ans, accusé d'avoir tué son père d'un coup de style métallique dans l'œil. Je voyais déjà qu'une grosse foule attendait devant le tribunal. Cicéron devait prononcer la dernière plaidoirie avant la clôture du procès, et cela suffisait à attirer du monde. Mais s'il ne parvenait pas à convaincre le jury, Popillius, condamné pour parricide, serait entièrement déshabillé, fouetté au sang, puis enfermé dans un sac avec un chien, un coq et une vipère avant d'être jeté dans le Tibre. Il y avait de la soif de sang dans l'air et, alors que les curieux s'écartaient pour nous laisser passer, j'aperçus Popillius lui-même, jeune homme notoirement violent dont les sourcils se rejoignaient pour former un épais trait noir et continu. Il était assis près de son oncle, sur le banc réservé à la défense, l'air agressif et renfrogné, crachant sur quiconque s'approchait trop près.

— Il faut vraiment que nous obtenions son acquittement, fit observer Cicéron, ne serait-ce que pour épargner au chien, au coq et à la vipère l'épreuve d'être enfermés dans un sac avec Popillius.

Il assurait toujours que l'avocat n'avait pas à savoir si son client était coupable ou pas : ça, c'était le travail de la cour. Lui cherchait seulement à faire de son mieux et, en retour, les Popillii Laeni, dont la généalogie s'enorgueillissait de quatre consuls, seraient heureux de le soutenir dès qu'il briguerait une fonction.

Sositheus et Laurea posèrent les coffrets de preuves, et je me penchais pour les ouvrir quand Cicéron m'interrompit.

— Inutile, me dit-il en se tapotant la tête. Tout ce que je dois dire est consigné là.

Il s'inclina poliment devant son client.

— Bonjour, Popillius, tout cela devrait être réglé au plus vite.

Puis, s'adressant à moi, il ajouta à voix basse :

— J'ai pour toi une tâche plus importante à accomplir. Donne-moi ta tablette de cire. Je veux que tu ailles au Sénat, que tu trouves le responsable et voies s'il y a une chance de faire passer ceci à l'ordre du jour cet après-midi, dit-il en écrivant rapidement. Ne dis rien encore à notre ami sicilien. Le danger est grand ; nous devons faire très attention. Une chose à la fois.

J'attendis d'avoir quitté le tribunal et d'avoir traversé une partie du forum en direction du Sénat pour risquer un œil sur ce qu'il avait écrit : *De l'avis de cette Chambre, la poursuite de personnes en leur absence pour des accusations graves devrait être interdite dans les provinces.* Comprenant aussitôt ce que cela impliquait, je sentis ma poitrine se serrer. D'une manière intelligente, discrète et détournée, Cicéron se préparait enfin à affronter son grand rival. Je portais une déclaration de guerre.

Gellius Publicola, commandant militaire de la vieille école, grossier et délicieusement stupide, était le consul qui présidait en ce mois de novembre. On disait, ou du moins Cicéron disait, que quand Gellius avait traversé Athènes avec son armée, vingt ans plus tôt, il avait proposé d'arbitrer le conflit entre les écoles de philosophie rivales : il voulait organiser une conférence où elles pourraient résoudre une fois pour toutes le problème du sens de la vie, afin de leur éviter de perdre leur temps en vaines discussions. Je connaissais bien le secrétaire de Gellius, aussi, comme le programme de l'après-midi était particulièrement léger, sans rien de prévu qu'un compte rendu de la situation militaire, accepta-t-il d'ajouter la motion de Cicéron à l'ordre du jour.

— Mais, me dit-il, tu devras prévenir ton maître que le consul a eu vent de sa petite plaisanterie sur les philosophes, et qu'il n'apprécie pas beaucoup.

Le temps que je revienne aux assises, Cicéron était déjà bien lancé dans sa plaidoirie de clôture en faveur de la défense. Ce n'est pas l'une de celles qu'il a choisi par la suite de conserver, aussi n'en ai-je malheureusement pas le texte. Tout ce dont je me souviens est qu'il gagna le procès en promettant fort astucieusement que le jeune Popillius, s'il était acquitté, consacrerait le reste de sa vie au service militaire – engagement qui prit la partie adverse, le jury et son client lui-même totalement par surprise. Mais cela lui permit d'obtenir gain de cause et, à peine le verdict rendu, sans perdre la moindre minute supplémentaire avec Popillius ni prendre le temps d'avaler une bouchée, il partit en direction du Sénat, toujours suivi par sa cohorte d'admirateurs, qui enflait à mesure que se répandait la rumeur que le célèbre avocat allait encore s'exprimer en public.

Cicéron soutenait toujours que ce n'était pas à l'intérieur du Sénat que se traitaient les vraies affaires de la

République, mais dehors, dans l'entrée en plein air qu'on appelait le senaculum et où les sénateurs étaient obligés d'attendre jusqu'à ce que le quorum soit atteint. Ce rassemblement quotidien de silhouettes à toge blanche, qui pouvait durer plus d'une heure, était l'une des grandes attractions de la ville et, pendant que Cicéron se joignait aux sénateurs, Sthenius et moi allâmes nous mêler à la foule des curieux, de l'autre côté du forum. (Le malheureux Sicilien n'avait toujours pas la moindre idée de ce qui se passait.)

Il est dans la nature des choses que tous les politiciens ne puissent atteindre à la grandeur. Sur les six cents hommes que comptait alors le Sénat, seuls huit pourraient être élus préteurs chaque année, et seuls deux d'entre eux pourraient poursuivre leur ascension pour parvenir à l'*imperium* suprême du consulat. Autrement dit, plus de la moitié de ceux qui arpentaient le senaculum étaient condamnés à ne jamais occuper de fonctions d'élu. Ils formaient ce que les aristocrates appelaient avec mépris les *pedarii*, les hommes qui votaient avec leurs pieds, passant consciencieusement d'un côté ou de l'autre du forum chaque fois qu'un vote s'imposait. Cependant, ces citoyens formaient à leur façon l'ossature de la République : banquiers, hommes d'affaires et propriétaires fonciers venus de toute l'Italie ; riches, prudents et patriotes ; se méfiant de l'arrogance et des apparences des aristocrates. Comme Cicéron, c'étaient souvent des « hommes nouveaux », les premiers de leur famille à gagner une élection au Sénat. Il faisait partie de ces gens et, à le regarder se frayer un chemin parmi eux cet après-midi-là, on avait l'impression d'observer un maître artisan dans son atelier, un sculpteur s'attaquant à la pierre – ici une main effleurant un coude, là un bras se posant lourdement sur des épaules massives ; avec tel personnage, une plaisanterie grasse ; avec tel autre, une parole grave de condoléances, la main pressée sur le cœur pour exprimer toute sa sympathie ; retardé par un importun, il faisait comme s'il avait toute la journée pour prêter l'oreille à son histoire ennuyeuse, mais on voyait sa main voleter vers le premier passant pour l'accrocher et pivoter avec la grâce d'un danseur tout en jetant derrière lui un regard d'excuse et de regret des plus tendres – il lui fallait maintenant s'occuper de quelqu'un d'autre. Il lui arrivait de faire un geste dans notre direction, et un sénateur nous dévisageait alors, quand il ne secouait pas la tête avec incrédulité, ou bien nous assurait de son soutien d'un petit signe de tête.

— Qu'a-t-il dit à propos de moi ? me demanda Sthenius. Qu'est-ce qu'il va faire ?

Je ne répondis rien, puisque je n'en savais rien moi-même.

Il était déjà évident qu'Hortensius avait compris qu'il se passait quelque chose, mais sans savoir précisément quoi. L'ordre du jour était affiché à sa place habituelle, près de la porte du Sénat. Je vis Hortensius s'arrêter pour le lire – *la poursuite de personnes en leur absence pour des accusations graves devrait être interdite dans les provinces* – puis se détourner, intrigué. Gellius Publicola était assis à l'entrée sur son siège d'ivoire sculpté, encadré par sa suite, attendant que les entrailles eussent été examinées et les augures déclarés propices avant de faire entrer les sénateurs dans la curie. Hortensius s'approcha de lui, les mains grandes ouvertes en signe d'interrogation. Gellius haussa les épaules et désigna Cicéron non sans irritation. Hortensius fit volte-face et découvrit son rival ambitieux entouré par un cercle de sénateurs qui semblaient autant de conspirateurs. Il se rembrunit et partit rejoindre ses propres amis de l'aristocratie : les trois frères Metellus – Quintus, Lucius et Marcus – et les deux vieux anciens consuls qui dirigeaient en fait l'Empire : Quintus Catulus (dont Hortensius avait épousé la sœur) et le double triomphateur Publius Servilius Vatia Isauricus. Après toutes ces années, le simple fait d'écrire leur nom me fait encore dresser les cheveux sur la tête car ils faisaient partie de ces hommes sévères, inflexibles et pétris des anciennes valeurs républicaines qu'on ne trouve plus aujourd'hui. Hortensius dut les informer de la motion, parce qu'ils se tournèrent tous les cinq lentement vers Cicéron. Juste après, une trompette donna le signal dc l'ouverture de la séance, et les sénateurs firent la queue pour entrer.

L'ancien Sénat était un immense temple gouvernemental sombre et frais, coupé en deux par une large allée centrale en carrelage noir et blanc. De part et d'autre de cette allée, de longues travées de bancs en bois destinés aux sénateurs se faisaient face sur six rangs de profondeur, avec une estrade tout au bout pour les sièges des consuls. La lumière de cet après-midi de novembre, pâle et bleuâtre, tombait en traits des fenêtres sans vitres situées juste sous les chevrons du toit. Des pigeons roucoulaient sur les rebords et volaient à travers la Chambre, laissant tomber de petites plumes, quand ce n'étaient pas des giclées de fiente, sur les sénateurs en dessous. Certains prétendaient que cela portait chance de se faire souiller ainsi pendant que l'on parlait, d'autres y voyaient un mauvais présage, quelques-uns encore assuraient que tout dépendait de la couleur du dépôt. Les superstitions étaient aussi nombreuses que leurs interprétations. Cicéron n'y prêtait guère attention, pas plus qu'il ne s'intéressait aux dispositions des entrailles de mouton ni ne voulait savoir si un coup de tonnerre avait retenti à droite ou à gauche ou quel chemin particulier empruntait telle volée d'oiseaux dans le ciel – ce n'étaient pour lui que des sornettes, même s'il fit par la suite campagne pour des élections au collège des Augures.

Suivant la tradition ancienne, toujours en application à cette époque, les portes du Sénat restaient ouvertes afin que l'on puisse entendre les débats. La foule, dont Sthenius et moi faisions partie, se dépêcha de traverser le forum pour arriver au seuil de la curie, où nous fûmes arrêtés par une simple corde. Gellius parlait déjà et relatait les dépêches des commandants des armées sur le terrain. Les nouvelles des trois fronts étaient bonnes. En Italie du Sud, l'immensément riche Marcus Crassus – il assura un jour qu'on ne pouvait se dire riche que quand on pouvait entretenir une légion de cinq mille hommes avec ses seuls revenus – matait la révolte des esclaves de Spartacus avec la plus grande sévérité. En Espagne, après six années de combats, Pompée le Grand éliminait le reste des armées rebelles. En Asie Mineure, Lucius Lucullus remportait une glorieuse série de victoires sur le roi Mithridate. Une fois leurs rapports lus, les partisans de chacun se levèrent à tour de rôle pour encenser les exploits de leurs protecteurs et dénigrer subtilement ceux de leurs rivaux. Je connaissais les motivations politiques qui se dissimulaient derrière tout cela et l'expliquai à Sthenius en un chuchotement suffisant :

— Crassus déteste Pompée et est déterminé à vaincre Spartacus avant que Pompée ne puisse rentrer d'Espagne avec ses légions pour s'attribuer tous les honneurs. Pompée déteste Crassus et voudrait s'octroyer la gloire de briser Spartacus afin de priver Crassus de son triomphe. Crassus et Pompée détestent tous les deux Lucullus parce qu'il a le poste le plus prestigieux.

— Et qui Lucullus déteste-t-il ?

— Pompée et Crassus bien entendu, parce qu'ils complotent contre lui.

Je me sentais heureux comme un gosse qui vient de réciter parfaitement sa leçon. Tout cela n'était qu'un jeu pour moi à l'époque, et je ne me doutais pas que nous pourrions être entraînés à y participer. Le débat s'interrompit sans qu'il fût besoin de voter, et les sénateurs se mirent à parler entre eux. Gellius, qui devait avoir une bonne soixantaine d'années, approcha la feuille de l'ordre du jour tout contre son visage et loucha dessus avant dc scruter la salle pour tenter de repérer Cicéron qui, en tant que jeune sénateur, devait s'en tenir à un banc éloigné, près de la porte. Cicéron finit par se lever pour sc montrer. Gellius s'assit, le brouhaha des voix cessa et je pris mon style. Il y eut un silence, que Cicéron laissa s'éterniser, vieux stratagème destiné à faire monter la tension. Puis, quand il eut attendu tellement longtemps qu'on commençait à se demander si quelque chose n'allait pas, il prit la parole – d'abord à voix basse et hésitante, pour forcer ses auditeurs à tendre l'oreille, le rythme de ses paroles les harponnant sans même qu'ils s'en rendissent compte.

— Honorables sénateurs, comparé aux comptes rendus grisants des hommes d'armes que nous venons d'entendre, je crains que ce que j'ai à vous dire vous paraisse de bien peu d'importance. Mais (et sa voix monta) si cette noble assemblée n'a désormais plus le temps d'entendre la supplique d'un malheureux innocent, alors tous ces actes de courage sont sans valeur, et nos soldats auront saigné en vain.

Il y eut un murmure d'assentiment en provenance des bancs autour de lui.

— Ce matin, s'est présenté chez moi un de ces

hommes innocents qui s'est vu traiter par l'un des nôtres d'une façon si monstrueuse, si honteuse et si cruelle que les dieux eux-mêmes doivent en verser des larmes. Je fais référence à l'honorable Sthenius de Therme, qui résidait récemment dans la malheureuse province de Sicile, tellement dépouillée et mal administrée.

Au nom de « Sicile », Hortensius, qui se tenait vautré sur le banc de devant, le plus près du consul, se contracta légèrement. Sans détourner les yeux de Cicéron, il se tourna et chuchota quelques mots à l'adresse de Quintus, l'aîné des trois frères Metellus, qui se pencha aussitôt en arrière pour faire signe à Marcus, le plus jeune de la fratrie. Marcus s'accroupit pour recevoir ses instructions puis, après s'être brièvement incliné devant le consul en exercice, descendit rapidement l'allée dans ma direction. Je crus un instant qu'il allait me heurter – ils étaient rudes et sans vergogne, ces Metelli –, mais il ne m'accorda pas même un regard. Il souleva la corde, plongea dessous, s'enfonça dans la foule et disparut.

Pendant ce temps, Cicéron prenait son rythme de croisière. Lorsque nous avions quitté Molon, gardant le précepte *l'élocution, l'élocution et encore l'élocution* gravé dans son esprit, il avait passé bien des heures au théâtre, à étudier la méthode des acteurs, et avait développé un talent considérable pour le mime et l'imitation. Avec une formidable économie du verbe et du geste, il pouvait faire surgir dans ses discours les personnes auxquelles il faisait référence. Cet après-midi-là, il gratifia le Sénat d'une véritable représentation de gala : l'arrogance fanfaronne de Verrès y contrastait avec la dignité tranquille de Sthenius, les Siciliens persécutés reculaient devant la vilenie de l'exécuteur des hautes œuvres, Sextius. Sthenius lui-même avait peine à croire à ce qui se passait. Il n'y avait pas une journée qu'il se trouvait dans la capitale, et il était là, sujet d'un débat au cœur même du Sénat romain. Pendant ce temps, Hortensius ne cessait de jeter des regards vers la porte et, alors que Cicéron arrivait à sa péroraison – « Sthenius réclame notre protection, non seulement contre un voleur, mais contre l'homme même qui est censé punir les voleurs ! » –, il bondit sur ses pieds. Selon les règles du Sénat, un préteur en exercice avait toujours la préséance sur un humble représentant des *pedarii*, et Cicéron n'eut d'autre choix que de lui céder la parole.

— Sénateurs ! tonna Hortensius, nous avons supporté cela assez longtemps ! Nous n'avons certainement jamais vu un tel opportunisme s'afficher devant cette noble assemblée ! On nous présente une vague motion, et voilà qu'elle s'avère se référer à un seul homme. On ne nous informe pas de ce dont il s'agit. Nous n'avons aucun moyen de vérifier si ce que nous entendons est vrai. Gaius Verrès, membre éminent de cet Ordre, est diffamé sans avoir la moindre chance de se défendre. Je propose de suspendre immédiatement la séance !

Hortensius s'assit sous les applaudissements des aristocrates. Cicéron se leva, le visage impassible.

— Le sénateur ne doit pas avoir lu la motion, fit-il avec un étonnement feint. Où est-il fait mention de Gaius Verrès ? Messieurs, je ne demande pas à cette assemblée de se prononcer sur le cas de Gaius Verrès. Il ne serait pas équitable de juger Gaius Verrès en son absence. Gaius Verrès n'est pas ici pour se défendre. Et maintenant que nous avons établi ce principe, Hortensius voudra-t-il l'étendre à mon client et convenir que celui-ci ne devrait pas être jugé en son absence non plus ? Ou devrait-il y avoir une loi pour les aristocrates et une autre pour le reste d'entre nous ?

Cela fit aussitôt monter la température et mit les *pedarii* du côté de Cicéron tandis que la foule massée à la porte hurlait de joie. Je sentis quelqu'un me pousser rudement par-derrière, et Marcus Metellus se força un passage dans la curie pour remonter vivement l'allée en direction d'Hortensius. Cicéron le regarda avancer, d'abord en affichant une expression de surprise, puis de compréhension. Il leva aussitôt la main pour réclamer le silence.

— Très bien. Puisque Hortensius juge la motion originale trop vague, reformulons-la afin qu'il ne subsiste aucun doute. Je propose un amendement : *Attendu que Sthenius a été poursuivi en son absence, il est convenu qu'aucun jugement par contumace ne peut avoir lieu, et que, si un tel jugement a déjà été rendu, il soit annulé.* Et j'ajoute : votons-le sur-le-champ, et, dans la plus grande tradition du Sénat romain, épargnons à un innocent l'épouvantable châtiment de la crucifixion !

Sous les acclamations et les sifflets mêlés, Cicéron s'assit et Gellius se leva.

— La motion est énoncée, déclara le consul. Quelqu'un veut-il prendre la parole ?

Hortensius, les frères Metellus et quelques autres membres de leur parti tels Scribonius Curion, Sergius Catilina et Aemilius Alba s'étaient rassemblés autour du premier banc, et la curie sembla brièvement s'orienter vers une fracture, ce qui aurait parfaitement convenu à Cicéron. Mais lorsque les aristocrates finirent par regagner leur place, la silhouette osseuse de Catulus apparut encore debout.

— Je crois que je vais prendre la parole, annonça-t-il. Oui, je crois que j'ai quelque chose à dire.

Catulus avait un cœur de pierre – c'était l'arrière-arrière-arrière-arrière-arrière-petit-fils (je ne crois pas me tromper sur le nombre d'« arrière ») du Catulus qui avait triomphé d'Hamilcar durant la première guerre punique – et pas moins de deux siècles d'histoire se trouvaient distillés dans sa vieille voix aigre.

— Je vais prendre la parole, répéta-t-il, et ce que je veux dire en premier, c'est que ce jeune homme (il désigna Cicéron) ne sait rigoureusement rien « des plus grandes traditions du Sénat romain » car, si tel était le cas, il aurait conscience qu'aucun sénateur n'en attaque jamais un autre, sinon en face. Cela témoigne d'un manque certain d'éducation. Je le regarde assis là, malin et impatient, et savez-vous ce que je pense, messieurs ? Je pense à la sagesse du vieux dicton : « Une once d'hérédité vaut une livre de mérite ! »

C'était maintenant au tour des aristocrates de se tordre de rire. Catilina, dont j'aurai beaucoup à dire par la suite, désigna Cicéron, puis passa son index sous sa gorge. Cicéron rougit mais parvint à garder son sang-froid. Il réussit même à afficher un maigre sourire. Catulus se retourna avec délice vers les bancs derrière lui, et j'entrevis son profil ricanant, acéré, au nez crochu, évoquant une effigie sur une pièce de monnaie. Puis il se replaça face à l'assemblée.

— La première fois que je pénétrai dans cette curie, sous le consulat de Claudius Pulcher et Marcus Perpernat…

Sa voix prit un ton assuré et monotone.

Cicéron chercha mon regard. Il articula quelque chose, leva les yeux vers les fenêtres, puis me désigna la porte d'un signe de tête. Je compris tout de suite ce qu'il voulait et, alors que je me frayais un chemin vers le forum parmi le public, je songeai soudain que Marcus Metellus avait dû être chargé d'accomplir exactement la même mission un moment plus tôt. Il était à cette époque plus difficile de mesurer le temps avec exactitude, et l'on estimait que la dernière heure ouvrable de la journée commençait lorsque le soleil tombait à l'ouest de la Colonne de Ménius. Je ne doutais pas que cet instant était imminent, et que l'employé chargé de constater la position du soleil était déjà en route pour annoncer l'heure au consul. Il était en effet interdit au Sénat de siéger après le coucher du soleil. De toute évidence, Hortensius et ses amis projetaient de garder la parole pendant toute la dernière heure de la séance afin d'empêcher que la motion de Cicéron fût soumise au vote. J'eus à peine le temps de vérifier par moi-même la positon du soleil, de retraverser le forum en courant et de me glisser parmi la foule jusqu'au seuil de la curie que Gellius annonçait :

— La dernière heure !

Cicéron se leva aussitôt afin de soulever un point de procédure, mais Gellius ne voulut rien entendre, et la parole était toujours à Catulus. Celui-ci retraçait interminablement l'histoire du gouvernement provincial, partant pratiquement de l'époque où la louve allaitait Romulus. (Le père de Catulus, également consul, était mort de façon tristement célèbre en s'enfermant dans une pièce hermétique où il fit brûler du charbon de bois pour s'asphyxier avec la fumée ; Cicéron soutenait qu'il avait sûrement fait cela pour ne plus avoir à écouter les discours de son fils.) Lorsque celui-ci finit par atteindre une sorte de conclusion, il céda aussitôt la parole à Quintus Metellus. A nouveau, Cicéron se leva, mais il fut cette fois encore battu par la règle du rang. Metellus jouissait de la dignité prétorienne et, à moins qu'il ne choisît de lui céder la parole, ce qui n'entrait évidemment pas dans ses intentions, Cicéron n'avait aucun droit de la lui prendre. Pendant un instant, Cicéron voulut insister malgré un rugissement de protestations, mais les hommes qui l'encadraient – dont l'un était Servius, son ami juriste qui avait ses intérêts à cœur et voyait qu'il risquait de se ridiculiser – tirèrent sur sa toge et le firent asseoir.

Il était interdit d'allumer une lampe ou un quelconque feu à l'intérieur de la curie. A mesure que l'obscurité tombait, le froid s'intensifiait et les formes blanches des sénateurs, immobiles dans le crépuscule de novembre, commençaient à évoquer une assemblée de fantômes. Lorsque Metellus eut parlé pendant ce qui sembla durer une éternité puis se fut assis en cédant la parole à Hortensius – qui était capable de discourir sur n'importe quoi pendant des heures –, tout le monde savait que le débat était terminé, et Gellius ne tarda pas à clore la séance. Il descendit l'allée en boitillant, vieillard pressé d'aller dîner, précédé par quatre licteurs porteurs de sa chaise curule. Une fois qu'il eut franchi la porte, les sénateurs le suivirent tandis que Sthenius et moi battions en retraite dans le forum pour y attendre Cicéron. Peu à peu, la foule autour de nous se clarifia. Le Sicilien ne cessait de me demander ce qui se passait, mais je jugeai plus sage de ne rien lui répondre, aussi patientâmes-nous en silence. Je me représentais Cicéron, assis, seul, sur un banc du fond, attendant que la curie se vide pour n'avoir à parler à personne. Je craignais en effet qu'il n'eût sérieusement perdu la face. Mais, à ma grande surprise, il sortit en bavardant avec Hortensius et un autre sénateur plus âgé que je ne reconnus pas. Ils s'entretinrent un moment sur les marches du Sénat, se serrèrent la main et se séparèrent.

— Savez-vous qui c'était ? demanda Cicéron en nous rejoignant. (Loin d'être abattu, il paraissait profondément amusé.) C'était le père de Verrès. Il a promis d'écrire à son fils pour le presser d'abandonner les poursuites si nous acceptions de ne pas porter cette affaire devant le Sénat.

Le pauvre Sthenius parut si soulagé que je crus qu'il allait mourir de gratitude. Il tomba à genoux et se mit à embrasser les mains du sénateur. Cicéron fit la grimace et le releva doucement.

— Vraiment, mon cher Sthenius, gardez vos remerciements pour quand j'aurai effectivement obtenu quelque chose. Il a seulement promis d'écrire, c'est tout. Nous n'avons aucune garantie de quoi que ce soit.

— Mais vous allez accepter la proposition ?

— Quel choix avons-nous ? demanda Cicéron en haussant les épaules. Même si je représente la motion, ils continueront de monopoliser la parole indéfiniment.

Je ne pus m'empêcher de demander pourquoi, en ce cas, Hortensius prenait la peine de proposer un marché.

— C'est une bonne question, répondit Cicéron en hochant lentement la tête.

Une brume s'élevait au-dessus du Tibre et, dans les boutiques qui bordaient l'Argiletum, les lampes projetaient une lueur jaune et voilée. Cicéron huma l'air humide.

— Je suppose que ce ne peut être que parce qu'il était embarrassé. Et pourtant, on sait qu'il lui en faut beaucoup. Il semblerait donc que même *lui* préférerait ne pas trop s'afficher publiquement avec un criminel aussi patent que Verrès. Il essaie donc de régler les choses à l'amiable. Je me demande combien il touche de la part de Verrès : ce doit être une somme considérable.

— Hortensius n'était pas seul à se porter à la défense de Verrès, lui rappelai-je.

— Non, dit Cicéron, qui jeta vers le Sénat un regard indiquant qu'une idée venait de lui venir. Ils sont tous impliqués dans cette histoire, n'est-ce pas ? Les frères Metellus sont de vrais aristocrates – ils ne lèveraient pas le petit doigt pour aider quiconque en dehors d'eux-mêmes, à moins que ce ne soit pour de l'argent. Quant à Catulus, cet individu ferait tout pour de l'or. Il a entrepris de tels travaux sur le Capitole au cours des dix dernières années que le temple de Jupiter va bientôt pouvoir être dédié à sa mémoire. A vue de nez, je dirais que nous avons assisté au transfert d'un bon demi-million de sesterces en pots-de-vin, cet après-midi, Tiron. Quelques bronzes de Delos – aussi beaux soient-ils, Sthenius, pardonne-moi – ne sauraient suffire à acheter une telle protection. Que fabrique donc Verrès là-bas, en Sicile ?

Il entreprit soudain de retirer sa chevalière.

— Porte ça aux Archives nationales, Tiron, et montre-la à l'un des employés. Demande à voir en mon nom tous les comptes officiels soumis au Sénat par Gaius Verrès.

Mon visage dut exprimer mon désarroi.

— Mais ce sont des hommes de Catulus qui s'occupent des Archives nationales. Il apprendra certainement ce que tu fais.

— On ne peut pas l'éviter.

— Que dois-je chercher ?

— Tout ce qui peut se révéler intéressant. Tu le sauras quand tu le verras. Vas-y vite, pendant qu'il reste un peu de lumière.

Il posa son bras sur les épaules du Sicilien.

— Quant à toi, Sthenius, tu viens dîner avec moi, ce soir, j'espère ? Nous serons en famille et je suis certain que ma femme sera enchantée de faire ta connaissance.

J'en doutais plutôt, mais ce n'était naturellement pas à moi de le dire.

Le *tabularium*, qui datait de six ans à peine, dominait le forum plus massivement encore qu'aujourd'hui car il subissait alors beaucoup moins de concurrence. Je gravis le grand escalier jusqu'à la première galerie et, le temps que je trouve quelqu'un, j'avais le cœur emballé. Je lui montrai le sceau et demandai à voir, de la part du sénateur Cicéron, les comptes de Verrès. L'employé commença par prétendre n'avoir jamais entendu parler de Cicéron et que, de toute façon, c'était l'heure de la fermeture. Mais je montrai alors la direction de la prison et lui répliquai fermement que, s'il ne désirait pas passer un mois enchaîné dans la prison d'Etat pour entrave à affaires officielles, il ferait mieux d'aller me chercher ces dossiers tout de suite. (Une des leçons que j'avais apprises de Cicéron était la meilleure façon de dissimuler sa nervosité.) Il se renfrogna, réfléchit un instant et me pria de le suivre.

Les Archives nationales étaient le domaine de Catulus, véritable temple qui lui était dédié, à lui et à sa tribu. Les voûtes étaient surmontées de l'inscription : *Q. Lutatius Catulus, fils de Quintus, petit-fils de Quintus, consul qui, par décret du Sénat, a commandé l'érection de ces Archives nationales puis les a jugées conformes*. Et, à l'entrée, trônait sa statue grandeur nature, plus jeune et héroïque qu'il n'était apparu au Sénat dans l'après-midi. La plupart des gens qui travaillaient là étaient ses esclaves ou ses affranchis, et portaient son emblème, un petit chien, cousu sur leur tunique. Il faut que je vous dise quel genre d'homme était Catulus. Il reprochait le suicide de son père au préteur du parti populaire, Gratidianus – un parent lointain de Cicéron –, et, après la victoire des aristocrates dans la guerre civile qui opposa Marius à Sylla, il saisit l'occasion de se venger. Sur son ordre, son jeune protégé, Sergius Catilina, s'empara de Gratidianus et le fit fouetter à travers les rues jusqu'au tombeau de la famille Catulus. Là-bas, on lui brisa les bras et les jambes, on lui coupa le nez et les oreilles, on lui arracha la langue avant de la découper en morceaux et on lui arracha les yeux. On trancha alors sa tête atrocement mutilée, et Catilina la porta en triomphe à Catulus, qui attendait au forum. Vous étonnez-vous toujours de ce que je me sois senti si nerveux en attendant l'ouverture des chambres ?

Les dossiers sénatoriaux étaient conservés dans des chambres fortes à l'épreuve du feu, conçues pour résister à la foudre et creusées dans la roche du Capitole, et quand les esclaves ouvrirent la grande porte de bronze, j'entrevis des milliers et des milliers de rouleaux de papyrus disparaissant dans l'ombre de la colline sacrée. Cinq cents ans d'histoire étaient concentrés dans ce petit espace : un demi-millénaire de magistratures et de gouvernements, de décrets proconsulaires et de règlements judiciaires, de la Lusitanie à la Macédoine, de l'Afrique à la Gaule, et la plupart de ces actes portaient le nom de quelques familles seulement : les Aemilii, les Claudii, les Cornelii, les Lutatii, les Metelii, les Servilii. C'est ce qui donnait à Catulus et à ses pairs l'audace de regarder de haut les chevaliers provinciaux tels que Cicéron.

Ils me firent attendre dans une antichambre pendant qu'ils cherchaient les dossiers de Verrès, puis finirent par m'apporter une seule boîte contenant peut-être une douzaine de rouleaux. D'après les étiquettes fixées à leur extrémité, je vis que c'étaient tous, à l'exception d'un seul, des comptes rendus de sa carrière de préteur urbain. L'exception en question était un papyrus très mince qui ne valait même pas la peine d'être déroulé. Couvrant la période où il travaillait comme magistrat débutant, douze ans auparavant, à l'époque de la guerre entre Sylla et Marius, il ne contenait que trois phrases : *J'ai reçu 2 235 417 sesterces. J'ai dépensé en hono-*

raires, grain, paiements des légats, du proquesteur, de la cohorte prétorienne 1 635 417 sesterces. J'en ai laissé 600 000 à Arminium. Au souvenir des quantités de rouleaux de comptes méticuleux issus de la préture de Cicéron en Sicile, rouleaux que j'avais intégralement rédigés pour lui, je me retins à peine de rire.

— C'est tout ce qu'il y a ?

L'employé m'assura que oui.

— Mais où sont les comptes rendus de son service en Sicile ?

— Ils n'ont pas encore été soumis au Trésor.

— Pas encore ? Il est gouverneur depuis près de deux ans !

L'employé me regarda sans comprendre, et je vis qu'il était inutile de perdre davantage de temps avec lui. Je recopiai les trois lignes relatives à la questure de Verrès, puis sortis dans le soir.

Pendant que je me trouvais aux Archives nationales, l'obscurité était tombée sur Rome. Chez Cicéron, la famille avait déjà commencé à dîner. Mais le maître avait donné pour instruction à son intendant Eros de me conduire dans la salle à manger dès que je serais rentré. Je le trouvai allongé sur une banquette près de Terentia. Son frère, Quintus, était là aussi en compagnie de sa femme, Pomponia. La troisième couche était occupée par le cousin de Cicéron, Lucius, et l'infortuné Sthenius, toujours vêtu de ses habits de deuil poussiéreux, qui se tortillait, mal à l'aise. Je sentis en entrant l'atmosphère tendue, quoique Cicéron parût de fort belle humeur. Il aimait les dîners. Ce n'était pas tant la qualité des mets et des boissons qui lui importait, que les personnes présentes et la conversation. Quintus et Lucius étaient, avec Atticus, les trois hommes qu'il aimait le plus au monde.

— Alors ? me demanda-t-il.

Je lui racontai ce qui s'était passé et lui montrai ma copie des comptes de la questure de Verrès. Il la parcourut, émit un grognement et poussa la tablette de cire de l'autre côté de la table.

— Regarde ça, Quintus. Ce bandit est trop paresseux ne serait-ce que pour mentir convenablement. Six cent mille sesterces – quelle somme bien ronde, sans un as qui dépasse – et où les dépose-t-il ? Dans une ville bien entendu occupée par les troupes de l'opposition afin qu'on puisse leur en attribuer le vol éventuel ! Et aucun compte de Sicile n'aurait été présenté en *deux ans* ? Je te remercie, Sthenius, d'avoir attiré mon attention sur cette fripouille.

— Oh oui, merci mille fois, ajouta Terentia avec une suavité acerbe. Merci du fond du cœur de nous fâcher avec la moitié des bonnes familles de Rome. Mais sans doute pourrons-nous frayer avec des Siciliens à présent, alors tout ira bien. D'où venez-vous, déjà ?

— De Therme, madame.

— Therme. Jamais entendu parler. Mais je suis sûre que c'est charmant. Tu pourras y faire des discours au conseil municipal, Cicéron. Peut-être même pourras-tu te faire élire là-bas, maintenant que Rome t'est définitivement fermé. Tu pourras être consul de Therme et j'en serai la première dame.

— Un rôle dont tu t'acquitteras avec ton charme coutumier, ma chérie, je n'en doute pas, commenta Cicéron en lui tapotant le bras.

Ils pouvaient passer des heures à s'asticoter ainsi, et il me semble parfois qu'ils y trouvaient plaisir.

— Je n'arrive toujours pas à voir ce que tu peux y faire, intervint Quintus.

Il revenait tout juste du service militaire. De quatre ans le cadet de son frère, il n'avait pas la moitié de son intelligence.

— Si tu dénonces la conduite de Verrès devant le Sénat, ils vont s'arranger pour que ce ne soit pas recevable. Si tu essaies de lui intenter un procès, ils feront en sorte qu'il soit acquitté. Je te conseille de ne pas mettre ton nez là-dedans.

— Et toi, Lucius, qu'est-ce que tu en dis ?

— Je dis qu'aucun homme d'honneur siégeant au Sénat ne doit tolérer que ce genre de corruption puisse se pratiquer en toute impunité. Maintenant que tu connais les faits, il est de ton devoir de les rendre publics.

— Bravo ! s'exclama Terentia. Voilà qui est parlé comme un vrai philosophe, qui n'a jamais occupé la moindre fonction de toute sa vie.

Pomponia bâilla avec ostentation.

— On ne pourrait pas parler d'autre chose ? La politique est tellement ennuyeuse !

C'était une femme fatigante dont le seul attrait, à part un buste proéminent, était d'être la sœur d'Atticus. Je vis les regards des deux frères Cicéron se croiser, et mon maître esquissa un mouvement de tête à peine perceptible : ignore-la, disait son expression, ça ne vaut pas la peine de se disputer pour ça.

— D'accord, concéda-t-il. Assez de politique. Mais je propose un toast. (Il leva sa tasse et les autres l'imitèrent.) A notre vieil ami Sthenius. Qu'au moins ce jour puisse marquer le début du retour de sa fortune. A Sthenius !

Le Sicilien avait les yeux humides de larmes de gratitude.

— A Sthenius !

— Et à Therme, Cicéron, ajouta Terentia, ses petits yeux bruns, ses yeux de musaraigne, brillant de malice par-dessus le bord de son verre. N'oublions pas Therme.

Je pris mon repas seul dans la cuisine et me mis, épuisé, au lit avec une lampe et un traité de philosophie que j'étais trop fatigué pour lire (j'étais libre d'emprunter ce que je voulais dans la petite bibliothèque familiale). Plus tard, j'entendis les invités partir et les verrous se refermer sur la grande porte. Puis j'entendis Cicéron et Terentia monter en silence l'escalier et partir chacun de son côté car elle avait depuis longtemps choisi de dormir dans une autre partie de la maison pour éviter qu'il nc la réveille avant l'aube. J'entendis Cicéron arpenter le plancher au-dessus de ma tête, éteignis ma lampe et sombrai aussitôt dans le sommeil au son de ses pas qui allaient et venaient inlassablement.

Ce fut six semaines plus tard que nous eûmes enfin des nouvelles de Sicile. Verrès n'avait pas tenu compte des exhortations de son père. Le 1er décembre, à Syracuse, exactement comme il avait menacé de le faire, il avait jugé Sthenius en son absence, l'avait déclaré coupable d'espionnage et condamné à la crucifixion. Puis il avait envoyé ses représentants à Rome pour l'arrêter et le ramener afin d'être exécuté.

III

Le défi méprisant du gouverneur de Sicile prit Cicéron par surprise. Il était convaincu d'avoir conclu un arrangement entre hommes d'honneur, qui garantissait la vie de son client.

— Mais bien sûr, se plaignit-il amèrement, ils ne savent même pas ce que c'est qu'un homme d'honneur.

Il arpentait la maison dans un état de fureur qui ne lui ressemblait pas. Il avait été joué ! On l'avait pris pour un imbécile ! Il allait foncer directement au Sénat pour dénoncer leurs mensonges éhontés ! J'étais sûr qu'il ne tarderait pas à se calmer. Il ne savait que trop qu'il n'était pas en position ne fût-ce que de demander audience au Sénat : il risquait l'humiliation.

Mais il devait cependant bien admettre qu'il fallait à tout prix protéger son client, aussi, le lendemain matin du jour où Sthenius avait appris sa condamnation, Cicéron convoqua une réunion au sommet dans son bureau pour déterminer la meilleure façon de réagir. D'aussi loin que je me souvienne, c'était la première fois qu'il éconduisait tous ses visiteurs habituels du matin, et nous nous retrouvâmes tous les six entassés dans ce petit espace : Cicéron, Quintus, Lucius, Sthenius, moi-même (pour prendre des notes) et Servius

Sulpicius, déjà considéré à l'époque comme l'un des juristes les plus doués de sa génération. Cicéron commença par prier Servius de lui donner son avis juridique sur la question.

— Théoriquement, dit Servius, notre ami a le droit de faire appel à Syracuse, mais seulement auprès du gouverneur, qui n'est autre que Verrès lui-même. Cette voie nous est donc fermée. Poursuivre Verrès n'est pas une option : en tant que gouverneur en exercice, il bénéficie de l'immunité. De plus, Hortensius est préteur au tribunal des extorsions jusqu'en janvier. Et, cerise sur le gâteau, le jury serait composé de sénateurs qui jamais ne condamneraient l'un des leurs. Tu pourrais proposer une autre motion, mais tu as déjà essayé, et sans doute obtiendrais-tu le même résultat. Sthenius ne peut continuer de vivre ouvertement à Rome – quiconque est accusé d'un crime capital est automatiquement banni de la ville, de sorte qu'il lui est impossible de rester ici. En fait, Cicéron, tu risques toi-même des poursuites si tu l'abrites sous ton toit.

— Que me conseilles-tu alors ?

— Le suicide, répondit Servius.

Sthenius laissa échapper un grognement terrible.

— Non, sérieusement, je crains que tu ne doives l'envisager. Avant qu'on ne t'arrête. A moins que tu ne veuilles endurer le fouet, les fers rouges ou le supplice de la croix.

— Merci, Servius, l'interrompit vivement Cicéron avant qu'il ne décrive ces tortures en détail. Tiron, nous devons trouver un lieu où Sthenius puisse se cacher. Il ne doit pas rester ici plus longtemps. C'est le premier endroit où ils viendront le chercher. Quant à la situation purement légale, Servius, ton analyse me paraît sans faute. Verrès est une brute, mais une brute rusée, ce qui explique qu'il se soit senti assez fort pour pousser son accusation plus loin. Bref, après avoir réfléchi toute la nuit, il me semble qu'il n'existe qu'une toute petite possibilité.

— Qui est ?

— Aller devant le collège des tribuns.

Cette suggestion suscita un malaise immédiat dans la mesure où les tribuns de la plèbe formaient à cette époque une assemblée totalement discréditée. Traditionnellement, ils contrôlaient et équilibraient le pouvoir du Sénat en exprimant la voix du peuple. Mais, dix ans plus tôt, après la victoire de Sylla sur les forces de Marius, les aristocrates les avaient dépouillés de leurs pouvoirs. Ils n'avaient plus le droit de convoquer des réunions populaires, ni de proposer des lois, ni de mettre en accusation les semblables de Verrès pour crimes et délits divers. Et, humiliation suprême, tout sénateur qui devenait tribun se voyait automatiquement interdire de postuler aux charges les plus importantes, à savoir la préture et le consulat. Autrement dit, le tribunat était devenu une impasse politique – une façon de circonscrire les contestataires et les rancuniers, les incompétents et les inéligibles : les effluents du corps politique. Aucun sénateur issu de la noblesse ou doué d'ambition ne s'en serait approché.

— Je connais vos objections, assura Cicéron en faisant signe à ses hôtes de faire silence un instant. Mais les tribuns ont encore une petite once de pouvoir, n'est-ce pas, Servius ?

— C'est vrai, concéda Servius. Ils ont un *potestas auxilii ferendi*.

Nos regards vides le remplirent d'aise.

— Cela signifie, expliqua-t-il sur un ton pédant, qu'ils ont le droit d'offrir leur protection à des personnes privées contre des décisions injustes de magistrats. Mais je dois t'avertir, Cicéron, que si tu commences à te mêler de la politique du peuple, tu vas baisser dans l'estime de tes amis, au nombre desquels j'ai l'honneur de compter depuis longtemps. Le suicide, répéta-t-il. Quel est le problème ? Nous sommes tous mortels. Ce n'est pour nous tous qu'une question de temps. Et de cette façon, tu partirais avec honneur.

— Je suis d'accord avec Servius sur le danger que nous courons si nous approchons des tribuns, dit Quintus (quand Quintus parlait de son frère aîné, il employait le plus souvent le « nous ».) Que cela nous plaise ou non, le pouvoir à Rome est actuellement entre les mains des nobles et du Sénat. C'est pour cela que notre stratégie a toujours été de construire soigneusement notre réputation, grâce à tes plaidoiries devant les tribunaux. Nous nous saborderions de manière irréparable auprès des hommes qui comptent vraiment s'ils devaient avoir l'impression que tu n'es en fait qu'un agitateur de plus. En outre – j'hésite à évoquer cela, Marcus –, as-tu pensé à la réaction de Terentia si tu devais suivre cette idée ?

Servius partit d'un gros rire.

— Tu n'arriveras jamais à conquérir Rome, Cicéron, si tu n'arrives déjà pas à tenir ta femme.

— Crois-moi, Servius, il serait beaucoup plus simple de conquérir Rome que de tenir ma femme.

La discussion se poursuivit ainsi un moment. Lucius trouvait judicieux de s'adresser au plus vite aux tribuns, quelles que pussent être les conséquences. Sthenius était trop hébété par la désolation et la peur pour avoir une opinion cohérente sur quoi que ce fût. A la fin, Cicéron me demanda ce que j'en pensais. En toute autre compagnie, cela aurait pu paraître surprenant car l'opinion d'un esclave ne comptait guère aux yeux de la plupart des Romains, mais ces hommes étaient habitués à ce que Cicéron me demande parfois mon avis.

Je répondis avec prudence qu'il me semblait qu'Hortensius ne serait sûrement pas ravi d'apprendre ce que Verrès avait fait, et que la perspective de voir l'affaire virer au scandale public pourrait l'inciter à faire pression sur son client pour qu'il retrouve le chemin de la raison. Se présenter devant le collège des tribuns représentait un risque mais, à tout prendre, c'était un risque qui valait la peine d'être couru. La réponse plut à Cicéron.

— Parfois, dit-il, résumant la situation par une expression que je n'ai jamais oubliée, lorsqu'on se retrouve enlisé, en politique, la seule chose à faire est de déclencher une bagarre – déclencher une bagarre même si l'on ne sait pas quelle en sera l'issue, parce que c'est seulement lorsque la bagarre fait rage et que tout est chamboulé que l'on peut espérer découvrir une porte de sortie. Merci, messieurs.

Et là-dessus, la réunion fut ajournée.

Il n'y avait pas de temps à perdre, car si les nouvelles de Syracuse avaient déjà atteint Rome, il était logique de supposer que les hommes de Verrès n'étaient pas loin. Alors même que Cicéron parlait encore, j'eus l'idée d'une cachette possible pour Sthenius, aussi, à peine la conférence terminée, me mis-je en quête du gérant de Terentia, Philotimus. C'était un jeune homme lascif et replet qu'on trouvait le plus souvent dans les cuisines, harcelant les servantes pour satisfaire l'un ou l'autre ou, mieux encore, ses deux vices à la fois. Je lui demandai s'il y avait un appartement libre dans l'un des immeubles d'habitation de sa maîtresse et, lorsqu'il me répondit que oui, le forçai à m'en remettre les clés. Puis je vérifiai que la voie était libre et, lorsque je fus certain qu'il n'y avait personne dans la rue, je persuadai Sthenius de me suivre.

Ses rêves de retourner un jour dans sa patrie réduits à néant, il se trouvait dans un état de profond abattement qu'aggravait encore la peur de se faire arrêter à tout moment. Et je crains que lorsqu'il découvrit l'immeuble sordide de Subura où il devait séjourner pour le moment, il dut même croire que nous l'avions abandonné. L'escalier était sombre et branlant. Les murs portaient des traces d'un incendie récent. Sa chambre, au cinquième étage, était à peine plus grande qu'une cellule, avec une paillasse sur le sol et une fenêtre minuscule qui n'offrait d'autre vue qu'un immeuble similaire, tellement proche qu'il aurait suffi à Sthenius de tendre le bras pour serrer la main au voisin d'en face. Enfin, un seau faisait office de latrines. Mais, s'il ne lui procurait aucun confort, cet endroit avait le mérite de lui offrir la sécurité – lâché, inconnu, dans ce ramassis de taudis, il serait presque impossible de le retrouver. Il me demanda sur un ton plaintif de rester un moment avec lui, mais il fallait que je rentre pour rassembler tous les documents relatifs à son affaire, afin que Cicéron pût les présenter aux tribuns. Je lui expliquai que nous luttions contre le temps, et partis aussitôt.

Le siège des tribuns se trouvait juste à côté du Sénat, dans la vieille basilique Porcia. Bien que le collège des tribuns ne représentât plus qu'une coquille vide, dont on avait aspiré toute substance de pouvoir, il y avait toujours des gens qui traînaient autour du bâtiment. Les révoltés, les dépossédés, les affamés, les militants – tels étaient les habitués de la basilique des tribuns. Tandis que Cicéron et moi traversions le forum, nous vîmes une foule importante qui se bousculait pour voir ce qui se passait à l'intérieur. Je portais un coffret à documents mais m'efforçais tout de même d'ouvrir du mieux que je pouvais un passage pour le sénateur, recevant quelques coups et insultes pour ma peine, car ce n'étaient pas là des citoyens qui appréciaient beaucoup la toge bordée de pourpre.

Il y avait dix tribuns, élus chaque année par la plèbe, et ils siégeaient toujours sur le même long banc de bois, sous une fresque représentant la défaite des Carthaginois. Ce n'était pas une grande bâtisse, mais elle était bondée, bruyante et surchauffée malgré le froid de décembre. Lorsque nous entrâmes, un jeune homme, étrangement pieds nus, haranguait la foule. Il était très laid, avec un visage abîmé et une voix rude, rocailleuse. Il y avait toujours beaucoup d'excentriques dans la basilique Porcia, et je le pris pour l'un d'eux, vu que son discours semblait porter entièrement sur la nécessité de ne démolir en aucun cas ni même déplacer du moindre centimètre un pilier précis pour faire davantage de place aux tribuns. Cependant, pour quelque mystérieuse raison, il forçait l'attention. Cicéron se mit à l'écouter très attentivement et, au bout de quelques instants, il s'aperçut – à ses constantes références à ses « ancêtres » – que ce curieux personnage n'était autre que l'arrière-petit-fils du fameux Marcus Porcius Caton, qui avait fait construire cette basilique et lui avait donné son nom.

Si je mentionne cette anecdote, c'est parce que le jeune Caton – il avait alors vingt-trois ans – allait jouer un rôle très important à la fois dans la vie de Cicéron et dans la mort de la République. Non que cela pût se deviner à l'époque : il ne paraissait pas destiné à autre chose qu'à l'asile. Il termina sa harangue puis, quittant son poste, les yeux fous, sans rien voir, me rentra dedans. Ce qui me reste en mémoire, c'est l'odeur forte et animale qui émanait de lui, ses cheveux trempés de sueur et les taches de transpiration grosses comme des assiettes qui maculaient sa tunique, sous les aisselles.

Il avait cependant eu gain de cause, et le pilier resta à sa place aussi longtemps que la bâtisse tint debout – ce qui ne devait, hélas, durer que quelques années seulement.

Quoi qu'il en soit, pour en revenir à mon récit, les tribuns formaient dans l'ensemble une assez piètre assemblée, mis à part l'un de ses membres, qui se détachait du lot par son talent et son énergie – je veux parler de Lollius Palicanus. C'était un homme fier mais de basse extraction, originaire de Picenum, au nord-est de l'Italie – base politique de Pompée le Grand. On avait supposé que lorsque Pompée rentrerait d'Espagne, il se servirait de son influence afin d'obtenir la préture pour son compatriote, aussi Cicéron avait-il été, comme tout le monde, surpris d'apprendre l'été précédent que Palicanus avait soudain posé sa candidature pour le tribunat. Ce matin-là, il semblait cependant très heureux de son sort. Les nouveaux tribuns commençaient toujours leur mandat le 10 décembre, aussi découvrait-il tout juste son nouvel emploi.

— Cicéron ! s'exclama-t-il en nous apercevant. Je me demandais quand tu viendrais !

Il nous dit qu'il avait déjà appris ce qui s'était passé à Syracuse, et il voulait nous parler de Verrès. Mais il voulait en parler en privé, car il y avait davantage en jeu, nous dit-il mystérieusement, que le destin d'un seul homme. Il proposa de nous retrouver chez lui, sur le mont Aventin, une heure plus tard, et Cicéron accepta. Palicanus ordonna immédiatement à l'un de ses serviteurs de nous guider, disant qu'il nous rejoindrait séparément.

A l'image de son propriétaire, l'endroit se révéla assez rudimentaire et sans prétention, près de la porte de Laverne, juste après le mur d'enceinte. Ce qui m'a le plus marqué est un buste de Pompée plus grand que nature, en casque et armure d'Alexandre le Grand, qui dominait l'atrium.

— Eh bien, commenta Cicéron après l'avoir examiné, cela nous change des Trois Grâces.

C'était exactement le genre de commentaires amusants mais peu appropriés qui faisaient le tour de la ville avant de revenir inévitablement aux oreilles de leur victime. Heureusement, j'étais seul à être présent cette fois-là, mais j'en profitai pour lui faire part de ce qu'avait dit l'employé du consul à propos de sa plaisanterie sur Gellius jouant les arbitres entre les philosophes. Cicéron feignit d'être penaud et promit de se montrer plus circonspect à l'avenir – il savait, assura-t-il, que les gens aimaient bien que leurs hommes d'Etat fussent ennuyeux – mais, naturellement, il oublia bien vite sa résolution.

— Excellent, ton discours de la semaine dernière, déclara Palicanus en arrivant. Tu as cela en toi, Cicéron, vraiment. Mais ces salopards au sang bleu t'ont eu jusqu'à la moelle et, maintenant, tu es dans la merde. Alors qu'est-ce que tu comptes faire, exactement ?

Il s'exprimait réellement ainsi – des mots crus prononcés avec un accent grossier – et les aristocrates s'amusaient grandement de son élocution.

J'ouvris ma cassette et remis les documents à Cicéron, qui exposa rapidement la situation de Sthenius. Lorsqu'il eut terminé, il lui demanda quelles étaient les chances d'obtenir une aide des tribuns.

— Ça dépend, répondit Palicanus en se passant rapidement la langue sur les lèvres avant de sourire. Viens t'asseoir un moment et voyons ce que nous pouvons faire.

Il nous conduisit dans une autre pièce, plutôt petite et totalement dominée par une immense fresque représentant Pompée couronné de laurier, cette fois habillé en Jupiter et ses doigts projetant des éclairs.

— Ça te plaît ? demanda Palicanus.

— C'est remarquable, commenta Cicéron.

— Oui, effectivement, dit son hôte non sans satisfaction. Ça, c'est de l'art.

Je pris un siège dans le coin, sous le dieu de Picenum, pendant que Cicéron, dont je n'osais pas croiser le regard, prenait place sur le canapé avec le maître des lieux.

— Ce que je vais te dire, Cicéron, ne doit pas sortir de cette maison. Pompée le Grand (Palicanus désigna la fresque d'un signe de tête, au cas où nous aurions douté du sujet représenté) rentrera bientôt à Rome après six ans d'absence. Il viendra avec son armée, aussi ne pourra-t-il y avoir de marché de dupes avec nos amis de la noblesse. Il cherche le consulat. Il obtiendra le consulat. Et il l'obtiendra sans opposition.

Il se pencha en avant avec empressement, s'attendant à de la stupéfaction, ou du moins à de la surprise, mais Cicéron reçut ce renseignement exceptionnel aussi froidement qu'une prévision météorologique.

— Alors, en échange de l'aide des tribuns dans l'affaire de Sthenius, je dois vous soutenir pour Pompée ?

— Tu es malin, Cicéron, et tu as ça en toi. Qu'est-ce que tu en penses ?

Cicéron appuya son menton sur sa main et examina Palicanus.

— Pour commencer, cela ne va pas plaire à Quintus Metellus. Tu connais le vieux poème : « A Rome, les Metelli, tel est le postulat, sont tous élus au consulat. » Il est prévu depuis sa naissance que son tour vienne l'été prochain.

— Ah oui, vraiment ? Eh bien, il peut toujours aller se faire voir. Combien de légions a Quintus Metellus derrière lui, aux dernières nouvelles ?

— Crassus a des légions, fit remarquer Cicéron. Et Lucullus aussi.

— Lucullus est trop loin, et il est débordé. Quant à Crassus… c'est vrai que Crassus ne peut pas sentir Pompée. Mais ce qu'il faut savoir à propos de Crassus, c'est que ce n'est pas un vrai soldat. C'est un homme d'affaires, et ce genre de type arrive toujours à un arrangement.

— Mais il reste le petit problème de l'inconstitutionnalité de la chose. Il faut avoir quarante-trois ans pour être consul. Quel âge a Pompée ?

— Tout juste trente-quatre ans.

— Et voilà. Près d'un an de moins que moi. De plus, un consul doit avoir été élu au Sénat et avoir servi comme préteur, or Pompée n'a été ni l'un ni l'autre. Il n'a jamais prononcé un discours politique de sa vie. Pour dire les choses simplement, Palicanus, on a rarement été moins qualifié que Pompée pour ce poste.

Palicanus écarta les objections d'un geste.

— Tout cela est peut-être vrai. Mais regardons les faits : Pompée a dirigé ce pays pendant des années, et il l'a fait avec l'autorité proconsulaire par-dessus le marché. Il *est* consul en tout, sauf en titre. Sois réaliste, Cicéron. Tu ne peux pas attendre d'un homme tel que Pompée de revenir à Rome pour commencer au bas de l'échelle et poser sa candidature pour la questure comme n'importe quel politicard de base. Qu'en irait-il de sa dignité ?

— Ses sentiments l'honorent, mais tu me demandes mon avis et je te le donne : les aristocrates ne le toléreront pas, je te préviens. D'accord, il a peut-être dix mille hommes qui attendent devant la ville, et les sénateurs n'auront d'autre choix que de le laisser devenir consul, mais, tôt ou tard, ses soldats rentreront chez eux, et alors, comment fera-t-il pour… ? Ha ! s'exclama Cicéron en rejetant la tête en arrière et en éclatant de rire. C'est excellent.

— Tu as compris ? fit Palicanus avec un sourire.

— J'ai compris, assura Cicéron en hochant la tête d'un air appréciateur. C'est bien pensé.

— Eh bien, je te donne une chance d'en faire partie. Et Pompée le Grand n'oublie pas ses amis.

Je n'avais à ce moment-là pas la moindre idée de quoi ils parlaient. Ce n'est que plus tard, sur le chemin du retour, que Cicéron me l'expliqua tout en marchant. Pompée projetait d'obtenir le consulat en s'appuyant sur la restauration pleine et entière du pouvoir des tribuns. D'où la décision surprenante de Palicanus de devenir tribun. Cette stratégie n'était pas née d'une volonté altruiste de Pompée d'accorder au peuple romain une plus grande liberté – quoiqu'il ne fût pas impossible, alors qu'il reposait dans son bain, en Espagne, qu'il se soit vu en défenseur des droits du citoyen –, non, ce n'était qu'une question d'intérêt personnel. En bon général, Pompée voyait bien qu'en défendant un tel programme, il piégerait les aristocrates dans un mouvement de tenailles, entre ses soldats cantonnés derrière le mur d'enceinte de Rome, et la plèbe dans les rues de la ville. Hortensius, Catulus, Metellus et les autres n'auraient d'autre choix que de concéder à la fois la charge de consul et la restauration du pouvoir des tribuns s'ils ne voulaient pas risquer d'être annihilés. Une fois que ce serait fait, Pompée pourrait renvoyer son armée dans ses foyers et, si nécessaire, gouverner en passant outre le Sénat pour en appeler directement au peuple. Il serait inattaquable. C'était, comme me le décrivit Cicéron, un coup brillant, et tout lui était apparu en un éclair alors qu'il se tenait sur le sofa de Palicanus.

— Qu'est-ce que j'aurai à y gagner ? demanda Cicéron.

— La grâce pour ton client.

— Et rien d'autre ?

— Comme je te l'ai dit, ça dépendra de tes capacités. Je ne peux pas faire de promesses précises. Il faudra attendre pour cela que Pompée lui-même soit revenu.

— Ce n'est pas, si je peux me permettre, mon cher Palicanus, une proposition très attractive.

— Eh bien, tu n'es pas vraiment en position de force, si je peux me permettre, mon cher Cicéron.

Cicéron se leva. Je voyais bien qu'il était contrarié.

— Je peux toujours me retirer du jeu, dit-il.

— Et laisser ton client mourir dans d'atroces souffrances sur l'une des croix de Verrès ? dit Palicanus en se levant à son tour. J'en doute, Cicéron. Je doute que tu sois aussi cruel.

Il nous reconduisit à la porte, passant devant Pompée en Jupiter, puis devant Pompée en Alexandre.

— Je vous verrai, toi et ton client, à la basilique demain matin, dit-il en serrant la main de Cicéron sur le seuil. Après cela, tu seras notre débiteur et on veillera au grain.

La porte se referma avec un claquement assuré.

Cicéron tourna les talons et sortit dans la rue.

— Si c'est toute la finesse dont il fait preuve en public, je ne veux pas savoir ce qu'il fait dans les latrines. Et ne me dis pas de surveiller ce que je dis, Tiron, parce que je me moque de qui peut entendre.

Il franchit la porte de la ville devant moi, les mains serrées derrière le dos, la tête penchée en avant, broyant du noir. Evidemment, Palicanus avait raison. Il n'avait pas le choix. Il ne pouvait pas abandonner son client. Mais je suis sûr qu'il devait soupeser les risques politiques qu'il y avait à aller plus loin qu'un simple appel aux tribuns pour se lancer dans une campagne musclée visant à restaurer leurs pouvoirs. Cela pouvait lui coûter le soutien des modérés comme Servius.

— Eh bien, dit-il avec un sourire ironique au moment où nous arrivions chez lui, je voulais la bagarre, et je crois que je suis servi.

Il demanda à Eros, l'intendant, où était Terentia, et parut soulagé d'apprendre qu'elle était toujours dans sa chambre. Cela reculait au moins de plusieurs heures le moment où il devrait lui expliquer la situation. Nous allâmes dans son bureau, et il commençait tout juste à me dicter son discours aux tribuns – « Messieurs, c'est un honneur pour moi de me tenir devant vous pour la première fois » – quand nous entendîmes des cris et un coup en provenance de l'entrée. Cicéron, qui se plaisait toujours à réfléchir debout en arpentant la pièce, courut voir ce qui se passait. Je le suivis de près. Six espèces de brutes occupaient le vestibule, chacune armée d'un bâton. Eros, du sang coulant de sa lèvre fendue, se roulait par terre en se tenant le ventre. Un autre étranger, armé pour sa part non d'un bâton mais d'un document apparemment officiel, s'avança vers Cicéron et annonça qu'il avait toute autorité pour fouiller la maison.

— L'autorité de qui ? s'enquit Cicéron très calme, beaucoup plus calme que je ne l'aurais été à sa place.

— Gaius Verrès, propréteur de Sicile, a signé ce mandat à Syracuse le 1er décembre, répondit l'étranger en brandissant le document sous le nez de Cicéron si brièvement que c'en fut insultant. Je cherche le traître Sthenius.

— Tu ne le trouveras pas ici.

— J'en serai seul juge.

— Et toi, qui es-tu donc ?

— Timarchides, affranchi de Verrès. Et je ne vais pas rester ici à parler pendant qu'il s'échappe. Toi, dit-il au plus proche de ses hommes, surveille l'avant de la maison. Vous deux, assurez l'arrière. Les autres, venez avec moi. Si tu n'as pas d'objection, on va commencer par ton bureau, sénateur.

Très vite, la maison résonna du bruit de leurs recherches – bruit de bottes sur le carrelage de marbre et le plancher de bois, cris perçants des esclaves, âpres voix masculines, bris d'objets renversés. Timarchides commença à vider les coffrets à documents du bureau, sous le regard de Cicéron qui se tenait à la porte.

— Il ne risque pas de se trouver là-dedans, commenta Cicéron. Ce n'est pas un nain.

Ne trouvant rien dans le bureau, ils montèrent l'escalier jusqu'à la chambre et la garde-robe spartiates du sénateur.

— Sois assuré, Timarchides, dit Cicéron tout en conservant son calme, mais avec une difficulté croissante alors qu'il les regardait défaire son lit, que ton maître et toi serez payés au centuple pour ce que vous venez de faire.

— Ta femme, dit Timarchides. Où dort-elle ?

— Ah, fit Cicéron à voix basse. Je ne ferais pas ça, si j'étais toi.

Mais Timarchides était remonté. Il était venu de loin, n'avait rien trouvé, et l'attitude de Cicéron lui portait sur les nerfs. Il traversa le couloir au pas de course, suivi par trois de ses hommes, et cria :

— Sthenius, je sais que tu es là !

Puis il ouvrit à la volée la porte de la chambre de Terentia. Le hurlement qui s'ensuivit, puis le claquement de la main de Terentia sur le visage de l'intrus retentirent dans toute la maison. Vint ensuite une volée d'imprécations des plus colorées, lancées d'une voix si impérieuse, et avec une telle force, que le lointain ancêtre de Terentia, qui avait commandé l'armée romaine contre Hannibal à Cannes, un siècle et demi plus tôt, dut se retourner dans sa tombe.

— Elle a fondu sur ce malheureux affranchi comme une tigresse bondissant d'un arbre, raconta par la suite Cicéron. J'ai presque eu pitié de ce type.

Timarchides fut bien contraint de constater que sa mission avait échoué, et il décida d'arrêter le massacre. Il s'engouffra dans l'escalier, ses sbires sur les talons, poursuivi par Terentia et la petite Tullia, qui se cachait derrière ses jupes et brandissait parfois son petit poing pour imiter sa mère. Nous entendîmes bientôt Timarchides rameuter ses hommes, puis perçûmes une cavalcade et un claquement de porte. La maison redevint ensuite silencieuse, à l'exception des pleurs de l'une des servantes.

— Et tout cela, s'exclama Terentia en prenant une profonde inspiration pour s'attaquer à Cicéron, les joues enflammées, sa poitrine étroite se soulevant rapidement, tout *cela* vient de ce que tu as pris la parole au Sénat en faveur de ce raseur de Sicilien ?

— J'ai bien peur que oui, ma chérie, répondit-il tristement. Ils sont décidés à m'effrayer pour que je renonce.

— Alors tu ne dois pas les laisser faire, Cicéron, dit-elle en lui prenant fermement la tête entre ses deux mains – en un mouvement non de tendresse mais de passion – pour le regarder droit dans les yeux. *Ecrase*-les !

Le résultat fut que le lendemain matin, lorsque nous partîmes pour la basilique Porcia, Quintus marchait d'un côté de Cicéron, Lucius allait de l'autre tandis que derrière, superbement revêtue du costume de cérémonie de la matrone romaine, venait Terentia dans une litière louée spécialement pour l'occasion. C'était la première fois qu'elle prenait la peine de venir écouter

Cicéron, et je puis jurer qu'il était plus nerveux à l'idée de parler devant elle que devant les tribuns. Il avait une grande escorte de clients pour le soutenir en quittant la maison, escorte qui se gonfla encore en route, surtout lorsque nous fîmes halte à mi-chemin de l'Argiletum pour prendre Sthenius à son refuge. Nous étions donc au moins une centaine à traverser le forum pour pénétrer dans la salle des tribuns. Timarchides nous suivait à distance avec sa bande, mais nous étions bien trop nombreux pour qu'il risque une attaque, et il savait que, s'il tentait quoi que ce fût dans la basilique, il serait réduit en pièces.

Les dix tribuns siégeaient. La salle était pleine. Palicanus se leva et lut la motion – *que de l'avis de ce collège, l'ordre de bannissement de Rome ne s'applique pas à Sthenius* –, et Cicéron s'avança vers le tribunal, le visage blanc et crispé de nervosité. Il avait très souvent mal au cœur avant une intervention importante, et cela avait été le cas ce matin-là – il avait dû s'arrêter près de la porte pour vomir dans le caniveau. La première partie de son discours fut plus ou moins la même que sa plaidoirie devant le Sénat, sauf qu'il pouvait à présent faire venir son client devant l'assemblée et le désigner dès qu'il était besoin d'en appeler à la pitié des juges. Et jamais victime plus abattue ne fut présentée devant une cour romaine que Sthenius ce jour-là. Mais la conclusion de Cicéron fut totalement nouvelle, sans aucun rapport avec ses plaidoiries habituelles, et marqua un changement décisif dans sa politique. Lorsqu'il y arriva, toute nervosité l'avait quitté, et il s'exprimait avec fougue.

— Les marchands de Macellum ont, messieurs, un vieux dicton qui veut qu'un poisson pourrit d'abord par la tête, et s'il y a quelque chose de pourri à Rome aujourd'hui – qui pourrait encore en douter ? – je puis vous certifier que cela a commencé par la tête aussi. Cela a commencé tout en haut. Cela a commencé au Sénat. (Acclamations et piétinements.) Or, ces marchands vous diront qu'il n'y a qu'une chose à faire avec une tête de poisson pourrie qui empeste, c'est de la couper... de la couper et de s'en débarrasser ! (Nouvelles acclamations.) Mais il faudrait un sacré couteau pour couper cette tête-ci, car il s'agit d'une tête aristocratique, et nous savons tous comment elles sont ! (Rires.) C'est une tête enflée par le poison de la corruption, bouffie d'orgueil et d'arrogance. Il faudrait un bras solide pour manier ce couteau, et il faudrait aussi un cœur bien trempé parce qu'ils sont mouillés jusqu'au cou, ces aristocrates. Je peux vous le dire : ils sont tous mouillés dans cette affaire ! (Rires.) Mais cet homme viendra. Il n'est pas loin. Votre pouvoir sera restauré, je vous le promets, aussi âpre que soit la lutte.

Quelques-uns, plus malins que les autres, commencèrent à scander le nom de Pompée. Cicéron leva la main, les trois doigts tendus.

— A vous maintenant de montrer que vous êtes dignes de ce combat. Faites preuve de courage, messieurs. Commencez dès aujourd'hui. Attaquez-vous à la tyrannie. Délivrez mon client. Et puis délivrez Rome !

Plus tard, Cicéron sera tellement gêné par le caractère résolument séditieux de son discours qu'il me demandera d'en détruire le seul exemplaire, aussi dois-je admettre que je vous raconte tout cela de mémoire. Mais je me le rappelle très clairement : la puissance des mots, la passion avec laquelle il les prononça, l'excitation de la foule qu'il haranguait, le clin d'œil qu'il échangea avec Palicanus au moment où il quitta le tribunal, et Terentia, figée, le regard rivé droit devant elle alors que la plèbe autour d'elle applaudissait à tout rompre. Timarchides, qui s'était tenu dans le fond, sortit avant la fin de l'ovation, sans nul doute pour partir au grand galop vers la Sicile et rapporter à son maître ce qui venait de se passer. Car la motion, il est presque inutile de le préciser, fut adoptée à l'unanimité des dix suffrages. Sthenius, tant qu'il restait à Rome, n'avait plus rien à craindre.

IV

Suivant une autre maxime de Cicéron, si l'on devait faire quelque chose d'impopulaire, autant le faire à fond puisque, en politique, on n'avait assurément rien à gagner à jouer les timorés. Ainsi, quoiqu'il n'eût jamais auparavant exprimé d'opinion à propos de Pompée ou des tribuns, ils n'eurent les uns et les autres jamais de soutien plus ardent que celui de Cicéron pendant les six mois qui suivirent, et les pompéiens furent pour leur part enchantés d'accueillir une aussi brillante recrue dans leurs rangs.

Cet hiver s'avéra particulièrement long et froid à Rome, surtout pour Terentia. Son code de l'honneur personnel exigeait d'elle qu'elle soutînt son époux contre les ennemis qui avaient forcé sa maison. Mais après s'être assise parmi les pauvres malodorants et avoir écouté son mari s'en prendre à la classe dont elle était issue, elle vit son salon et sa salle à manger envahis à toute heure par ses nouveaux amis politiques : des hommes venus du Nord profond, qui s'exprimaient avec un accent épouvantable et mettaient les pieds sur les meubles tout en complotant jusque tard dans la nuit. Palicanus était le chef de cette horde et, lors de sa deuxième visite, en janvier, il amena avec lui l'un des nouveaux préteurs, Lucius Afranius, sénateur originaire de Picenum, la patrie de Pompée. Cicéron se mit en quatre pour se montrer charmant et, quelques années plus tôt, Terentia aurait sans doute considéré comme un honneur de recevoir un préteur chez elle. Mais Afranius n'avait ni famille digne de ce nom ni la moindre éducation. Il avait même eu le toupet de lui demander si elle aimait danser et, la voyant reculer avec horreur, lui avait assuré qu'il n'y avait pour sa part rien qu'il aimât davantage. Il souleva alors sa toge pour lui montrer ses jambes et voulut savoir si elle avait jamais vu plus belle paire de mollets.

Ces gens étaient les représentants de Pompée à Rome, et ils transportaient avec eux un peu de l'odeur et des manières des camps militaires. Ils se montraient rustres au point d'être brutaux – mais peut-être le fallait-il, vu ce qu'ils projetaient de faire. La fille de Palicanus, Lollia – une jeune personne plutôt débraillée, pas du tout du goût de Terentia –, se joignait parfois à eux car elle était mariée à Aulus Gabinius, un autre des lieutenants de Pompée originaires de Picenum, qui servait pour le moment sous les ordres du général en Espagne. Gabinius constituait un lien avec les commandants des légions, qui fournissaient à leur tour des renseignements sur la loyauté des soldats. Ces informations pouvaient se révéler cruciales dans la mesure où, comme le disait Afranius, il n'y avait aucune raison de faire venir une armée à Rome afin de restaurer le pouvoir des tribuns, et de s'apercevoir au dernier moment que les légions étaient prêtes à passer dans le camp des aristocrates pour peu que ceux-ci leur proposent des pots-de-vin suffisants.

A la fin du mois de janvier, Gabinius fit savoir que les dernières forteresses rebelles d'Uxama et de Calagurris venaient de tomber, et que Pompée était prêt à ramener ses légions. Cicéron avait fait campagne parmi les *pedarii* pendant des semaines, prenant les sénateurs à part pendant qu'ils attendaient les débats pour les persuader que les esclaves rebelles du nord de l'Italie constituaient une menace grandissante pour leurs affaires et leur commerce. Il se montra convaincant. Quand le sujet fut débattu au Sénat, malgré l'intense opposition des aristocrates et des partisans de Crassus, la chambre vota de justesse l'autorisation pour Pompée de revenir d'Espagne avec toute son armée afin d'écraser les rebelles que Spartacus avait ralliés dans le Nord. Dès lors, la charge de consul lui était acquise et, le jour où la motion fut votée, Cicéron souriait en rentrant chez lui. Il est vrai qu'il avait été dédaigné par les aristocrates, qui le détestaient à présent plus que quiconque à Rome, et le consul en fonctions, le terriblement hautain Publius Cornelius Lentulus Sura, avait même refusé de le reconnaître lorsqu'il avait voulu prendre la parole. Mais quelle importance ? Cicéron frayait avec le petit cercle des intimes de Pompée le Grand et, comme n'importe quel imbécile peut s'en apercevoir, le moyen le plus sûr de progresser en politique est de se tenir près de celui qui est tout en haut.

Durant ces mois de folie, je dois avouer non sans honte que nous avons négligé Sthenius de Therme. Il débarquait souvent le matin, et traînait dans le sillage du sénateur toute la journée dans l'espoir d'en obtenir un entretien. Il vivait toujours dans le taudis de Terentia. Il n'avait presque pas d'argent. Il ne pouvait pas s'aventurer au-delà de l'enceinte de la ville puisque son immunité s'arrêtait aux frontières de Rome. Il n'avait ni rasé sa barbe ni coupé ses cheveux ni, à l'odeur, changé de vêtements depuis le mois d'octobre. Il empestait, pas seulement à cause de sa folie, mais à cause de son obsession, et il ne cessait de produire de petits bouts de papier qu'il mélangeait sans arrêt et laissait tomber dans la rue.

Cicéron trouvait toujours de nouvelles excuses pour ne pas le voir. Sans doute considérait-il qu'il s'était acquitté de ses obligations. Mais il n'y avait pas que cela. Les politiques sont comme les idiots du village : ils ne peuvent se concentrer que sur une chose à la fois. Le pauvre Sthenius était simplement le sujet de la veille. La confrontation à venir entre Crassus et Pompée occupait à présent tous les esprits. A la fin du printemps, Crassus avait fini par vaincre le gros des rebelles dans le talon italien, tuant Spartacus et faisant dix mille prisonniers. Il avait commencé à marcher sur Rome. Peu après, Pompée avait traversé la frontière et maté la rébellion des esclaves dans le Nord. Il envoya une lettre qui fut lue au Sénat, ne reconnaissant que très peu de mérite à Crassus pour son exploit et proclamant au contraire que c'était en fait lui qui avait mis fin « de façon absolue et complète » à la guerre des esclaves. Le message à ses partisans n'aurait pu être plus clair : un seul général devait triompher cette année-là, et ce ne serait pas Marcus Crassus. Enfin, au cas où un doute subsisterait, Pompée annonçait à la fin de sa dépêche que lui aussi se dirigeait vers Rome. Il n'était guère étonnant que, au milieu de tous ces événements historiques, Sthenius fût quelque peu oublié.

Dans le courant du mois de mai, me semble-t-il, à moins que ce ne fût début juin – je ne retrouve pas la date exacte – un messager arriva chez Cicéron avec une lettre. L'homme me laissa la prendre à contrecœur, mais refusa de quitter les lieux avant d'avoir reçu une réponse : tels étaient ses ordres, nous assura-t-il. Bien qu'il fût en civil, je reconnus en lui un militaire. Je portai le message dans le bureau et vis l'expression de

Cicéron s'assombrir à mesure qu'il lisait. Il me le tendit, et lorsque je découvris l'en-tête – « De Marcus Licinius Crassus, imperator, à Marcus Tullius Cicéron : salutations » –, je compris la raison de sa contrariété. Non qu'il y eût quoi que ce fût de menaçant dans la lettre. Ce n'était qu'une invitation à rencontrer le général victorieux le lendemain matin sur la route de Rome, près de la ville de Lanuvium, à la borne dix-huit.

— Puis-je décliner ? demanda Cicéron à voix haute avant de donner lui-même la réponse : Non, c'est impossible. Cela passerait pour une insulte mortelle.

— Il va sans doute te demander ton soutien.

— Tu crois ? fit Cicéron sur un ton sarcastique. Qu'est-ce qui te fait penser une chose pareille ?

— Ne pourrais-tu lui donner quelques encouragements modérés, dans la mesure où cela n'interfère pas avec tes engagements envers Pompée ?

— Non, et c'est bien le problème. Pompée a été très clair. Il exige une loyauté absolue. Et Crassus va me demander si je suis pour ou contre lui. Alors il me faudra affronter le cauchemar de tout politicien : devoir répondre sans détour, expliqua-t-il avec un soupir. Mais nous sommes obligés d'y aller, bien sûr.

Nous partîmes le lendemain matin, peu après l'aube, dans une voiture découverte à deux roues, le valet de Cicéron faisant office de cocher pour l'occasion. C'était le moment idéal à l'époque la plus parfaite de l'année, déjà assez chaude pour que les gens puissent se baigner dans les bains publics près de la porte Capena, mais assez fraîche pour que l'air soit agréable. La poussière habituelle ne s'élevait pas encore de la route. Les feuilles des oliviers étaient d'un vert frais et brillant. Même les tombes qui bordent la voie Appienne de façon si dense sur cette portion de route juste derrière le mur paraissaient gaies et colorées dans les premières lueurs du soleil. En temps normal, Cicéron se plaisait à attirer mon attention sur tel ou tel monument, me faisant carrément un cours magistral – la statue de Scipion l'Africain par exemple, ou la tombe d'Horacia, assassinée par son père pour avoir montré un chagrin excessif à la mort de son amant. Mais en cette matinée, sa belle humeur habituelle l'avait quitté. Il était trop préoccupé par Crassus.

— La moitié de Rome lui appartient – ces tombes aussi, ça ne m'étonnerait pas. On pourrait y abriter une famille tout entière ! Pourquoi pas ? C'est ce que ferait Crassus ! Tu l'as déjà vu à l'œuvre ? S'il entend parler d'un incendie qui fait rage et menace de se propager dans un quartier, il envoie une équipe d'esclaves faire le tour des habitations pour proposer aux propriétaires de les leur racheter pour presque rien. Quand les malheureux ont accepté, il leur envoie une autre équipe avec des citernes pour éteindre le feu ! C'est encore une de ses fourberies. Tu sais comment l'appelle Sicinnius – sans oublier bien sûr que Sicinnius n'a jamais peur de personne ? Il dit de Crassus que c'est « le taureau le plus dangereux du troupeau ».

Son menton retomba contre sa poitrine et il n'ajouta rien avant que nous ayons dépassé la huitième borne et ne soyons en pleine campagne, non loin de Bovillae. C'est alors qu'il attira mon attention sur un détail curieux : des détachements de soldats qui gardaient ce qui ressemblait à de petits dépôts de bois. Nous en avions déjà dépassé quatre ou cinq, espacés d'un demi-mille les uns des autres. Et plus nous avancions, plus l'activité semblait importante – on donnait des coups de marteau, on sciait, on creusait. C'est Cicéron qui finit par trouver la solution de l'énigme. Les légionnaires fabriquaient des croix. Peu après, nous croisâmes une colonne de soldats de l'infanterie de Crassus qui marchaient vers nous, en direction de Rome, et nous dûmes nous écarter sur le bas-côté de la route pour les laisser passer. Après les légionnaires venait une longue procession de prisonniers titubants, des centaines d'esclaves rebelles vaincus, les bras liés derrière le dos – une terrible armée de spectres gris et émaciés se traînant, sans doute sans le savoir, vers un destin dont nous venions de voir les préparatifs. Notre cocher marmonna une incantation pour repousser le mauvais sort et fit claquer son fouet sur les flancs des chevaux. Nous accélérâmes dans un sursaut. Un bon mille plus loin, la tuerie commença, par petits groupes, de part et d'autre de la route. On crucifiait les prisonniers sur place. Je m'efforce de ne jamais y penser mais, parfois, des images me reviennent en rêve, surtout, curieusement, le moment où les soldats redressaient en tirant sur des cordes les croix avec leurs victimes hurlantes clouées dessus, chacune s'enfonçant avec un bruit sourd dans le trou profond creusé pour la recevoir. De cela je me souviens parfaitement, et aussi du moment où, franchissant le sommet d'une colline, nous avons découvert une longue avenue de croix qui, miroitant dans la chaleur de la matinée, s'étirait sur des milles et des milles, les gémissements des suppliciés, le bourdonnement des mouches et les cris des corbeaux qui tournoyaient au-dessus faisant comme vibrer l'air.

— C'est pour cela qu'il m'a fait sortir de Rome, marmonna Cicéron avec fureur, pour m'intimider en me montrant ces malheureux.

Il était devenu très pâle, car il supportait mal de voir la souffrance et la mort, même lorsqu'elles étaient infligées à des animaux, et évitait autant que possible d'assister aux jeux. Je suppose que c'est ce qui explique son aversion pour toutes les choses de l'armée. Il avait effectué le strict minimum du service militaire dans sa jeunesse et était totalement incapable de manier l'épée ou le javelot ; tout au long de sa carrière, on ne cessa de le railler sur son insoumission.

A la dix-huitième borne, entourées d'un fossé et de remparts, nous trouvâmes le gros des légions de Crassus cantonnées près de la route, exhalant cette odeur de sueur, de cuir et de poussière mêlés qui plane toujours sur les troupes en campagne. Des étendards flottaient au-dessus du portail près duquel le propre fils de Crassus, Publius, qui était alors un tout jeune officier plein de vigueur, attendait de conduire Cicéron à la tente du général. On raccompagnait deux autres sénateurs au moment où nous arrivions, puis Crassus lui-même apparut à l'entrée, aussitôt reconnaissable – « le Vieux Chauve », comme l'appelaient ses soldats –, revêtu, malgré la chaleur, de son manteau écarlate de commandeur. Il montra une grande affabilité, saluant du geste ses précédents visiteurs et leur souhaitant bonne route avant de nous recevoir avec une égale bonhomie – même moi, dont il serra les mains aussi chaleureusement que si j'avais été sénateur au lieu d'être un esclave qui eût pu, en d'autres circonstances, pendre, hurlant, à l'une de ses croix. Et avec le recul, si j'essaie de déterminer précisément ce qu'il y avait en lui qui le rendait si déconcertant, je pense que c'était justement cela : cette espèce de gentillesse détachée et systématique dont on sentait qu'elle ne faiblirait ni ne vacillerait pas, même s'il venait de décider de vous faire tuer. Cicéron m'avait dit qu'il pesait au moins deux cents millions de sesterces, mais Crassus parlait avec autant de naturel à n'importe qui qu'un fermier appuyé sur son portail, et sa tente militaire, comme sa maison à Rome, était modeste et dépouillée.

Il nous fit entrer – moi aussi, il insista – et s'excusa pour l'abominable spectacle le long de la voie

Appienne, mais il estimait que c'était nécessaire. Il semblait particulièrement fier de la logistique qui lui avait permis de crucifier six mille hommes le long des trois cent cinquante milles de route entre le champ de bataille de sa victoire et les portes de Rome, sans, selon ses propres termes, « la moindre scène de violence ». Cela faisait dix-sept crucifixions par mille, ce qui se traduisait par cent dix-sept pas entre chaque croix – il avait un remarquable sens des chiffres – et la difficulté était de nc pas provoquer de mouvement de panique parmi les prisonniers afin de ne pas avoir à gérer de nouveaux combats. Ainsi, tous les milles, ou parfois tous les deux ou trois milles, variant les distances pour ne pas éveiller les soupçons, le nombre requis d'esclaves prisonniers était arrêté au bord de la route pendant que le reste de la colonne poursuivait son chemin, et l'on attendait que celle-ci soit hors de vue pour commencer les exécutions. De cette façon, le travail avait été accompli avec un minimum de perturbations pour un maximum d'effet dissuasif – la voie Appienne était la route la plus fréquentée d'Italie.

— Lorsqu'ils auront appris cela, dit Crassus en souriant, je doute que beaucoup d'esclaves se soulèvent encore contre Rome à l'avenir. Toi, par exemple, te rebelleras-tu ? me demanda-t-il.

Comme je répondis avec ferveur que je n'en avais pas la moindre envie, il me pinça la joue et m'ébouriffa les cheveux. Le contact de sa main me fit frémir.

— Est-il à vendre ? demanda-t-il à Cicéron. Il me plaît bien. Je t'en donnerais un bon prix. Disons…

Il annonça une somme dix fois supérieure à ce que je valais et, pendant un horrible instant, je crus que son offre allait trouver preneur et que j'allais perdre ma place auprès de Cicéron – et souffrir un exil que je n'aurais pu endurer.

— Il n'est pas à vendre, à aucun prix, répondit Cicéron.

Le voyage l'avait troublé et sa voix avait pris un ton rauque.

— Et pour éviter tout malentendu, imperator, il me semble que je dois te préciser tout de suite que j'ai promis mon soutien à Pompée le Grand.

— Pompée le qui ? se gaussa Crassus. Pompée le *Grand* ? Aussi grand que quoi ?

— Je préfère ne pas répondre, répondit Cicéron. Les comparaisons sont parfois détestables.

Malgré sa bonhomie inébranlable, Crassus lui-même marqua le coup.

Il est certains politiques qui ne peuvent supporter de se trouver dans la même pièce, même si leurs propres intérêts leur dictent d'essayer de s'entendre, et il devint rapidement évident que Crassus et Cicéron faisaient partie de ces hommes. C'est bien ce que les stoïciens n'arrivent pas à comprendre quand ils prétendent que c'est la raison et non l'émotion qui doit jouer un rôle dominant dans les affaires humaines : je crains que l'inverse ne se vérifie toujours, même – et peut-être surtout – dans le monde censément calculateur de la politique. Et si la raison ne peut régner en politique, quel espoir reste-t-il ? Crassus avait fait venir Cicéron afin de rechercher son appui. Cicéron était venu, déterminé à entrer dans les bonnes grâces de Crassus. Cependant, ni l'un ni l'autre ne put dissimuler l'antipathie qu'ils s'inspiraient mutuellement, et la rencontre fut un désastre.

— Venons-en aux faits, d'accord ? proposa Crassus après avoir invité Cicéron à s'asseoir.

Il retira son manteau et le tendit à son fils avant de prendre place sur le divan.

— Il y a deux choses que je voudrais te demander,

Cicéron. La première est ton soutien pour ma candidature au poste de consul. J'ai quarante-quatre ans, aussi suis-je plus qu'assez vieux, et je crois que ce devrait être mon année. La deuxième est un triomphe. Je suis, pour les deux, prêt à payer le prix que tu pratiques habituellement. Normalement, comme tu le sais, j'exige un contrat d'exclusivité, mais étant donné tes engagements antérieurs, je suppose que je devrais me contenter d'une moitié de toi. Une moitié de Cicéron, ajouta-t-il avec un petit signe de tête, valant deux fois plus que la plupart des hommes entiers.

— C'est très flatteur, imperator, répondit Cicéron, se rebiffant contre l'insinuation. Merci. Si mon esclave n'est pas à vendre, moi, je le suis, c'est cela ? Peut-être me permettras-tu d'y réfléchir.

— Réfléchir à quoi ? Chaque citoyen dispose de deux votes pour le consulat. Donne-m'en un et accorde l'autre à qui tu voudras. Assure-toi juste que tes amis suivent tous ton exemple. Dis-leur que Crassus n'oublie jamais ceux qui l'ont aidé. Ou ceux qui ont refusé de l'aider, d'ailleurs.

— Il faudra cependant que j'y réfléchisse, j'en ai peur.

Une ombre passa sur le visage amical de Crassus, comme un brochet dans l'eau claire.

— Et mon triomphe ?

— Personnellement, je considère que tu as amplement mérité cet honneur. Mais, comme tu le sais, pour demander un triomphe, il est nécessaire que l'acte militaire concerné étende la domination de l'Etat sur de nouveaux territoires. Le Sénat a déjà consulté les précédents. Il n'est apparemment pas suffisant de récupérer des territoires antérieurement perdus. Par exemple, quand Fulvius a regagné Capoue, après la désertion d'Hannibal, on ne lui a pas accordé de triomphe, expliqua Cicéron avec ce qui semblait un regret sincère dans la voix.

— Mais ne n'est qu'une formalité, non ? Si Pompée peut être consul sans remplir aucune des conditions, pourquoi ne pourrais-je pas avoir mon triomphe ? Je sais que tu n'es pas très au fait des difficultés du commandement militaire, ni même, ajouta-t-il d'un ton cauteleux, du service militaire, mais tu m'accorderas sûrement que je satisfais à toutes les autres conditions – j'ai tué cinq mille hommes au combat, je me suis battu sous les auspices, j'ai été nommé imperator par les légions, j'ai apporté la paix dans la province et retiré mes troupes. Si quelqu'un doté de ton influence devait déposer une motion au Sénat, il me trouverait très généreux.

Il y eut un long silence, et je me demandais comment Cicéron allait se sortir de ce dilemme.

— Le *voilà*, ton triomphe, imperator ! s'écria-t-il soudain en montrant la direction de la voie Appienne. Voilà le monument élevé au genre d'homme que tu es ! Aussi longtemps que les Romains auront une langue pour parler, ils se souviendront du nom de Crassus comme de celui qui a fait crucifier six mille esclaves sur une distance de trois cent cinquante milles, chaque croix séparée de la suivante par trois cent cinquante pas. Aucun de nos autres grands généraux n'aurait jamais fait une chose pareille. Scipion l'Africain, Pompée, Lucullus..., énonça Cicéron en les écartant d'un geste méprisant, aucun d'entre eux n'aurait jamais *conçu* une telle idée.

Cicéron s'appuya contre le dossier et sourit à Crassus. Crassus sourit à son tour. Le temps s'éternisa. Je commençais à transpirer. C'était un concours pour déterminer quel sourire allait se fissurer le premier. Crassus finit par se lever et tendit la main à Cicéron.

— Merci infiniment d'être venu, mon jeune ami, dit-il.

Lorsque le Sénat se réunit quelques jours plus tard pour déterminer les honneurs à décerner, Cicéron vota avec la majorité pour refuser le triomphe à Crassus. Le vainqueur de Spartacus dut se satisfaire d'une simple ovation, soit une récompense de seconde classe. Au lieu d'entrer dans la cité sur un chariot tiré par quatre chevaux, il devrait aller à pied ; l'habituelle fanfare de trompes serait remplacée par le son aigu des flûtes ; et au lieu de la couronne de laurier, il ne serait autorisé qu'à porter la myrte.

— Si ce type a le moindre sens de l'honneur, commenta Cicéron, il refusera.

Inutile de dire que Crassus s'empressa d'envoyer un message pour signifier qu'il acceptait.

Une fois que la discussion passa aux honneurs à accorder à Pompée, Afranius utilisa un stratagème des plus rusés. Il se servit de son rang prétorien pour intervenir tôt dans le débat et déclara que Pompée accepterait avec une humble gratitude tout ce que la chambre jugerait bon de lui accorder : il arriverait devant la ville le lendemain avec dix mille hommes, et comptait pouvoir remercier en personne autant de sénateurs que possible. *Dix mille hommes ?* Après cela, même les aristocrates se montrèrent, en public du moins, peu désireux de traiter de haut le conquérant d'Espagne et, par un vote unanime, les consuls eurent pour instruction d'aller voir Pompée dès que celui-ci serait prêt et de lui offrir un triomphe en bonne et due forme.

Le lendemain matin, Cicéron se vêtit avec plus de soin encore que de coutume et s'entretint avec Quintus et Lucius pour déterminer quel parti prendre dans ses discussions avec Pompée. Il opta pour une approche hardie. Il aurait trente-six ans l'année suivante et deviendrait éligible pour un poste d'édile de Rome – il y en avait quatre à élire chaque année. Les fonctions de cette charge – l'entretien des édifices publics et le maintien de l'ordre public, la célébration des fêtes diverses et la délivrance des licences de commerce, etc. – se révélaient très utiles pour consolider un soutien politique. Il fut donc convenu que c'est ce qu'il demanderait : que Pompée soutienne sa candidature au poste d'édile.

— Je crois que je l'ai bien gagné, commenta Cicéron.

Une fois cela décidé, nous rejoignîmes la foule des citoyens qui partaient vers le Champ de Mars, où, disait-on, Pompée avait l'intention de cantonner ses légions. (Il était, du moins à cette époque, illégal de porter l'*imperium* militaire à l'intérieur de l'enceinte de Rome, aussi Crassus et Pompée étaient-ils contraints, s'ils voulaient conserver le commandement de leurs armées, de préparer leurs plans depuis l'extérieur des portes de la ville.) Chacun voulait voir à quoi ressemblait le grand homme car l'Alexandre romain, comme ses partisans appelaient Pompée, combattait au loin depuis près de sept ans. Certains se demandaient s'il avait beaucoup changé ; d'autres – dont j'étais – ne l'avaient jamais vu. Cicéron savait déjà par Palicanus que Pompée avait l'intention d'installer son quartier général à la Villa Publica, hôtellerie du gouvernement située près de l'enceinte électorale, et c'est là que nous nous rendions, Cicéron, Quintus, Lucius et moi.

L'endroit était entouré d'un double rang de soldats et, le temps que nous nous frayions un passage dans la foule jusqu'au mur de clôture, plus personne n'avait le droit de pénétrer à l'intérieur sans autorisation. Cicéron se sentit offensé de ce qu'aucun des gardes n'eût jamais entendu parler de lui et nous eûmes la chance que Palicanus passât au même moment près du portail : il put aller chercher son beau-fils, le commandant de légion Gabinius, qui se porta garant de nous. A l'intérieur, nous découvrîmes que la moitié des personnalités de Rome étaient déjà présentes, déambulant parmi les colonnades ombragées, bourdonnant de curiosité à se trouver si près du pouvoir – « comme des guêpes autour d'un pot de miel », selon les propres termes de Cicéron.

— Pompée le Grand est arrivé au milieu de la nuit, nous informa Palicanus avant d'ajouter solennellement : Les consuls sont en ce moment avec lui.

Il promit de revenir avec de plus amples informations dès qu'il en aurait, puis disparut avec un air important entre les sentinelles, à l'intérieur de la bâtisse.

Plusieurs heures s'écoulèrent, durant lesquelles nous ne reçûmes aucun signe de Palicanus. Nous remarquâmes cependant les messagers qui entraient et sortaient au pas de course, assistâmes avec envie à des livraisons de nourriture, puis regardâmes les consuls partir et enfin Catulus et Isauricus, les vieux hommes d'Etat, arriver. Des sénateurs qui attendaient, sachant que Cicéron était un fervent partisan de Pompée et le croyant bien informé, ne cessaient de venir le voir pour lui demander ce qui se passait.

— Chaque chose en son temps, répondait-il, chaque chose en son temps.

Mais je suppose qu'il finit par trouver lui-même la formule embarrassante car il m'envoya chercher un tabouret et, lorsque je le lui apportai, le plaça devant un pilier contre lequel il s'appuya en fermant les yeux. Hortensius arriva vers le milieu de l'après-midi, se frayant un chemin parmi les curieux contenus par les soldats, et il fut aussitôt admis dans la Villa. Lorsqu'il fut suivi de près par les trois frères Metellus, il devint impossible, même pour Cicéron, de ne pas y voir une humiliation. Son frère Quintus fut chargé d'aller voir s'il pouvait apprendre quelque chose du côté du Sénat pendant que Cicéron faisait les cent pas entre les colonnades et m'envoyait pour la vingtième fois essayer de trouver Palicanus, Afranius ou Gabinius – quiconque aurait pu lui faire rejoindre cette réunion.

Je m'approchai de l'entrée bondée, me hissant sur la pointe des pieds pour essayer de voir quelque chose par-dessus les têtes agglutinées. Un messager sortit, laissant brièvement la porte entrouverte, et je pus distinguer un instant des silhouettes en toge blanche, en train de rire et de discuter autour d'une grande table de marbre jonchée de documents. Je fus alors distrait par un tumulte en provenance de la rue. Aux cris de *Ave, imperator !*, d'acclamations et de vivats, le portail s'ouvrit brusquement, laissant entrer Crassus, flanqué de ses gardes du corps. Il retira son casque à plumet, qu'il remit à l'un de ses licteurs, s'essuya le front et regarda autour de lui. Son regard tomba sur Cicéron. Il lui adressa un petit signe de tête accompagné d'un de ses sourires bonhommes, et je dois reconnaître que c'est l'une des rares occasions où Cicéron se trouva totalement à court de mots. Puis Crassus se drapa dans son manteau écarlate – avec beaucoup de panache, il faut le reconnaître – et pénétra dans la Villa Publica pendant que Cicéron se laissait tomber lourdement sur son tabouret.

J'ai souvent pu observer ce curieux phénomène du pouvoir qui veut que ceux qui sont physiquement les plus proches de sa source sont souvent les moins bien informés de ce qui arrive effectivement. Ainsi, j'ai pu voir des sénateurs contraints de quitter la curie et d'envoyer leurs esclaves au marché aux légumes pour savoir ce qui se passait dans la ville qu'ils étaient censés gouverner. Ou j'ai entendu parler de généraux entourés de légats et d'ambassadeurs, qui en étaient réduits à interroger des bergers de passage pour connaître les dernières nouvelles du champ de bataille. Il en allait de même avec Cicéron cet après-midi-là. Alors qu'il se tenait à vingt pieds de la salle où l'on découpait Rome comme un vulgaire poulet, il dut apprendre ce qui avait été décidé par Quintus, qui le tenait d'un magistrat rencontré au forum, lequel l'avait appris par un clerc du Sénat.

— Ça va mal, annonça Quintus, bien qu'on le sût déjà à sa figure. Pompée devient consul et les tribuns recouvrent leurs droits sans que les aristocrates s'y opposent. Mais en échange – écoute bien – *en échange*, Hortensius et Quintus Metellus seront consuls l'année prochaine, avec le soutien total de Pompée. Et c'est Lucius Metellus – *Lucius Metellus* – qui doit remplacer Verrès au poste de gouverneur de Sicile. Et enfin c'est Crassus – *Crassus !* – qui sera deuxième consul avec Pompée, leurs deux armées devant être dissoutes à l'instant où ils prendront leurs fonctions.

— Mais j'aurais dû y être, déclara Cicéron en posant un regard consterné sur la Villa. *J'aurais dû y être !*

— Marcus, dit tristement son frère en posant sa main sur son épaule, aucun d'eux ne veut de toi.

Cicéron paraissait assommé par l'ampleur de sa défaite – son exclusion, ses ennemis récompensés, Crassus élevé au consulat. C'est alors qu'il se dégagea de la main de son frère et se dirigea avec colère vers les portes. Sa carrière aurait pu s'arrêter là, interrompue par l'épée des sentinelles de Pompée, car je crois bien que, dans son désespoir, il avait décidé de se forcer un passage jusqu'à la table des négociations pour réclamer sa part. Mais il s'y prenait trop tard. Les grands hommes venaient apparemment de parvenir à un accord et sortaient déjà, leurs assistants trottant devant eux tandis que les gardes se mettaient au garde-à-vous sur leur passage. Crassus surgit le premier, puis, émergeant de l'ombre, apparut Pompée, son identité ne laissant aucun doute non seulement à cause de l'aura de puissance qui l'entourait – la façon dont l'air ambiant paraissait presque crépiter autour de lui – mais aussi à cause de sa physionomie. Il avait un visage large, des pommettes saillantes et une chevelure épaisse et ondulée qui se dressait au-dessus de son front comme la proue d'un navire. C'était un visage qui exprimait la force et l'autorité, et il était doté d'un corps assorti : des épaules larges et une poitrine solide qui lui donnaient un torse de lutteur. Je compris pourquoi, quand il était plus jeune, et connu pour sa férocité, on l'avait surnommé le Garçon Boucher.

Les voilà donc qui sortaient, le Chauve et le Garçon Boucher, évitant manifestement de se parler ou même de se regarder tandis qu'ils se dirigeaient vers le portail, qui s'ouvrit en grand à leur approche. Voyant ce qui se passait, les sénateurs se ruèrent à leur poursuite, et nous fûmes entraînés dans la mêlée, hors de la Villa Publica et heurtant de plein fouet ce qui semblait un mur de bruit et de chaleur. Il devait y avoir vingt mille personnes rassemblées sur le Champ de Mars cet après-midi-là pour hurler leur approbation. Un passage étroit avait été ouvert par les soldats qui s'efforçaient, les bras liés au niveau des coudes, les pieds labourant la poussière, de contenir la foule. Il y avait juste assez de place pour que Pompée et Crassus pussent avancer de front, mais je ne saurais dire s'ils se parlaient ni quelle était leur expression, vu que nous marchions loin derrière. Ils progressaient lentement vers la tribune où montaient traditionnellement les officiels à l'époque des élections. Pompée se hissa dessus le premier, et reçut une nouvelle salve d'applaudissements dans laquelle il se complut un long moment, tournant sa grande figure rayonnante d'un côté puis de l'autre, pareil à un chat au soleil. Puis il se baissa et aida Crassus à le rejoindre. Devant cette démonstration d'unité entre ces deux rivaux notoires, la foule poussa de nouveaux cris, la clameur s'intensifiant encore quand Pompée prit la main de Crassus pour la brandir bien haut.

— Quel spectacle écœurant, commenta Cicéron, qui dut me hurler dans l'oreille pour se faire entendre. Un consulat obtenu et concédé à la pointe de l'épée. Nous assistons au commencement de la fin de la République, Tiron, retiens ce que je te dis !

Je ne pus cependant m'empêcher de me dire que, s'il avait *participé* à la conférence, s'il avait *aidé* à élaborer cette liste conjointe, il l'aurait sans doute encensée comme un chef-d'œuvre d'habileté politique.

Pompée réclama d'un geste le silence, puis prit la parole de sa voix de commandant à la manœuvre :

— Peuple de Rome, les chefs du Sénat m'ont gracieusement fait l'offre de me décerner un triomphe, et je suis heureux de l'accepter. Ils m'ont appris aussi que je serai autorisé à poser ma candidature au poste de consul, et je suis heureux d'accepter cela également. La seule chose qui me fasse plus plaisir encore est que mon vieil ami Marcus Licinius Crassus pourra se présenter à mes côtés.

Il conclut en promettant que, l'année suivante, il organiserait une grande série de jeux dédiés à Hercule, pour commémorer ses victoires en Espagne.

Certes, c'étaient là de belles paroles, mais il les prononça trop rapidement, oubliant de ménager des pauses après chaque phrase pour laisser le temps aux rares personnes qui avaient réussi à entendre ses paroles de les répéter à ceux qui se trouvaient derrière et n'entendaient rien. Je doute que plus de quelques centaines de spectateurs parmi cette vaste assistance aient pu comprendre ce qu'il disait, mais ils l'ovationnèrent tout de même, et ils poussèrent des acclamations plus fortes encore quand Crassus, rapide et fourbe comme personne, lui vola la vedette.

— Pour ma part, fit ce dernier d'une voix tonnante d'orateur entraîné, en même temps que les jeux de Pompée – le même jour que les jeux de Pompée –, je consacrerai un dixième de ma fortune – un dixième de *toute* ma fortune – à donner de la nourriture gratuite au peuple de Rome – de la nourriture gratuite pour chacun d'entre vous *pendant trois mois* – et un grand banquet dans la rue – un banquet pour chaque citoyen –, un banquet en l'honneur d'Hercule !

La foule entra dans de nouvelles extases.

— Le bandit, déclara Cicéron. Un dixième de sa fortune, cela représente un pot-de-vin de vingt millions ! Mais ce n'est pas si cher payé. Tu vois comment il retourne une situation de faiblesse en une situation de force ? Je parie que tu ne t'attendais pas à *ça*, lança-t-il à l'adresse de Palicanus, qui arrivait avec peine depuis la tribune. Il a réussi à paraître comme l'égal de Pompée. Vous n'auriez jamais dû le laisser s'exprimer.

— Viens voir l'imperator, le pressa Palicanus. Il veut te remercier personnellement.

Je vis que Cicéron était partagé, mais Palicanus se montra insistant, le tira par la manche, et j'imagine qu'il voulait sauver ce qui pouvait encore l'être de sa journée.

— Va-t-il faire un discours ? demanda Cicéron alors que nous suivions Palicanus vers la tribune.

— Il ne prononce pas vraiment de discours, répondit Palicanus par-dessus son épaule. Du moins pas encore.

— C'est une erreur. Ils vont attendre qu'il dise quelque chose.

— Eh bien, il faudra qu'ils se contentent d'être déçus.

— Quel gâchis, me glissa Cicéron, dégoûté. Que ne donnerais-je pas pour avoir un tel public ! Combien de fois a-t-on l'occasion d'avoir autant d'électeurs réunis en un seul lieu ?

Mais Pompée n'avait guère l'expérience de s'exprimer en public, et puis il avait l'habitude de commander, pas de chercher à plaire. Avec un dernier salut adressé à la foule, il descendit de la plate-forme. Crassus l'imita, et les applaudissements se turent peu à peu. L'enthousiasme était complètement retombé et les gens piétinaient, se demandant ce qu'ils devaient faire.

— Quel gâchis, répéta Cicéron. Je leur en aurais donné, moi, du spectacle.

Derrière la tribune, il y avait un petit espace clos où les magistrats avaient coutume d'attendre avant d'officier, le jour des élections. Palicanus nous y conduisit, franchissant la barrière de gardes, et c'est là, quelques instants plus tard, que Pompée arriva en personne. Un jeune esclave noir lui tendit une serviette, et il entreprit d'éponger son visage en sueur et de s'essuyer la nuque. Une dizaine de sénateurs attendaient de le saluer, et Palicanus poussa Cicéron au milieu de la file avant de reculer avec Quintus, Lucius et moi-même pour observer la scène. Pompée descendait la file, serrant la main de chacun des sénateurs présents, tandis qu'Afranius le suivait pas à pas pour lui indiquer qui était qui.

— Enchanté, disait Pompée. Enchanté. Enchanté.

J'eus, à mesure qu'il approchait, l'occasion de mieux l'examiner. Il avait un visage noble, c'était indubitable, mais il y avait aussi dans ses traits empâtés une sorte de vanité déplaisante, et son attitude hautaine et distraite ne faisait que souligner à quel point rencontrer tous ces civils ennuyeux représentait pour lui une corvée évidente. Il arriva très vite à Cicéron.

— C'est Marcus Cicéron, imperator, annonça Afranius.

— Enchanté.

Il s'apprêtait à avancer, mais Afranius le prit par le coude et lui murmura :

— Cicéron est considéré comme l'un des meilleurs avocats de la ville, et il nous a été très utile au Sénat.

— Vraiment ? Eh bien, alors… continue le travail.

— Je n'y manquerai pas, assura Cicéron, dans la mesure où j'espère bien être édile l'année prochaine.

— Edile ? répéta Pompée, trouvant visiblement l'idée saugrenue. Non, non, *édile*, je ne crois pas. J'ai d'autres projets dans ce sens. Mais je suis certain que nous pourrons toujours trouver l'usage d'un bon avocat.

Et, là-dessus, il passa effectivement au sénateur suivant – « Enchanté… Enchanté… » –, laissant Cicéron le regard fixe et digérant l'insulte avec peine.

V

Ce soir-là, pour la première et dernière fois de toutes mes années à son service, Ciréron s'enivra. Je l'entendis se disputer avec Terentia pendant le dîner – pas une de leurs disputes acerbes à la courtoisie glacée habituelles, mais une scène qui résonna dans toute la petite maison. Terentia lui reprochait sa stupidité d'avoir cru en une bande si manifestement infâme : des gens de Picenum par-dessus le marché, pas même des Romains convenables !

— Il est vrai que tu n'es pas un vrai Romain non plus !

Cette pique visant ses origines provinciales portait systématiquement sur les nerfs de Cicéron. Fait inquiétant, je n'entendis pas la réponse de Cicéron – tant elle fut prononcée d'une voix basse et malveillante –, mais elle eut en tout cas un effet dévastateur sur Terentia, qui n'était pourtant pas du genre à se laisser facilement ébranler et qui quitta en larmes la salle à manger pour monter l'escalier en courant.

Je jugeai préférable de laisser Cicéron seul mais, une heure plus tard, j'entendis un fracas et, quand j'allai voir, je le trouvai, oscillant légèrement sur ses pieds devant une assiette brisée. Le devant de sa tunique était taché de vin.

— Je ne me sens vraiment pas bien, commenta-t-il.

Je le montai à sa chambre en passant son bras par-dessus mon épaule – ce qui ne me fut pas très facile, vu qu'il était plus lourd que moi –, le mis au lit et délaçai ses souliers.

— Le divorce, marmonna-t-il dans son oreiller, voilà la réponse, Tiron. Divorcer, et puis, si je dois quitter le Sénat faute d'argent… quelle importance ? Personne ne me regrettera. Ce ne sera qu'un « homme nouveau » de plus qui n'arrivera à rien. Oh, Tiron… !

Je parvins à mettre son pot de chambre devant lui juste avant qu'il ne cède à la nausée. Tête baissée, il s'adressa alors à son propre vomi :

— Nous devrions aller à Athènes, mon cher ami, vivre avec Atticus et étudier la philosophie – nous ne manquerons ici à personne…

Ces derniers mots furent prononcés en un magma interminable et complaisant de syllabes traînantes et consonnes sifflantes qu'aucun système de prise de notes ne pourra jamais restituer. Je laissai le pot près de lui et soufflai la lampe. Il ronflait déjà lorsque j'atteignis la porte. J'avoue m'être couché ce soir-là le cœur inquiet.

Cependant, le lendemain matin, je fus réveillé à l'heure habituelle, juste avant l'aube, par le bruit de ses exercices – un peu plus lents que de coutume, peut-être, mais il était atrocement tôt si l'on considère qu'on était au milieu de l'été et qu'il n'avait eu que quelques heures de sommeil. Telle était la nature de cet homme. L'échec alimentait son ambition. Chaque fois qu'il essuyait une humiliation – que ce soit en tant qu'avocat dans sa jeunesse, lorsque la santé lui faisait encore défaut, à son retour de Sicile ou maintenant, face au traitement désinvolte de Pompée –, le feu qui brûlait en lui était momentanément contenu, mais seulement pour repartir avec plus de vigueur encore. « C'est la persévérance, se plaisait-il à répéter, et non le génie, qui mène un homme au sommet. Rome est plein de génies méconnus. Seule la persévérance permet d'avancer dans le monde. » Je l'entendis donc se préparer pour un nouveau jour de combat dans le forum romain et sentis le rythme familier de la maison s'imposer à nouveau.

Je m'habillai, allumai les lampes et commandai au portier d'ouvrir la porte d'entrée. Je vérifiai qui était là. Puis je me rendis dans le bureau de Cicéron et lui donnai la liste des clients. Aucune allusion ne fut jamais faite, ni sur le moment ni par la suite, à ce qui s'était produit la nuit précédente, et je soupçonne que cela contribua aussi à nous rapprocher. Certes, il était un peu verdâtre, et il devait plisser les yeux pour arriver à lire les noms, sinon il était parfaitement normal.

— Sthenius ! grogna-t-il quand il découvrit que le Sicilien attendait, comme d'habitude, dans le tablinum. Puissent les dieux avoir pitié de nous !

— Il n'est pas seul, l'avertis-je. Il a amené deux autres Siciliens avec lui.

— Tu veux dire qu'il se multiplie ? dit-il avant de tousser pour s'éclaircir la gorge. C'est bon, recevons-le en premier et débarrassons-nous de lui une fois pour toutes.

Comme plongé dans un de ces rêves récurrents dont on ne peut s'éveiller, je menai à nouveau Sthenius de Therme en présence de Cicéron. Il présenta ses compagnons comme étant Heraclius de Syracuse et Epicrate de Bidis. Tous deux étaient visiblement âgés, vêtus comme lui de la robe sombre du deuil, et ils portaient la barbe et les cheveux longs.

— Ecoute maintenant, Sthenius, commença sévèrement Cicéron après avoir serré la main du sinistre trio. Il faut que cela cesse.

Mais Sthenius paraissait enfermé dans un royaume personnel, étrange et lointain, quasi imperméable aux bruits extérieurs : le pays des plaideurs obsessionnels.

— Je te suis très reconnaissant, sénateur. Tout d'abord, maintenant que j'ai obtenu des comptes rendus du tribunal de Syracuse, dit-il en tirant une feuille de son sac de cuir et en la fourrant dans la main de Cicéron, tu vas voir ce que ce monstre a fait. Voici ce qui a été écrit avant le verdict des tribuns. Et là, ajouta-t-il en lui donnant une autre feuille, c'est ce qui a été écrit après.

Avec un soupir, Cicéron porta les deux documents côte à côte et les examina en plissant les yeux.

— Voyons, qu'est-ce que c'est ? Il s'agit du compte rendu officiel de ton procès pour trahison, sur lequel je vois qu'il est écrit que tu étais présent pendant les audiences. Bien, nous savons que c'est faux. Et là... (son débit ralentit à mesure qu'il voyait se dessiner les implications) il est dit que tu n'étais *pas* présent.

Il leva la tête, ses yeux embués prenant un aspect plus vif.

— Verrès falsifie donc les minutes des jugements de son propre tribunal, puis il falsifie ses propres falsifications ?

— Exactement ! s'exclama Sthenius. Quand il s'est aperçu que tu m'avais présenté devant les tribuns et que tout Rome savait donc que je ne pouvais guère me trouver à Syracuse le 1er décembre, il a dû effacer la trace de son mensonge. Mais le premier document m'avait déjà été envoyé.

— Bien, bien, dit Cicéron. Il est peut-être plus inquiet que nous le pensions. Je vois aussi que tu avais un avocat de la défense pour te représenter ce jour-là : « Gaius Claudius, fils de Gaius Claudius, de la tribu Palatine. » Tu es bien heureux, d'avoir ton propre avocat romain. Qui est-ce ?

— C'est l'administrateur des affaires de Verrès.

Cicéron étudia Sthenius un moment.

— Qu'est-ce que tu as d'autre, dans ce sac ? demanda-t-il.

Par cette chaude matinée d'été, s'entassèrent alors sur le sol du bureau lettres, noms, extraits de rapports officiels, notes griffonnées rapportant bruits divers et rumeurs – sept mois d'un travail acharné mené par trois désespérés, car il s'avéra qu'Heraclius et Epicrate avaient tous les deux été dépouillés de leurs biens par Verrès, l'un pour une valeur de soixante mille sesterces, l'autre pour trente mille. Dans les deux cas, Verrès avait abusé de sa position pour porter de fausses accusations et s'assurer des verdicts illégaux. Tous deux avaient été spoliés vers la même époque que Sthenius. Tous deux avaient été, avant les faits, des hommes importants dans leur communauté. Tous deux avaient été contraints de fuir l'île sans un sou pour chercher refuge à Rome. Ayant entendu parler de la comparution de leur compatriote devant les tribuns, ils étaient allés le voir pour lui proposer de s'allier.

— En tant que victimes individuelles, ils étaient faibles, expliqua Cicéron des années plus tard en se remémorant l'affaire, mais dès qu'ils firent cause commune, ils se découvrirent tout un réseau de contacts qui couvrait toute l'île : Therme est au nord, Bidis au sud, Syracuse à l'est. C'étaient des hommes avisés par nature, rendus sages par l'expérience et formés par les études, aussi leurs compatriotes s'étaient-ils ouverts à eux de ce qu'ils avaient enduré comme ils ne l'auraient jamais fait avec un sénateur romain.

En apparence, Cicéron était toujours le même tranquille avocat romain. Mais alors que le soleil s'intensifiait, que je soufflais les lampes et qu'il prenait connaissance des documents les uns après les autres, je sentis son excitation monter. Il y avait la déclaration sous serment de Dio de Halasea, de qui Verrès avait exigé un pot-de-vin de dix mille sesterces pour arriver à un verdict de non-culpabilité, avant de lui voler tous ses chevaux, ses tapisseries et sa vaisselle d'or et d'argent. Il y avait là des témoignages écrits de prêtres dont on avait pillé les temples – un Apollon en bronze signé à l'argent par le sculpteur Myron et offert un siècle et demi plus tôt par Scipion, volé dans le temple d'Esculape à Agrigentum ; une statue de Cérès prise à Catane, et une Victoire à Enna ; le sac de l'ancien temple de Junon à Malte. Il y avait aussi des preuves que des fermiers d'Herbita et d'Agyrium avaient été menacés d'être fouettés à mort s'ils ne versaient pas une certaine somme aux agents de Verrès. Et l'histoire du malheureux Sopater de Tyndaris, arrêté en plein hiver par les licteurs de Verrès et attaché, nu, sur une statue équestre à la vue de toute la communauté jusqu'à ce qu'il accepte, avec ses concitoyens, de remettre à Verrès un beau bronze de Mercure qui appartenait à la municipalité et trônait dans le gymnase local.

— Ce n'est pas une province que Verrès gouverne là-bas, murmura Cicéron, médusé, c'est un Etat criminel à part entière.

Et il y avait encore une bonne dizaine de ces sombres récits.

Avec l'accord des trois Siciliens, je rassemblai tous les documents en un paquet que j'enfermai dans le coffre-fort du sénateur.

— Messieurs, il est vital que rien ne filtre de tout cela, insista Cicéron. Bien entendu, continuez de recueillir déclarations et témoignages, mais je vous en prie, faites-le discrètement. Verrès a souvent eu recours à la violence et à l'intimidation par le passé, et vous pouvez être assurés qu'il n'hésitera pas à recommencer pour se protéger. Il nous faut prendre ce vaurien par surprise.

— Cela signifie-t-il, demanda Sthenius, osant à peine espérer, que tu nous aideras ?

Cicéron le regarda sans répondre.

Plus tard ce même jour, à notre retour du tribunal, Cicéron entreprit de se réconcilier avec sa femme. Il envoya le jeune Sositheus au vieux marché aux fleurs du forum Boarium, devant le temple de Portunus, acheter un bouquet de fleurs d'été odorantes. Puis il remit celles-ci à la petite Tullia, lui disant solennellement qu'il avait une tâche vitale à lui confier. Elle devait porter les fleurs à sa mère et lui annoncer qu'elles lui étaient envoyées par un admirateur provincial sans éducation. (« Tu as bien compris, Tulliola ? Un admirateur provincial sans éducation. ») La petite disparut dans la chambre de Terentia en prenant un air important, et je suppose que le stratagème fonctionna puisque ce soir-là, quand – à la demande de Cicéron – les banquettes furent montées sur le toit et que la famille dîna sous les étoiles, les fleurs occupaient la place d'honneur au centre de la table.

Je le sais parce que, à la fin du repas, Cicéron m'envoya soudain chercher. C'était une nuit paisible, sans un souffle de vent pour troubler les chandelles, et la rumeur nocturne de Rome qui montait de la vallée se mêlait au parfum des fleurs dans la douce atmosphère de juin – des accords de musique, des voix, l'appel des sentinelles postées le long de l'Argiletum, l'aboiement lointain des chiens de garde lâchés dans l'enceinte de la Triade Capitoline. Lucius et Quintus riaient encore à une plaisanterie de Cicéron, et Terentia elle-même ne parvenait pas à dissimuler son amusement lorsqu'elle lança sa serviette sur son mari en lui rappelant vertement que cela suffisait. (Pomponia était heureusement partie voir son frère à Athènes.)

— Ah, fit Cicéron en regardant autour de lui, voilà Tiron, le plus fin politique d'entre nous tous, ce qui signifie que je puis vous faire ma petite déclaration. J'ai estimé plus approprié qu'il soit présent pour entendre ceci : j'ai décidé de me présenter à l'élection des édiles.

— Ah, parfait ! s'exclama Quintus, qui crut que cela faisait toujours partie de la plaisanterie de Cicéron.

Puis il cessa de rire et ajouta sur un ton incrédule :

— Mais ce n'est pas drôle.

— Ce le sera si je gagne.

— Tu ne peux pas gagner. Tu as entendu ce que Pompée a dit. Il ne veut pas que tu sois candidat.

— Ce n'est pas à Pompée de décider qui sera candidat. Nous sommes des citoyens libres, libres de faire nos propres choix. Et je choisis de concourir pour l'édilité.

— Il serait absurde de concourir et de perdre, Marcus. C'est bien le genre d'acte héroïque inutile en lequel croit Lucius ici présent.

— Buvons à l'héroïsme inutile, dit Lucius en levant son verre.

— Mais nous ne pouvons pas gagner contre l'opposition de Pompée, persista Quintus. Et à quoi servirait de chercher à entrer délibérément en conflit avec Pompée ?

— Après ce qui s'est passé hier, intervint Terentia, on ferait mieux de se demander à quoi servirait de chercher à entrer dans ses bonnes grâces.

— Terentia a raison, déclara Cicéron. Hier, j'ai appris une leçon. Admettons que j'attende un an ou deux, suspendu à la moindre parole de Pompée dans l'espoir d'une faveur, à jouer les garçons de course pour lui. Nous avons tous vu des gens dans cette situation au Sénat – qui vieillissent en attendant que des demi-promesses soient tenues. Ça les ronge de l'intérieur. Leur moment est passé avant même qu'ils s'en aperçoivent et il ne leur reste alors plus rien pour négocier. J'aimerais mieux encore quitter la politique tout de suite plutôt que d'en arriver là. Quand on veut le pouvoir, il y a un moment où il faut savoir le saisir. Le temps est venu pour moi.

— Mais comment y arriver ?

— En poursuivant Gaius Verrès pour extorsion.

Voilà, c'était dit. Je savais qu'il le ferait depuis le matin même, et je suis certain que lui aussi le savait, mais il avait voulu prendre son temps – pour, d'une certaine façon, endosser cette décision et voir comment elle lui allait. Elle lui allait très bien. Je ne l'avais jamais vu aussi décidé. On aurait dit un homme qui se sentait pénétré par la force de l'histoire. Personne ne parla.

— Allons ! dit-il avec un sourire. Pourquoi ces têtes d'enterrement ? Je n'ai pas encore perdu ! Et je ne crois pas du tout que je vais perdre. J'ai reçu la visite de Siciliens, ce matin. Ils ont rassemblé les témoignages les plus accablants contre Verrès, n'est-ce pas, Tiron ? Nous avons tout cela sous clé en bas. Et quand nous aurons gagné… réfléchissez ! Je bats Hortensius devant un tribunal public, et toute cette absurdité de « meilleur avocat *après* Hortensius » s'efface à tout jamais. Suivant les droits traditionnels du plaignant victorieux, je m'arroge le rang de l'homme que je fais condamner, ce qui signifie que je deviens du jour au lendemain prétorien – finies les séances passées à bondir et à se rasseoir sur les bancs du fond au Sénat, dans l'espoir d'être appelé. Et je me place avec une telle fermeté sous le regard du peuple romain que mon élection au poste d'édile est assurée. Mais le plus beau de tout cela, c'est que c'est *moi* qui le fais – moi, Cicéron – et que j'y arrive sans rien devoir à quiconque, à Pompée le Grand moins qu'à tout autre.

— Et si nous perdons ? questionna Quintus, recouvrant enfin sa voix. Nous sommes des avocats de la défense. Nous ne poursuivons jamais. Tu l'as dit toi-même une centaine de fois : les défenseurs se font des amis ; les accusateurs ne se font que des ennemis. Si tu n'arrives pas à abattre Verrès, il y a de bonnes chances qu'il soit élu consul un jour. Il ne connaîtra alors de paix que lorsque tu seras détruit.

— C'est vrai, concéda Cicéron. Mais quand on veut tuer un animal dangereux, il faut s'assurer de ne pas le rater au premier coup. En revanche… tu ne comprends donc pas ? De cette façon, je peux aussi tout gagner. Le rang, la célébrité, la charge, la dignité, l'autorité, l'indépendance, un fonds de clientèle à Rome et en Sicile. Cela m'ouvre carrément la voie du consulat.

C'était la première fois que je l'entendais mentionner sa grande ambition, et le fait qu'il se sente enfin capable de prononcer le mot témoignait de sa nouvelle confiance en lui. Le *consulat*. Pour tout acteur de la vie publique, c'était l'apothéose. Sur tous les documents officiels et pierres commémoratives, les années mêmes se distinguaient les unes des autres aux noms des consuls en charge. C'était, juste après les cieux, ce qui se rapprochait le plus de l'immortalité. Combien de jours et de nuits avait-il passés à y penser, à en rêver, à chérir cette ambition depuis le temps où il n'était qu'un adolescent empoté ? Il est parfois bien inconsidéré de révéler ses ambitions trop tôt – les exposer trop prématurément au rire et au scepticisme du monde peut les détruire avant qu'elles soient réellement formées. Mais il arrive aussi que ce soit l'inverse, et que le simple fait de mentionner une ambition la rende soudain possible, voire réalisable. Ce fut le cas cette nuit-là. Quand Cicéron prononça le mot « consulat », il le fichait dans le sol comme un drapeau que nous pouvions tous admirer. Et, pendant un instant, nous avons entrevu par ses yeux son avenir radieux et étoilé, et nous avons vu qu'il avait raison : s'il abattait Verrès, tout devenait possible ; il pouvait, avec un peu de chance, monter jusqu'au sommet.

Il y eut beaucoup à faire au cours des mois qui suivirent et, comme d'habitude, une bonne partie du travail retomba sur mes épaules. Tout d'abord, je traçai un grand diagramme des électeurs de l'édilité. Cet électorat était à l'époque composé de l'ensemble des citoyens romains divisés en trente-cinq tribus. Cicéron lui-même appartenait à la *gens* Cornelia, Servius à la *gens* Lemonia, Pompée à la Clustumina, Verrès à la Romilia et ainsi de suite. Chaque citoyen votait sur le Champ de Mars en tant que membre de sa tribu, et le résultat du vote de chaque grande famille était lu publiquement par les magistrats. Les quatre candidats qui rassemblaient les votes du plus grand nombre de familles étaient alors déclarés vainqueurs en bonne et due forme.

Cette forme particulière de collège électoral présentait plusieurs avantages pour Cicéron. Tout d'abord – contrairement au système de désignation des préteurs et des consuls – chaque vote comptait également, quelle que fût la fortune du votant, et comme les plus fervents partisans de Cicéron se trouvaient parmi les hommes d'affaires et la masse des pauvres, les aristocrates auraient plus de mal à l'éliminer. Ensuite, il s'agissait d'un électorat auprès duquel il était relativement facile de faire campagne. Chaque tribu avait son propre quartier général quelque part dans Rome, un édifice assez grand pour y donner des spectacles ou des dîners. Je consultai tous nos dossiers et en tirai une liste de tous ceux que Cicéron avait défendus ou aidés au cours des six années précédentes, chacun rangé selon sa famille. Il s'agissait alors de contacter ces hommes et de leur demander de s'assurer que le sénateur fût invité à parler lors du premier rassemblement familial prévu. Il est stupéfiant de voir combien de services on lui devait après six années de plaidoiries et de conseils incessants. L'emploi du temps de la campagne de Cicéron ne tarda pas à être très chargé, et ses journées de travail s'allongèrent encore. Après les procès ou les ajournements du tribunal, il se dépêchait de rentrer, prenait un bain rapide et se changeait, puis il filait à nouveau prononcer un de ses discours exaltants. Son slogan était : « Justice et Réforme. »

Comme de coutume, Quintus endossa le rôle de directeur de campagne tandis que le cousin Lucius se chargeait d'organiser l'affaire Verrès. Le gouverneur devait rentrer de Sicile à la fin de l'année, après quoi – à l'instant même où il pénétrerait dans la cité – il perdrait son *imperium*, et avec lui son immunité contre toute poursuite. Cicéron était décidé à frapper à la première occasion afin, si possible, de ne pas laisser à Verrès le temps d'effacer des preuves ou d'intimider les témoins. Pour cette raison, afin de ne pas éveiller les soupçons, les Siciliens cessèrent de venir le voir, et Lucius devint l'intermédiaire entre Cicéron et ses clients, les rencontrant en secret en ville, dans des endroits divers. Je fus donc amené à mieux connaître

Lucius et, plus je le voyais, plus je l'appréciais. Par bien des côtés, il ressemblait à Cicéron. Il avait pratiquement le même âge, était intelligent et spirituel, et se montrait un philosophe talentueux. Ils avaient tous les deux grandi à Arpinum, avaient fait leurs études côte à côte à Rome et voyagé ensemble en Orient. Mais il y avait entre eux une différence considérable : Lucius était absolument dépourvu d'ambition. Il vivait seul, dans une petite maison pleine de livres, et passait ses journées à lire et à penser – occupation des plus dangereuses qui, selon mon expérience, conduit immanquablement à la dyspepsie et à la mélancolie. Cependant, curieusement, malgré ces dispositions solitaires, il en vint à apprécier de quitter son bureau chaque jour, et fut bientôt tellement enragé par les vilenies de Verrès que son zèle à le faire passer devant la justicc dépassa encore celui de Cicéron.

— Nous ferons de toi un avocat, mon cousin, commenta Cicéron avec admiration après qu'il lui eut présenté un nouvel ensemble de déclarations accablantes écrites sous serment.

Vers la fin du mois de décembre, un incident se produisit qui finit par rassembler, de la manière la plus dramatique, tous les pans séparés de la vie de Cicéron. Par une matinée sombre, j'ouvris la porte et trouvai, en tête de la file habituelle, l'homme que nous avions remarqué à la basilique des tribuns en train de se poser en défenseur du pilier de son arrière-grand-père – Marcus Porcius Caton. Il était seul, sans esclave pour l'assister, et semblait avoir passé la nuit dans la rue. (En y réfléchissant, j'imagine que c'est ce qu'il avait dû faire, même si, comme il était de toute façon toujours débraillé – à la façon d'un mystique ou d'un saint homme –, il était plutôt difficile de faire la part des choses.) Naturellement, Cicéron fut intrigué et voulut savoir pourquoi un homme de si haute naissance se présentait à sa porte : Caton, aussi bizarre fût-il, évoluait au cœur même de la vieille aristocratie républicaine, lié tant par le sang que par le mariage à tout un réseau de Servilii, Lepidii et Aemilii. En fait, la satisfaction de Cicéron fut telle de recevoir un visiteur de si haute naissance qu'il sortit en personne du tablinum pour l'accueillir et le conduire dans son bureau. C'était le genre de client qu'il avait rêvé depuis longtemps de trouver un matin dans ses filets.

Je m'installai dans le coin pour prendre des notes, et le jeune Caton, peu enclin au bavardage, alla droit au but. Il expliqua qu'il avait besoin d'un bon avocat et qu'il avait apprécié la façon dont Cicéron s'en était remis aux tribuns, car il était monstrueux qu'un personnage tel que Verrès puisse se considérer comme étant au-dessus des lois ancestrales. Bref, il devait épouser sa cousine, Aemilia Lepida, charmante jouvencelle de dix-huit ans dont la jeune vie avait déjà été marquée par la tragédie. A l'âge de treize ans, elle avait subi l'humiliation d'avoir été repoussée par son fiancé, Scipion Nasica, jeune aristocrate hautain. Elle avait quatorze ans à la mort de sa mère, et seize ans quand son frère avait péri, la laissant absolument seule.

— La pauvre, commenta Cicéron. Si je te suis bien, comme elle est ta cousine, elle doit être la fille du consul d'il y a six ans, Aemilius Lepidus Livianus, non ? Il était, me semble-t-il, le frère de ta défunte mère, Livia ?

Comme beaucoup de sympathisants du parti populaire, Cicéron connaissait étonnamment bien l'aristocratie.

— C'est exact.

— Eh bien, je te félicite, Caton, de cette union des plus avantageuses. Avec le sang de ces trois familles qui coule dans ses veines et la mort de ses plus proches parents, elle doit être l'une des plus riches héritières de Rome.

— Elle l'est, fit amèrement Caton. Et c'est bien le problème. Scipion Nasica, son ancien prétendant, a appris en rentrant d'Espagne où il a combattu dans l'armée de Pompée-le-prétendu-Grand, à quel point elle est riche maintenant que son père et son frère ne sont plus, et il la réclame comme sienne.

— Mais c'est sûrement à la demoiselle de décider, non ?

— Effectivement, dit Caton. Mais elle l'a choisi lui.

— Ah, répliqua Cicéron en se carrant sur son siège, dans ce cas, vous voilà dans une situation délicate. Mais je suppose que si elle s'est retrouvée orpheline à quinze ans, elle doit avoir un tuteur désigné. Tu peux toujours aller lui parler. Il est certainement en position d'interdire le mariage. Qui est-ce ?

— Ce doit être moi.

— Toi ? Tu es le tuteur de la femme que tu veux épouser ?

— Oui. Je suis son plus proche parent masculin.

Cicéron appuya le menton sur sa main et examina son éventuel nouveau client – les cheveux en bataille, les pieds nus et crasseux, la tunique qu'il devait porter depuis des semaines.

— Alors, qu'est-ce que tu attends de moi ?

— Je veux que tu te charges d'un procès contre Scipion, et contre Lepida si nécessaire, pour mettre fin à toute cette affaire.

— Ce procès… Tu l'intenterais à titre de prétendant spolié ou de tuteur de la jeune fille ?

— L'un ou l'autre, dit Caton avec un haussement d'épaules. Les deux.

Cicéron se gratta l'oreille.

— Mon expérience des jeunes femmes, dit-il prudemment, est aussi limitée que ma foi en le règne de la justice est illimitée. Mais même moi, Caton, *même moi*, je dois te dire que je doute que le meilleur moyen de gagner le cœur d'une fille soit une action en justice.

— Le cœur d'une fille ? répéta Caton. Qu'est-ce que le cœur de la fille a à voir là-dedans ? C'est une question de principe.

Et d'argent, aurait-on pu ajouter s'il avait été n'importe qui d'autre. Mais Caton avait le privilège immense réservé aux très riches de ne guère s'intéresser à l'argent. Il avait hérité une vraie fortune et la dilapidait sans même s'en apercevoir. Non, c'était les principes qui toujours motivaient Caton – le désir immuable de ne jamais faire de compromis sur ses principes.

— Nous pourrions nous adresser au tribunal des détournements de fonds et lancer une action pour rupture de promesse de mariage, indiqua Cicéron. Nous devrions alors produire l'existence d'un engagement antérieur entre la dame Lepida et toi prouvant qu'elle est donc une tricheuse et une menteuse. Il nous faudrait prouver que Scipion est un filou hypocrite et coureur de dot. Je devrais les faire venir tous les deux à la barre des témoins et les réduire en pièces.

— Fais-le, dit Caton, les yeux brillants.

— Et à la fin de tout cela, nous perdrions certainement tout de même parce que les jurés n'aiment rien de mieux que les amants maudits, sinon, peut-être, les orphelins, et elle est les deux à la fois. Quant à toi, tu deviendrais la risée de tout Rome.

— Qu'est-ce que j'en ai à faire, de ce que pensent les gens ? dit Caton avec mépris.

— Et même si nous gagnons..., imagine la scène. Tu pourrais très bien avoir à sortir Lepida en train de hurler et de se débattre du tribunal pour la traîner dans les rues de Rome jusqu'à son nouveau foyer marital. Ce serait le scandale de l'année.

— On en est donc arrivés là ? questionna amèrement Caton. L'homme honnête doit s'écarter pour laisser triompher les vauriens ? C'est donc ça la justice romaine ? Il me faut un avocat qui ait des nerfs d'acier, déclara Caton en se levant d'un bond, et si je n'arrive à trouver personne pour m'aider, je me chargerai de l'accusation moi-même.

— Assieds-toi, Caton, le pria doucement Cicéron. Assieds-toi, répéta-t-il en voyant que le jeune homme ne bougeait pas, et je vais t'expliquer quelque chose à propos du droit.

Caton hésita, fronça les sourcils et s'assit, mais seulement sur le bord de la chaise afin de pouvoir bondir à nouveau à la première suggestion de devoir modérer ses convictions.

— Un petit conseil, si je puis me permettre, de la part d'un homme qui est de dix ans ton aîné. Tu ne dois pas attaquer tous les problèmes de front. Très souvent, les meilleures affaires n'arrivent jamais devant le tribunal. Il me semble que nous sommes dans cette situation. Laisse-moi voir ce que je peux faire.

— Et si tu échoues ?

— Alors, tu pourras agir à ta guise.

Lorsqu'il fut parti, Cicéron me glissa :

— Ce jeune homme cherche les occasions de tester ses principes avec le même acharnement qu'un ivrogne cherche la bagarre dans un bar.

Néanmoins, Caton avait accepté de laisser Cicéron contacter Scipion de sa part, et je savais que Cicéron appréciait l'occasion qui lui était donnée d'étudier l'aristocratie de près. Il n'y avait littéralement personne à Rome qui pût se targuer d'un meilleur lignage que

Quintus Caecilius Metellus Pius Cornelius Scipio Nasica – Nasica signifiant « nez en pointe », qu'il tenait toujours fermement dressé –, car il était non seulement le fils naturel de Scipion, mais aussi le fils adoptif de Metellus Pius, chef en titre de la tribu des Metellii. Père et fils adoptifs rentraient tout juste d'Espagne et se trouvaient pour le moment dans l'immense propriété des Pius à Tibur. Ils étaient attendus à Rome pour le 29 décembre, jour où ils devaient arriver à cheval derrière Pompée, dans la procession célébrant son triomphe. Cicéron décida d'organiser une rencontre le 30.

Le 29 finit par arriver, et ce fut une journée mémorable – Rome n'avait pas connu un tel spectacle depuis l'époque de Sylla. Tandis que j'attendais près de la porte Triomphale, il semblait que tous les habitants de la ville étaient sortis pour border la route. Les premiers à franchir la porte furent les sénateurs dans leur ensemble, y compris Cicéron, qui arrivaient à pied du Champ de Mars avec à leur tête les consuls et les autres magistrats. Venaient ensuite les joueurs de buccin qui sonnaient la fanfare. Puis les voitures et litières chargées du butin de la guerre espagnole – de l'or et de l'argent en pièces et en lingots, des armes, des statues, des tableaux, des vases, des meubles, des pierres précieuses et des tapisseries, des maquettes en bois des villes que Pompée avait conquises et mises à sac ainsi que des panneaux sur lesquels figuraient les noms de ces villes et des hommes célèbres qu'il avait tués au combat. Défilaient alors, menés par les prêtres immolateurs, les gros taureaux blancs et pesants destinés au sacrifice, leurs cornes dorées décorées de rubans et de guirlandes de fleurs. Suivaient des éléphants – symbole héraldique des Metellii –, de lourdes charrettes tirées par des bœufs et chargées de cages où des bêtes sauvages en provenance des montagnes espagnoles rugissaient et mordaient les barreaux avec rage. Les armes et les insignes des rebelles vaincus, puis les prisonniers eux-mêmes, les partisans défaits de Sertorius et Perperna, marchant les fers aux pieds. Il y eut alors les couronnes et hommages des alliés, portés par les ambassadeurs de quantité de nations, les douze licteurs de l'imperator, leurs faisceaux de haches et bâtons tressés de laurier. Et enfin, franchissant la porte au trot dans un tumulte d'applaudissements en provenance de la foule immense, les quatre chevaux blancs de l'imperator firent surgir Pompée en personne, dans le char en forme de tonneau incrusté de pierreries du triomphateur. Il était vêtu d'une toge brodée d'or et d'une tunique à fleurs, et tenait dans sa main droite un rameau de laurier et dans la gauche un sceptre. Il était coiffé d'une couronne de laurier de Delphes et son beau visage, comme son corps musclé, avait été enduit de minium pour montrer qu'il était bien en ce jour l'incarnation de Jupiter. Gnaeus, son fils de huit ans aux boucles blondes, se tenait à ses côtés tandis que, derrière lui, un esclave lui répétait à l'oreille qu'il était mortel et que tout cela passerait. Dans le sillage du char, montant un cheval de guerre noir, venait le vieux Metellus Pius, le bandage serré qui maintenait sa jambe témoignant d'une blessure survenue au combat. Scipion, son fils adoptif, se tenait près de lui. C'était un beau jeune homme de vingt-quatre ans et il ne me parut pas surprenant que Lepida le préférât à Caton. Puis venaient les généraux de l'armée, dont Aulus Gabinius, suivis par tous les chevaliers et la cavalerie, dont l'armure rutilait dans le pâle soleil de décembre. Fermaient la marche les légions d'infanterie de Pompée, des milliers et des milliers de soldats burinés qui marchaient au pas, le fracas de leurs bottes donnant l'impression de faire trembler la terre. Ils hurlaient à pleine voix *Io Triumphe !*, chantaient des hymnes aux dieux et des chansons salaces sur leur commandant en chef, comme ils avaient traditionnellement le droit de le faire en ce jour de gloire.

Il fallut la moitié de la matinée pour qu'ils défilent tous, la procession sillonnant les rues jusqu'au forum où, comme le voulait la tradition, pendant que Pompée gravissait les marches du Capitole pour procéder au sacrifice devant le temple de Jupiter, ses prisonniers les plus éminents étaient emmenés dans les profondeurs de la prison et étranglés – quel meilleur jour que celui qui mettait fin à l'autorité militaire du vainqueur pour mettre fin à la vie des vaincus ? J'entendis les acclamations lointaines au sein de la cité, mais préférai m'épargner ce spectacle et restai près de la porte Triomphale avec la foule de moins en moins nombreuse pour assister à l'ovation de Crassus. Il en tira le meilleur parti et défila avec ses fils près de lui, mais en dépit de tous les efforts de ses agents pour stimuler quelque enthousiasme, le spectacle paraissait bien terne après le faste époustouflant du cortège de Pompée. Je suis certain qu'il en était fort contrarié tandis qu'il se frayait un chemin entre les crottins de cheval et les bouses d'éléphant laissés par son collègue consulaire. Il n'avait même pas beaucoup de prisonniers à faire défiler, le pauvre, les ayant presque tous fait exécuter le long de la voie Appienne.

Le lendemain, Cicéron se rendit chez Scipion. Je l'accompagnais avec un coffret à documents – un de ses stratagèmes favoris pour tenter d'intimider la partie adverse. Nous n'avions aucune preuve et je l'avais simplement rempli de vieux reçus. La demeure de Scipion se trouvait sur la Voie sacrée, bordée de boutiques – il ne s'agissait bien entendu pas de boutiques ordinaires mais de bijouteries chic dont les marchandises s'exposaient derrière des grilles métalliques. Cicéron ayant fait prévenir de sa visite, notre arrivée était attendue et nous fûmes aussitôt introduits par un valet en livrée dans l'atrium de Scipion. On a pu décrire cet endroit comme « l'une des merveilles de Rome », et c'était vrai, même à l'époque. Scipion pouvait suivre les traces de sa famille sur au moins onze générations, neuf d'entre elles ayant produit des consuls. Les murs autour de nous étaient bordés des masques de cire des Sciones, certains vieux de plusieurs siècles, jaunis par la crasse et la fumée (par la suite, l'adoption de Scipion par Pius devait apporter six nouveaux masques consulaires dans l'atrium déjà encombré) et qui exhalaient ce mélange ténu d'encens et de poussière qui représente pour moi le parfum de l'antiquité. Cicéron fit le tour de la pièce en déchiffrant les inscriptions. Le masque le plus ancien avait trois cent vingt-cinq ans. Mais naturellement, ce fut celui de Scipion l'Africain, vainqueur d'Hannibal, qui le fascina le plus, et il passa un long moment courbé, à l'examiner. C'était un visage noble et sensible – lisse, sans ride, éthéré, évoquant davantage la représentation d'une âme qu'un être de chair et de sang.

— Poursuivi, bien entendu, par l'arrière-grand-père de notre client actuel, commenta Cicéron en se redressant. Les Caton ont toujours eu l'esprit de contradiction.

Le valet revint et nous le suivîmes dans le tablinum. Là, le jeune Scipion se prélassait sur un divan entouré d'objets précieux – statues, bustes, objets anciens, tapis roulés et autres. On aurait dit la chambre funéraire d'un potentat oriental. Il ne se leva pas à l'entrée de Cicéron (une insulte pour un sénateur) et ne l'invita pas non plus à s'asseoir, mais se contenta de lui demander d'une voix traînante ce qui l'amenait. Cicéron s'employa à le lui énoncer, fermement mais avec courtoisie, l'informant que le dossier de Caton était inattaquable d'un point de vue juridique, étant donné que Caton était à la fois officiellement fiancé à la jeune personne, et qu'il était son tuteur. Il désigna d'un geste le coffret à documents que je tenais devant moi comme un serviteur portant un plateau, et passa en revue les précédents, assurant en conclusion que Caton était décidé à intenter une action devant le tribunal des détournements de fonds et réclamerait également un *obsignandi gratia* pour empêcher la jeune femme d'avoir le moindre contact avec quiconque ayant un rapport avec l'affaire. Il n'y avait donc qu'une seule façon d'éviter cette humiliation, et c'était que Scipion renonce immédiatement à sa demande en mariage.

— Il est vraiment fêlé, non ? commenta Scipion avec langueur en s'allongeant sur le dos, remontant les mains derrière sa tête et souriant au plafond peint.

— C'est ta seule réponse ? s'enquit Cicéron.

— Non, dit Scipion, la voilà, ma seule réponse : Lepida !

Ayant visiblement tout entendu, une jeune femme d'allure modeste surgit alors de derrière un paravent, et traversa gracieusement la pièce pour venir se tenir près de la couche. Elle glissa sa main dans celle de Scipion.

— Je te présente ma femme. Nous nous sommes mariés hier soir. Les objets que tu vois autour de toi sont en fait les cadeaux de mariage de nos amis. Après le sacrifice, Pompée le Grand est venu directement du Capitole pour être notre témoin.

— Jupiter lui-même aurait pu être témoin que cela ne suffirait pas à rendre la cérémonie légale, rétorqua Cicéron.

Pourtant, je voyais bien à la façon dont ses épaules venaient de se voûter que la bataille lui échappait. Comme disent les juristes, la possession vaut titre, et non seulement Scipion avait la possession, mais il avait visiblement le consentement passionné de la nouvelle épousée.

— Eh bien, de ma part sinon de celle de mon client, dit enfin Cicéron en contemplant les cadeaux de noces, je vous présente à tous les deux toutes mes félicitations. Mon cadeau de mariage sera peut-être de persuader Caton d'accepter la réalité.

— Ce serait, assura Scipion, le présent le plus rare jamais offert.

— Au fond, mon cousin est un homme bon, intervint Lepida. Veux-tu lui transmettre mes amitiés et l'espoir que nous puissions nous réconcilier un jour ?

— Bien sûr, dit Cicéron en s'inclinant avec courtoisie.

Il s'apprêtait à partir quand il s'immobilisa brusquement.

— Ça, c'est une belle pièce, commenta-t-il, une très belle pièce.

C'était un Apollon nu en bronze haut comme la moitié d'un homme et jouant de la lyre – une représentation sublime de grâce masculine figée en pleine danse, sa chevelure et les cordes de son instrument délicatement représentées. Incrusté dans sa cuisse en fines lettres d'argent, figurait le nom du sculpteur : Myron.

— Oh, ça, fit Scipion, très désinvolte. Apparemment, ce serait mon illustre grand-père, Scipion l'Africain, qui l'aurait donné à un temple. Pourquoi ? Tu le connais ?

— Si je ne me trompe, il provient du temple d'Esculape, à Agrigentum.

— C'est ça, dit Scipion. En Sicile. Verrès l'a pris aux prêtres là-bas et me l'a donné hier soir.

C'est de cette façon que Cicéron apprit que Gaius Verrès était rentré à Rome et avait déjà commencé à étendre les tentacules de sa corruption sur la ville.

— Le scélérat ! s'exclama Cicéron en descendant la colline.

Il serrait et desserrait les poings en signe de rage impuissante.

— Le scélérat, le scélérat, *le scélérat* !

Il avait de bonnes raisons de s'inquiéter, car il paraissait logique de supposer que, si Verrès avait offert un Myron au jeune Scipion, cela signifiait qu'Hortensius, les frères Metellus et tous ses autres éminents alliés au Sénat avaient sans doute reçu des présents plus splendides encore – et c'était précisément parmi ces hommes que serait constitué le jury qui devrait le juger. Et que Pompée eût assisté à la même cérémonie de mariage que Verrès et les principaux aristocrates constituait un autre coup. Pompée avait toujours entretenu des liens étroits avec la Sicile – encore jeune général, il avait rétabli l'ordre sur l'île et avait même passé une nuit chez Sthenius. Cicéron comptait sur lui, sinon comme soutien réel – il ne commettait jamais deux fois la même erreur –, au moins pour rester neutre. Il entrevoyait à présent la possibilité redoutable que, s'il poursuivait son action contre Verrès, il pouvait se retrouver face à toutes les factions puissantes de Rome unies contre lui.

Mais le temps manquait pour méditer les implications d'une telle situation. Caton avait insisté pour entendre aussitôt les résultats de l'entrevue, et il l'attendait chez sa demi-sœur Servilia, qui habitait aussi sur la Voie sacrée, à quelques portes seulement de chez Scipion. Lorsque nous entrâmes, trois petites filles – la plus âgée ne semblait pas avoir plus de cinq ans – arrivèrent en courant dans l'atrium, suivies de leur mère.

C'était la première fois, je crois, que Cicéron rencontrait Servilia, qui devait par la suite devenir la femme la plus redoutable d'entre les nombreuses femmes redoutables de Rome. A près de trente ans, soit cinq ans de plus que Caton, elle était belle sans être jolie. Avec feu son premier mari, Marcus Brutus, elle avait eu un fils alors qu'elle n'avait que quinze ans ; avec son deuxième époux, le médiocre Junius Silanus, elle avait donné naissance à ces trois fillettes très rapprochées. Cicéron les salua comme s'il n'avait aucun souci au monde, s'accroupissant pour leur parler sous le regard attentif de Servilia. Celle-ci plaçait en effet tous ses espoirs dans ses enfants et souhaitait en faire des jeunes filles raffinées, aussi insistait-elle pour qu'elles rencontrent tous les visiteurs et se familiarisent avec les manières des adultes.

Une nourrice finit par venir les chercher, et Servilia nous conduisit au tablinum. Caton nous y attendait en compagnie d'Antipater le Tyrien, philosophe stoïcien qui le quittait rarement. Caton reçut la nouvelle du mariage de Lepida aussi mal qu'on pouvait s'y attendre, ne cessant d'arpenter la pièce à grands pas et de jurer, ce qui me rappela un autre bon mot de Cicéron, pour qui Caton était le stoïque parfait tant que tout allait bien.

— Calme-toi, Caton, lui ordonna Servilia au bout d'un moment. Il est évident que l'affaire est close, et tu ferais aussi bien de t'y habituer tout de suite. Tu ne l'aimais pas – tu ne sais même pas ce qu'est l'amour. Tu n'as pas besoin de sa fortune – tu es déjà riche. C'est une petite dinde. Tu peux trouver cent fois mieux.

— Elle m'a prié de te transmettre ses amitiés, dit Cicéron, ce qui provoqua un nouveau déluge d'injures de la part de Caton.

— Je ne me laisserai pas faire ! s'écria-t-il.

— Mais si, bien sûr, rétorqua Servilia. Dis-lui, toi, le philosophe, ajouta-t-elle en se tournant vers Antipater, qui eut un mouvement de recul. Mon frère pense que ses beaux principes sont le fruit de son intelligence, alors que ce ne sont que des émotions de petite fille présentées par de faux philosophes comme des questions d'honneur viriles. S'il avait eu davantage l'expérience du beau sexe, sénateur, dit-elle en s'adressant de nouveau à Cicéron, il comprendrait qu'il se conduit comme un imbécile. Mais tu n'as même jamais couché avec une femme, n'est-ce pas, Caton ?

Cicéron eut l'air gêné, car il avait toujours fait preuve de la légère pudibonderie propre aux membres de l'ordre équestre en matière de sexualité, et n'était pas habitué aux mœurs plus libres des aristocrates.

— Je crois que cela affaiblit l'essence virile et obscurcit la faculté de penser, répondit Caton d'un air maussade, déclenchant un tel hurlement de rire chez sa sœur qu'il devint aussi rouge que le visage de Pompée enduit de minium pour la cérémonie de la veille.

Il quitta la pièce d'un pas lourd, toujours flanqué de son stoïcien.

— Je m'excuse, dit Servilia en se tournant vers Cicéron. Je me demande parfois s'il n'est pas un peu simple d'esprit. Mais quand il a une idée, il s'y accroche jusqu'au bout, et je suppose que cela peut être une qualité. Il a loué ton discours sur Verrès devant les tribuns. Il a parlé de toi comme de quelqu'un de très dangereux. J'aime les gens dangereux. Nous devrions nous revoir.

Elle tendit la main pour saluer Cicéron. Il la prit, et il me sembla qu'elle le retint un peu plus longtemps que la politesse ne l'exigeait.

— Serais-tu prêt à recevoir le conseil d'une femme ?

— De toi, répondit Cicéron en finissant par retirer sa main, bien sûr.

— Mon autre frère, Caepion – mon vrai frère, en fait –, est fiancé à la fille d'Hortensius. Il m'a dit qu'Hortensius parlait de toi l'autre jour – il se doute que tu comptes poursuivre Verrès, et il a conçu un plan pour déjouer tes projets. Je n'en sais pas plus.

— Et au cas très peu probable où je projetterais une telle action en justice, répliqua Cicéron avec un sourire, quel serait ton conseil ?

— C'est simple, répondit Servilia avec le plus grand sérieux. Renonces-y.

VI

Loin de le décourager, cette conversation avec Servilia et sa visite à Scipion convainquirent Cicéron qu'il devait agir plus rapidement encore qu'il ne l'avait prévu. Le 1er janvier de la six cent quatre-vingt-quatrième année depuis la fondation de Rome, Pompée et Crassus prirent leur poste de consul. J'escortai Cicéron aux cérémonies d'inauguration, sur le Capitole, puis restai avec la foule derrière le portique. La reconstruction du temple de Jupiter était presque achevée sous la direction de Catulus, et les nouveaux piliers de marbre en provenance du mont Olympe ainsi que le toit en bronze doré étincelaient sous le froid soleil. Conformément à la tradition, on brûlait du safran sur les foyers sacrificiels, et ces flammes jaunes et crépitantes, l'odeur d'épices, la clarté lumineuse de l'air hivernal, les autels dorés, les bœufs clairs agités qui attendaient l'immolation, les toges blanches bordées de rouge des sénateurs présents – tout cela produisit sur moi une impression inoubliable. Je ne le reconnus pas, mais Cicéron m'assura ensuite que Verrès était présent, se tenant auprès d'Hortensius. Il les avait vus qui le regardaient tout en riant à quelque bonne plaisanterie.

Rien ne put être fait pendant les quelques jours qui

suivirent. Le Sénat se réunit pour entendre un discours hésitant de la part de Pompée, consul désigné qui n'avait jamais mis les pieds dans la curie et ne put suivre ce qui se passait qu'en se référant sans cesse à une espèce de guide de procédure que lui avait préparé le célèbre érudit Varron, qui avait servi sous ses ordres en Espagne. Ce fut comme d'habitude à Catulus que l'on donna en premier la parole, et il prononça un discours assez habile, concédant que, bien qu'il s'y opposât personnellement, on ne pouvait refuser de restaurer les droits des tribuns et que les aristocrates n'avaient qu'à se blâmer eux-mêmes d'être devenus si impopulaires. (« Tu aurais dû voir la tête d'Hortensius et de Verrès quand il a dit *ça* », me confia ensuite Cicéron.) Puis, suivant l'ancienne coutume, les nouveaux consuls se rendirent dans les monts Albains pour présider la célébration des Féries latines, qui duraient quatre jours. Celles-ci étaient encore suivies par deux jours de rites religieux durant lesquels les tribunaux étaient fermés. Ce ne fut donc pas avant la deuxième semaine de la nouvelle année que Cicéron put enfin lancer son assaut.

Le matin où Cicéron avait prévu de faire sa déclaration, les trois Siciliens – Sthenius, Heraclius et Epicrate – vinrent ouvertement chez lui pour la première fois depuis six mois et, avec Quintus et Lucius, ils escortèrent Cicéron jusqu'au forum. Il avait aussi quelques représentants des tribus dans sa suite, principalement de la *gens* Cornelia et Esquilina, et il bénéficiait d'un soutien particulièrement fort. Des passants hélaient Cicéron sur son passage, lui demandant où il allait avec ses trois amis bizarres, et Cicéron répondait joyeusement qu'ils n'avaient qu'à venir voir par eux-mêmes – ils ne seraient pas déçus. Cicéron avait toujours aimé la foule et, de cette façon, il était sûr d'avoir sa claque quand il arriverait au tribunal de la cour des extorsions.

En ce temps-là, cette cour se réunissait toujours devant le temple de Castor et Pollux, de l'autre côté du forum par rapport au Sénat. Le nouveau préteur en était Acilius Glabrio, dont on savait très peu de chose sinon qu'il était étonnamment proche de Pompée. Je dis étonnamment parce que, lorsqu'il était jeune, le dictateur Sylla lui avait ordonné de divorcer alors que sa femme était enceinte pour la céder en mariage à Pompée. Peu après, la malheureuse, qui s'appelait Aemilia, mourut en couches dans la maison de Pompée, et celui-ci rendit alors l'enfant – un fils – à son père naturel ; l'enfant avait à présent douze ans et faisait la joie de son père Glabrio. Cet épisode étrange avait, disait-on, créé entre les deux hommes des liens d'amitié au lieu de les opposer, et Cicéron passa beaucoup de temps à se demander si cette situation pouvait être un atout pour sa cause ou non. Il ne parvint pas à se décider.

Le siège de Glabrio venait juste d'être dressé, signal que la cour était prête à œuvrer, et il devait faire froid parce que j'ai un souvenir très clair de Glabrio portant des mitaines tandis qu'on avait allumé près de lui un petit brasero de charbon de bois. Il était posté sur l'estrade qui court le long de toute la façade du temple, à mi-escalier. Ses licteurs, leur faisceau de bâtons accroché à l'épaule, se tenaient alignés et battaient la semelle sur les marches en contrebas. C'était un endroit très animé, car en plus d'abriter la cour des extorsions, le temple de Castor hébergeait également le bureau des Poids et Mesures, où les commerçants venaient régler leurs poids et instruments divers. Glabrio parut surpris de voir Cicéron et sa suite s'avancer vers lui, et beaucoup de passants curieux se retournaient sur notre passage. Le préteur fit signe à ses licteurs de laisser le sénateur approcher du banc. Au moment où j'ouvris le coffret à documents et tendis le *postulatus* à Cicéron, je vis l'inquiétude dans ses yeux, mais aussi du soulagement de ce que l'attente fût enfin terminée. Il gravit les marches et se tourna pour s'adresser au public.

— Citoyens, déclara-t-il, je viens aujourd'hui offrir ma vie au service du peuple romain. Je voudrais vous annoncer mon intention de briguer l'édilité de Rome. Je ne le fais pas par désir de gloire personnelle, mais parce que l'état de notre République exige que des hommes honnêtes défendent la justice. Vous me connaissez tous. Vous savez en quoi je crois. Vous savez que je surveille depuis longtemps certains de ces aristocrates du Sénat ! (Il y eut un murmure d'approbation.) Eh bien, j'ai à la main une plainte – un *postulatus*, comme nous, juristes, appelons cela. Et je suis ici pour informer de mon intention d'intenter un procès à Gaius Verrès pour délits et crimes aggravés commis pendant son mandat de gouverneur en Sicile.

Il agita la plainte au-dessus de sa tête, finissant par déclencher quelques acclamations étouffées.

— S'il est condamné, il devra non seulement restituer ce qu'il a volé, mais il sera également déchu de tous ses droits de citoyen. Il n'aura plus qu'à choisir entre l'exil ou la mort. Il se battra comme un animal acculé. Ce sera une bataille longue et difficile, ne vous y trompez pas, et je mise tout sur son issue – la charge que je brigue, mes espoirs d'avenir, la réputation que j'ai acquise à force de labeur, me levant aux aurores et œuvrant en pleine chaleur –, mais je le fais avec la ferme conviction que le droit l'emportera !

Là-dessus, il fit volte-face et monta les dernières marches qui le séparaient de Glabrio, passablement médusé, pour lui remettre sa plainte en bonne et due forme. Le préteur y jeta un rapide coup d'œil et la passa à l'un de ses clercs. Puis il serra la main de Cicéron, et ce fut terminé. La foule commença à se disperser et il ne nous resta plus qu'à rentrer à la maison. Je craignais bien que toute l'affaire ne tombât terriblement à plat, le problème étant que, à Rome, tant de personnalités annonçaient sans cesse qu'elles allaient briguer tel ou tel poste – il y en avait une cinquantaine à pourvoir chaque année – que personne ne vit l'annonce de Cicéron dans le contexte historique qui était si évident pour lui. Quant à l'objet même de la poursuite, plus d'un an s'était écoulé depuis qu'il avait déclenché tout un scandale autour de Verrès, et les gens, comme il le remarquait souvent, ont la mémoire courte. Ils avaient complètement oublié l'affreux gouverneur de Sicile. Je voyais bien que Cicéron éprouvait un profond sentiment de déception dont même Lucius, qui arrivait généralement à le faire rire, ne put le tirer.

Une fois arrivés chez Cicéron, Quintus et Lucius essayèrent de le distraire en lui jouant les réactions de Verrès et d'Hortensius lorsqu'ils auraient appris qu'une plainte était déposée contre eux : l'esclave revenant à fond de train du forum avec la nouvelle, Verrès soudain blanc comme un linge, qui convoquait une cellule de crise. Mais Cicéron ne voulut pas en entendre parler. J'imagine qu'il pensait à l'avertissement que lui avait adressé Servilia, et à la façon dont Verrès et Hortensius s'étaient moqués de lui le jour de l'inauguration.

— Ils savaient ce que je préparais, dit-il. Ils ont un plan. La question est : lequel ? Savent-ils que nos preuves sont trop minces ? Ont-ils Glabrio de leur côté ? Quoi d'autre ?

Il découvrit la réponse avant la fin de la matinée. Elle lui arriva sous la forme d'un document en provenance de la cour des extorsions, délivré par l'un des licteurs de Glabrio. Cicéron le prit en fronçant les sourcils, brisa le sceau, le lut rapidement et émit un léger :

— Ah…

— Qu'est-ce que c'est ? demanda Lucius.

— La cour a reçu une autre plainte contre Verrès.

— Mais c'est impossible, intervint Quintus. Qui ferait une chose pareille ?

— Un sénateur, répondit Cicéron en examinant l'assignation. Caecilius Niger.

— Je le connais ! s'exclama Sthenius. Il était questeur de Verrès l'année avant que j'aie dû fuir l'île. On dit que lui et le gouverneur se sont disputés pour une question d'argent.

— Hortensius a informé la cour que Verrès ne voit pas d'objection à êtrc poursuivi par Caecilius en prenant pour argument qu'il cherche « une réparation personnelle » alors que je ne cherche que la notoriété publique.

Nous nous sommes tous entre-regardés avec consternation. Des mois de travail semblaient soudain réduits à néant.

— Il est intelligent, commenta Cicéron avec regret. Il faut au moins reconnaître ça à Hortensius. Quel fin renard ! Je supposais qu'il essaierait de faire annuler toute l'affaire sans autre forme de procès. Je n'ai jamais imaginé qu'il chercherait à contrôler l'accusation aussi bien que la défense.

— Mais il ne peut pas faire ça ! bredouilla Quintus. La justice romaine est le système le plus équitable du monde !

— Mon cher Quintus, répondit Cicéron avec un tel sarcasme dans la voix qu'il me fit ciller, où trouves-tu de tels slogans ? Dans des livres pour enfants ? Tu crois qu'Hortensius domine le barreau romain depuis près de vingt ans en jouant *l'honnêteté* ? C'est une assignation. Je suis convoqué devant la cour des extorsions demain matin pour expliquer pourquoi on devrait me permettre à moi plutôt qu'à Caecilius de mener l'accusation. Je dois donc plaider ma valeur devant Glabrio et un jury complet, jury qui, je te le rappelle, sera composé de trente-deux sénateurs dont la plupart, tu peux en être sûr, auront reçu récemment un cadeau de nouvel an en bronze ou en marbre.

— Mais c'est nous, les Siciliens, qui sommes les victimes, protesta Sthenius. Ce devrait être à nous de décider qui nous prenons pour nous défendre, non ?

— Pas du tout. L'accusateur est nommé officiellement par la cour et représente à ce titre le peuple romain. Votre opinion est à prendre en compte, mais ne saurait être décisive.

— Alors c'est terminé pour nous, commenta Quintus d'une voix plaintive.

— Non, ce n'est pas terminé, répondit Cicéron, laissant espérer le retour de son esprit combatif, car rien ne lui insufflait davantage d'énergie que l'idée d'être dépassé par la ruse d'Hortensius. Et dans le cas contraire, eh bien, autant tomber en se battant. Je vais commencer à préparer mon discours, et toi, Quintus, vois si tu peux me rassembler du monde. Rappelle toutes les faveurs qu'on me doit. Et pourquoi ne pas leur servir ta phrase sur la justice romaine qui serait le système le plus équitable du monde, et voir si tu ne peux pas convaincre un ou deux sénateurs respectables de m'escorter au forum. Il y en a même qui pourraient y croire. Demain, quand je monterai les marches de ce tribunal, je veux que Glabrio ait l'impression que tout Rome le surveille.

On ne peut pas prétendre s'y connaître en politique tant qu'on n'a pas passé toute une nuit à écrire un discours pour le lendemain. Pendant que le reste du monde dort, l'orateur fait les cent pas à la lueur des lampes, en se demandant quelle folie a bien pu le pousser à se lancer dans une telle carrière. Des arguments sont préparés, puis écartés. Diverses versions d'introduction, de développement et de péroraison gisent en tas sur le sol. L'esprit épuisé perd de vue le but de l'entreprise de sorte qu'il arrive – généralement vers une ou deux heures du matin – un moment où ne pas y aller, feindre d'être malade et rester terré chez soi paraît la seule option possible. Et puis, miraculeusement, sous l'action de la panique et alors que l'humiliation se profile, les parties forment un tout cohérent et le discours est prêt. Un orateur de seconde classe va alors se coucher avec soulagement. Un Cicéron reste debout et l'apprend par cœur.

Se contentant d'un peu de fruits et de fromage arrosés de vin dilué pour se sustenter, Cicéron connut ainsi toutes les étapes de la nuit. Dès qu'il eut les diverses parties en ordre, il m'envoya dormir un peu, mais je ne crois pas qu'il s'allongea ne fût-ce qu'une heure sur son lit. A l'aube, il se lava à l'eau glacée pour se revigorer et s'habilla avec soin. Lorsque j'allai le voir, juste avant que nous partions pour le tribunal, il était aussi agité qu'un lutteur sur le point de combattre, faisant rouler ses épaules et sautillant d'une jambe sur l'autre, sur la pointe des pieds.

Quintus avait bien travaillé et, dès que la porte s'ouvrit, nous fûmes accueillis par une foule bruyante de sympathisants qui remontait loin dans la rue. En plus du peuple ordinaire de Rome, trois ou quatre sénateurs qui s'intéressaient particulièrement à la Sicile étaient venus manifester leur soutien. Je me rappelle le taciturne Gnaeus Marcellinus, le vertueux Calpurnius Piso Frugi – qui avait été préteur la même année que Verrès et le considérait comme une crapule – et au moins un membre de la grande famille des Marcelli, protecteurs traditionnels de l'île. Cicéron salua la foule d'un signe de la main, souleva Tullia et la gratifia d'un de ses baisers retentissants avant de la montrer à ses partisans. Puis il la rendit à sa mère, qu'il serra dans ses bras en une rare manifestation d'affection en public. Alors Quintus, Lucius et moi-même lui ouvrîmes un passage, et il s'élança vers le centre de la foule.

Je voulus lui souhaiter bonne chance mais, comme souvent avant un discours important, il était inaccessible. Il regardait les gens sans les voir. Il était prêt à agir et se jouait intérieurement toute une pièce répétée depuis l'enfance, celle du patriote solitaire qui, armé de sa seule voix, affronte tout ce qui est méprisable et corrompu à la tête de l'Etat. Comme s'ils sentaient quel rôle allait être le leur dans ce spectacle fantastique, de plus en plus de curieux vinrent gonfler le cortège et, lorsque nous arrivâmes au temple de Castor, il devait y avoir deux ou trois cents personnes pour applaudir son entrée au tribunal. Glabrio avait déjà pris place entre les hauts piliers du temple, ainsi que l'ensemble des jurés, parmi lesquels le spectre menaçant de Catulus lui-même. Je vis Hortensius sur le banc réservé aux spectateurs distingués, qui contemplait ses mains superbement manucurées et paraissait aussi calme qu'un matin d'été. Près de lui, et visiblement très à l'aise également, se tenait un homme d'environ quarante-cinq ans, aux cheveux roux et hérissés et au visage taché de son qui, me dis-je soudain, devait être Caius Verrès. Il me semblait curieux de me trouver enfin en présence de ce monstre, qui avait occupé nos pensées durant si longtemps, et de le trouver si ordinaire – plus proche du renard que du sanglier, en fait.

Deux sièges avaient été disposés à l'intention des deux accusateurs en lice. Caecilius était déjà installé, une liasse de notes posée sur ses genoux, et il ne leva pas les yeux à l'arrivée de Cicéron, se concentrant uniquement sur l'étude de ses notes. La cour fut priée de décider, et Glabrio indiqua à Cicéron que, comme il avait été le premier à déposer plainte, il devait parler en premier – ce qui constituait un désavantage manifeste. Cicéron se leva avec un haussement d'épaules. Il attendit que le silence soit complet et commença, lentement comme toujours, en disant qu'il supposait que certains seraient surpris de le voir dans ce rôle, puisqu'il n'avait jamais cherché auparavant à entrer dans l'arène en tant qu'accusateur. Il ne l'avait pas cherché aujourd'hui non plus. En fait, ajouta-t-il, il avait même pressé les Siciliens de s'adresser à Caecilius. (Je réprimai un hoquet de stupéfaction.) Mais, en vérité, il n'avait pas accepté seulement pour les Siciliens.

— Ce que je fais, je le fais pour mon pays, déclara-t-il avant de traverser posément le tribunal jusqu'à l'endroit où se trouvait Verrès, puis de lever lentement le bras pour le pointer sur lui. Voici un monstre humain d'une méchanceté, d'une impudence et d'une cupidité inégalées. Si je fais passer cet homme devant la justice, qui pourra me reprocher de l'avoir fait ? Dites-moi, au nom de tout ce qui est juste et sacré, quel meilleur service je puis rendre à ma patrie en ce moment !

Verrès ne semblait pas le moins du monde désarçonné. Il sourit d'un air de défi en regardant Cicéron et secoua la tête. Cicéron le dévisagea avec mépris un long moment, puis se retourna pour faire face au jury.

— Gaius Verrès est accusé d'avoir, pendant une période de trois ans, saccagé la province de Sicile. D'avoir pillé les communautés siciliennes, dépouillé les foyers siciliens, mis à sac les temples siciliens. Si la Sicile tout entière pouvait s'exprimer d'une seule voix, voici ce qu'elle dirait : « Tout l'or, tout l'argent, toutes les belles choses qui se trouvaient autrefois dans mes villes, mes maisons et mes temples, toutes ces choses, Verrès, tu les as pillées et me les as volées ; et c'est pour cette raison que je t'intente un procès et te réclame, conformément à la loi, une indemnité de un million de sesterces ! » Voilà les paroles que prononcerait la Sicile si elle pouvait s'exprimer d'une seule voix, mais comme elle ne le peut pas, elle m'a choisi pour la défendre. Aussi, quelle incroyable impudence est la tienne (là, il se tourna enfin vers Caecilius) d'oser essayer de t'octroyer leur défense quand les Siciliens ont déjà dit qu'ils ne voulaient pas de toi !

Il marcha jusqu'à Caecilius et se planta juste derrière lui. Puis il prit une expression de tristesse appuyée.

— Je vais tenter de te parler comme à un ami, dit-il en tapotant l'épaule de Caecilius de sorte que son rival n'eut d'autre choix que de se retourner sur son siège pour le regarder – en un mouvement désordonné qui suscita bien des rires. Je te conseille sincèrement de bien interroger ta conscience. Reprends-toi. Réfléchis à ce que tu es et à ce qui te convient. Ce procès est une entreprise redoutable et très douloureuse. Auras-tu la voix et la mémoire nécessaires ? Auras-tu l'intelligence et la capacité de soutenir un tel fardeau ? Même si tu avais l'avantage de grands dons naturels, même si tu avais reçu une parfaite éducation, pourrais-tu espérer soutenir l'effort ? Nous allons le découvrir ce matin. Si tu peux répondre à ce que je dis maintenant, si tu peux utiliser une seule expression que tu n'auras pas trouvée dans une compilation d'extraits de discours conseillée par tes maîtres, alors peut-être ne seras-tu pas trop lamentable au procès proprement dit.

Il revint vers le centre du tribunal et s'adressa à présent tout autant à l'assistance qu'au jury.

— Eh bien, pensez-vous, et alors ? *Toi-même*, possèdes-tu toutes ces qualités ? Si seulement c'était le cas ! Mais j'ai fait de mon mieux, et je travaille dur depuis mon plus jeune âge pour tenter dans la mesure du possible de les acquérir. Chacun sait que ma vie est centrée sur le forum et les tribunaux ; que rares sont ceux, s'ils existent, qui ont à mon âge défendu plus de causes ; que tout le temps que je ne consacre pas aux affaires de mes amis, je le passe à étudier et à travailler comme l'exige cette profession afin de me rendre plus apte et de mieux convenir à l'exercice du barreau. Et cependant, même moi, quand je pense au grand jour où l'accusé est convoqué devant le tribunal et que je dois délivrer mon discours, je ne suis pas seulement inquiet mais je tremble physiquement des pieds à la tête. *Toi*, Caecilius, tu ne connais pas ces craintes, ces doutes, ces inquiétudes. Tu t'imagines qu'en apprenant par cœur une phrase ou deux d'un vieux discours telles que « J'implore le dieu tout-puissant et miséricordieux » ou « Je pourrais faire un vœu, messieurs, si seulement cela était possible », tu seras parfaitement préparé à entrer devant le tribunal.

« Caecilius, tu n'es rien et tu ne comptes pas. Hortensius te *détruira* ! Alors qu'il ne parviendra jamais à m'écraser avec son intelligence. Il ne m'égarera jamais avec ses traits d'ingéniosité. Il n'emploiera jamais ses grands pouvoirs pour m'affaiblir et me déloger de ma position.

Il regarda en direction d'Hortensius et s'inclina devant lui avec une feinte humilité, à laquelle Hortensius répondit en se levant et en s'inclinant à son tour, déclenchant d'autres rires.

— Je connais bien les stratégies d'attaque de ce monsieur, reprit Cicéron, et tous ses procédés oratoires. Aussi habile qu'il puisse être, il sentira, lorsqu'il devra s'opposer à moi, que ce procès est entre autres le procès de ses propres capacités. Et je préviens honnêtement ce monsieur bien à l'avance que, si vous choisissez de me confier cette affaire, il devra pratiquer des changements radicaux de méthodes de défense. Si c'est moi qui suis chargé de cette affaire, il n'aura aucune raison de penser que la cour puisse être achetée sans mettre sérieusement en danger un grand nombre de personnes.

L'allusion à des pots-de-vin suscita un bref tumulte et fit lever le généralement placide Hortensius, mais Cicéron le fit rasseoir d'un geste. Et il continua, sa rhétorique s'abattant sur ses opposants comme les coups retentissants du forgeron sur l'enclume. Je ne citerai pas tout : le discours, qui dura au moins une heure, est facile à trouver pour ceux qui désireraient le lire. Il fustigea Verrès pour sa corruption, Caecilius pour ses liens antérieurs avec Verrès, et Hortensius pour vouloir se contenter d'un adversaire de deuxième classe. Et il conclut en défiant les sénateurs eux-mêmes, s'approchant du jury et regardant chacun des jurés dans les yeux.

— Il vous revient donc, messieurs, de choisir l'homme que vous jugerez le mieux qualifié suivant les critères de bonne foi, d'application, de sagacité et de force de caractère pour soutenir cette grande cause devant ce grand tribunal. Si vous donnez la préférence à Quintus Caecilius, je ne me dirai pas que j'ai été battu par plus fort que moi. Mais Rome pourra penser qu'un accusateur énergique, rigoureux et honorable comme moi n'était pas ce que vous recherchiez, ni ce que les sénateurs pourraient jamais rechercher.

Il s'interrompit, ses yeux se posant enfin sur Catulus, qui soutint son regard, et il dit, d'une voix très contenue :

— Messieurs, veillez à ce que cela n'arrive pas.

Il y eut des applaudissements nourris, puis ce fut au

tour de Caecilius. Il était issu d'origines très humbles, beaucoup plus modestes que celles de Cicéron, et il n'était pas complètement dénué de mérites. On pourrait même dire qu'il était prioritaire pour se charger de l'accusation surtout lorsqu'il commença par souligner que son père avait été un esclave sicilien affranchi, qu'il avait grandi dans la province et que cette île était l'endroit qu'il aimait le plus au monde. Mais son discours fut émaillé de statistiques sur la chute de la production agricole et le système de comptes de Verrès. Il paraissait maussade plutôt qu'exalté. Pis encore, il lisait ses notes, et sur un ton monotone : une heure environ plus tard, alors qu'il approchait de sa péroraison, Cicéron s'effondra légèrement de côté et feignit de s'endormir. Caecilius, qui faisait face au jury et ne voyait donc pas ce qui suscitait l'hilarité générale, fut sérieusement démonté. Il lutta cependant jusqu'au bout puis alla s'asseoir, cramoisi de gêne et de rage.

En termes de rhétorique, Cicéron avait remporté une victoire proprement renversante. Mais tandis qu'on faisait passer les tablettes de vote parmi les jurés et que le clerc de la cour se tenait prêt à les collecter dans son urne, Cicéron me confia par la suite qu'il était certain d'avoir perdu. Sur les trente-deux sénateurs, il reconnaissait au moins douze ennemis jurés et seulement la moitié autant qui voterait en sa faveur. La décision, comme d'habitude, reviendrait à ceux qui flottaient entre les deux, et il les voyait tendre le cou pour guetter un signal de Catulus, attentifs à suivre son exemple. Catulus fit une marque sur sa tablette, la montra aux hommes qui l'encadraient et la laissa tomber dans l'urne. Quand tout le monde eut voté, les clercs portèrent l'urne au banc et, à la vue de toute la cour, la renversèrent et entreprirent de dépouiller les bulletins. Hortensius, abandonnant son calme feint, se leva et

Verrès l'imita, essayant de voir de quel côté penchait le scrutin. Cicéron restait de marbre. Caecilius était effondré sur sa chaise. Autour de moi, les habitués du tribunal qui connaissaient les procédures tout autant que les juges murmuraient que le moment approchait, qu'on était en train de recompter. Finalement, le clerc transmit le décompte à Glabrio, qui se leva et réclama le silence. Le vote, annonça-t-il, était de quatorze voix pour Cicéron – mon cœur se figea : il avait perdu ! –, treize pour Caelicius et cinq abstentions. Marcus Tullius Cicéron était donc nommé accusateur spécial (*nominis delator*) dans le procès contre Gaius Verrès. Sous les applaudissements des spectateurs, tandis qu'Hortensius et Verrès restaient assis, abasourdis, Glabrio demanda à Cicéron de se lever et de tendre la main droite, puis il lui fit prononcer le serment traditionnel de mener l'accusation en toute bonne foi.

A peine le serment prononcé, Cicéron demanda un ajournement. Hortensius bondit pour objecter : en quoi cela était-il nécessaire ? Cicéron répondit qu'il voulait se rendre en Sicile afin de recueillir des preuves et des témoignages. Hortensius l'interrompit, déclarant qu'il était scandaleux que Cicéron puisse réclamer le droit de représenter l'accusation pour révéler dans la foulée qu'il avait un dossier incomplet à présenter devant la cour ! C'était une remarque pertinente et, pour la première fois, je pris conscience que Cicéron était loin d'être sûr de son fait. Glabrio parut enclin à soutenir Hortensius, mais Cicéron plaida que les victimes ne pouvaient parler librement que maintenant, depuis que Verrès avait quitté la province. Glabrio réfléchit, vérifia le calendrier, puis annonça à contrecœur que le procès serait ajourné pendant cent dix jours.

— Assure-toi d'être prêt à commencer immédiatement après les vacances de printemps, recommanda-t-il à Cicéron.

Puis l'audience fut close.

A sa surprise, Cicéron découvrit par la suite qu'il devait sa victoire à Catulus. Ce vieux sénateur rigide et hautain était malgré tout un patriote convaincu, ce qui explique pourquoi ses opinions étaient si respectées. Il soutenait que les gens avaient le droit, suivant les lois ancestrales, de voir Verrès soumis aux poursuites les plus rigoureuses prévues, même si Verrès comptait parmi ses amis. Les obligations familiales qui le reliaient à Hortensius, son beau-frère, l'empêchaient de voter pour Cicéron, aussi préféra-t-il s'abstenir, entraînant quatre votes flottants avec lui.

Heureux d'être encore dans la « Chasse au Sanglier » comme il l'appelait, et ravi de s'être montré plus malin qu'Hortensius, Cicéron se jeta dans les préparatifs de son expédition en Sicile. Les documents officiels de Verrès furent scellés par un *obsignandi gratia* du tribunal. Cicéron déposa une motion devant le Sénat pour réclamer que l'ancien gouverneur présente ses comptes officiels des trois dernières années (il ne les fournit jamais). Des lettres furent envoyées à toutes les grandes villes de l'île pour les inviter à lui soumettre des preuves à charge. Je passai en revue tous nos dossiers et y retrouvai les noms des citoyens importants qui avaient offert à Cicéron leur hospitalité lorsqu'il était jeune magistrat, car il lui faudrait trouver à se loger dans toute la province. Cicéron écrivit également une lettre de courtoisie au gouverneur, Lucius Metellus, pour l'informer de sa visite et réclamer une coopération officielle – non qu'il espérât autre chose qu'un harcèlement officiel, mais il pensait qu'il pourrait se révéler utile d'avoir cette notification par écrit, pour montrer qu'il avait au moins essayé. Il décida d'emmener son cousin avec lui – Lucius ayant déjà travaillé sur le dossier depuis six mois – et de laisser son frère à Rome pour s'occuper de sa campagne électorale. Je devais les accompagner, avec mes deux assistants, Sositheus et Laurea, car il y aurait beaucoup de documents à copier et de notes à prendre. L'ancien préteur Calpurnius Piso Frugi proposa à Cicéron les services de son fils de dix-huit ans, Gaius – un jeune homme doté de charme et d'une grande intelligence qui plut aussitôt à tout le monde. Sur l'insistance de Quintus, nous fîmes aussi l'acquisition de quatre esclaves solides et sûrs, prétendument pour servir de porteurs et de cochers, mais surtout pour faire office de gardes du corps. Le Sud à cette époque était une contrée de hors-la-loi – nombre des partisans de Spartacus survivaient encore dans les montagnes ; il y avait des pirates ; et nul ne pouvait prévoir quelles mesures Verrès était capable de prendre.

Tout cela exigeait de l'argent, et même si l'exercice juridique commençait à rapporter quelques revenus – pas sous forme de paiement direct, bien sûr, puisque cela était interdit, mais en cadeaux et legs de la part des clients les plus reconnaissants –, Cicéron ne disposait pas des sommes nécessaires pour monter une accusation convenable. Dans sa situation, d'autres jeunes gens ambitieux se seraient adressés à Crassus, qui accordait toujours des prêts avantageux aux hommes politiques en pleine ascension. Mais de même que Crassus aimait à montrer qu'il récompensait ceux qui le soutenaient, il s'employait à bien faire savoir comment il punissait l'opposition. Depuis que Cicéron avait refusé de rejoindre son camp, il n'avait pas ménagé ses efforts pour démontrer son aversion. Il faisait semblant de ne pas le voir en public et disait du mal de lui derrière son dos. Cicéron se fût-il suffisamment aplati devant lui, peut-être eût-il condescendu à changer d'avis : ses principes étaient malléables à l'infini. Mais, comme je l'ai déjà dit, les deux hommes avaient du mal à supporter une proximité de moins de dix pieds.

Cicéron n'avait donc d'autre choix que de s'en remettre à Terentia, et il s'ensuivit une scène pénible. Je ne me suis retrouvé impliqué que parce que Cicéron, non sans une certaine lâcheté, commença par m'envoyer, *moi*, me renseigner auprès du gestionnaire, Philotimus, pour lui demander s'il serait difficile de prélever cent mille sesterces sur la fortune de Terentia. Avec une malveillance caractérisée, Philotimus rapporta immédiatement ma demande à sa maîtresse, qui fit irruption dans le bureau de Cicéron et fondit sur moi pour me demander comment j'osais mettre le nez dans ses affaires. Cicéron arriva sur ces entrefaites et fut alors obligé d'expliquer pourquoi il avait besoin de cet argent.

— Et comment cette somme sera-t-elle remboursée ? demanda Terentia.

— Sur l'amende que versera Verrès dès qu'il aura été jugé coupable, répondit son mari.

— Et tu es sûr qu'il sera bien jugé coupable ?

— Evidemment.

— Pourquoi ? Quels sont tes arguments ? Je veux les entendre.

Là-dessus, elle s'assit dans le fauteuil de Cicéron et croisa les bras. Cicéron hésita mais, connaissant sa femme et voyant qu'elle ne bougerait pas, me demanda d'ouvrir le coffre-fort et de sortir les preuves des Siciliens. Il les lui fit découvrir une par une et, à la fin, elle le regarda avec une consternation non feinte.

— Mais ce n'est pas suffisant, Cicéron ! Tu as tout misé *là-dessus* ? Tu crois vraiment qu'un jury de sénateurs condamnera l'un des leurs parce qu'il a sauvé quelques statues majeures de l'obscurité de la province pour les rapporter à Rome – à qui elles reviennent de droit ?

— Tu as peut-être raison, ma chère, concéda Cicéron. Et c'est pour cela que je dois me rendre en Sicile.

Terentia contempla son mari – sans doute le plus grand orateur et le sénateur le plus brillant de Rome à cette époque – avec le regard qu'une mère de famille pourrait réserver à un enfant qui vient de faire une flaque dans le salon. Elle allait dire quelque chose, j'en suis sûr, mais remarqua que j'étais là et se ravisa. Elle se leva donc en silence et quitta le bureau.

Le lendemain, Philotimus vint me chercher pour me remettre une cassette contenant dix mille sesterces en liquide, avec l'autorisation de pouvoir en prélever quarante mille de plus si nécessaire.

— Exactement la moitié de ce que j'avais demandé, commenta Cicéron lorsque je la lui portai. Cela est l'évaluation de mes chances par une femme d'affaires avisée, Tiron – et qui peut dire qu'elle a tort ?

VII

Nous quittâmes Rome aux Ides de janvier, le dernier jour de la fête des Nymphes, Cicéron voyageant en chariot couvert afin de pouvoir continuer à travailler – quoiqu'il m'apparût comme une torture de lire, sans parler d'écrire, dans cette *carruca* grinçante et bringuebalante. Ce fut un voyage éprouvant, par un froid glacial, avec des rafales de neige qui balayaient les terres plus élevées. A ce moment-là, la plupart des croix portant les esclaves rebelles crucifiés avaient été retirées de la voie Appienne. Mais il en subsistait quelques-unes, à titre d'avertissement, qui se découpaient sur le paysage blanc, quelques fragments de chair décomposée encore fixés au bois. J'eus en les regardant l'impression que le long bras de Crassus se tendait vers moi depuis Rome pour me pincer la joue.

Nous étions partis si vite qu'il avait été impossible de réserver des lits tout le long du chemin, aussi, à trois ou quatre reprises, alors qu'il n'y avait pas d'auberges disponibles, en fûmes-nous réduits à passer la nuit au bord de la route. Je dormis avec les autres esclaves, pelotonné près du feu de camp, tandis que Cicéron, Lucius et le jeune Frugi dormaient dans le chariot. Dans les montagnes, je me réveillais le matin les vêtements raides de glace. Lorsque nous atteignîmes enfin la côte, à Velia, Cicéron décida qu'il serait plus rapide de louer un bateau et de longer la côte par la mer – cela en dépit des risques de tempêtes hivernales et d'attaques de pirates, et de sa propre aversion pour les voyages en bateau, car une sibylle lui avait prédit que sa mort serait d'une façon ou d'une autre liée à la mer.

Velia était une station thermale dotée d'un temple célèbre consacré à Apollon Oulius, dieu de la guérison très à la mode en ces années-là. Mais tout était fermé pour la morte-saison et, alors que nous descendions vers le port, où la mer grise se fracassait contre les quais, Cicéron fit remarquer qu'il avait rarement vu lieu de villégiature aussi peu attrayant. Outre les bateaux de pêche habituels, le port abritait un très grand vaisseau, un cargo de la taille d'une trirème, et, pendant que nous négociions notre voyage avec les marins locaux, Cicéron en profita pour demander à qui il appartenait. C'était, nous dit-on, un présent des citoyens de Sicile à leur ancien gouverneur, Gaius Verrès, et il était amarré ici depuis un mois.

Il émanait quelque chose d'infiniment sinistre de ce grand navire entièrement équipé, à la coque très enfoncée dans l'eau, et qui se tenait prêt à appareiller dès que l'ordre lui en serait donné. Notre arrivée sur le port désert n'était pas passée inaperçue et suscitait un mouvement proche de l'affolement. Alors que Cicéron nous conduisait prudemment vers lui, nous entendîmes trois brefs coups de trompe et vîmes les rames jaillir comme les pattes d'un immense scarabée d'eau, puis le bâtiment s'écarter du quai. Il s'éloigna un moment vers le large et jeta l'ancre. Alors que le vaisseau se plaçait au vent, les lanternes accrochées en proue et en poupe du navire firent danser leurs lueurs jaune vif dans l'après-midi sombre tandis que des silhouettes se déployaient sur les ponts soulevés par la houle. Cicéron discuta avec Lucius et le jeune Frugi de ce qu'il convenait de faire. En théorie, son mandat du tribunal des extorsions lui donnait le pouvoir de fouiller tout vaisseau qu'il soupçonnait avoir un lien avec l'affaire. Dans la réalité, nous manquions de moyens et, le temps de faire venir des renforts, le bateau serait parti depuis longtemps. Cela prouvait indubitablement que les crimes de Verrès atteignaient une ampleur qui dépassait de loin tout ce que Cicéron avait pu imaginer. Il décida de filer vers le sud en redoublant de vitesse.

Il doit y avoir environ cent vingt milles entre Velia et Vibo en longeant le tibia jusqu'à la pointe de la botte italienne. Mais avec un vent favorable et des rameurs vigoureux, nous les franchîmes en deux jours. Nous restâmes toujours en vue de la côte et fîmes escale une nuit pour dormir sur la plage de sable. Là, nous coupâmes un buisson de myrte afin de faire un feu de camp et utilisâmes rames et voiles pour dresser une tente de fortune. De Vibo, nous prîmes la route côtière jusqu'à Regium, où nous louâmes un autre bateau pour traverser le fin détroit de Sicile. L'aube était brumeuse lorsque nous prîmes la mer, et il tombait un crachin pénétrant. L'île apparaissait à l'horizon telle une masse noire et sinistre. Malheureusement, il n'y avait qu'un seul endroit où accoster, surtout en plein hiver, et c'était la forteresse que Verrès avait aménagée à Messana. Il avait acheté la loyauté de ses habitants en les exemptant d'impôts pendant les trois années où il fut gouverneur, et ce fut la seule ville de l'île à refuser à Cicéron sa coopération. Nous mîmes le cap sur le phare et, tandis que nous approchions, nous nous aperçûmes que ce que nous avions pris pour un grand mât de navire à l'entrée du port était en fait une croix orientée vers le continent.

— Voilà qui est nouveau, commenta Cicéron, qui fronça les sourcils tout en essuyant les gouttes de ses yeux. Ce n'était nullement un lieu d'exécution à notre époque.

Nous n'avions d'autre option que de passer devant, et ce spectacle projeta comme une ombre sur notre moral déjà bien entamé par la pluie.

Malgré l'hostilité générale des habitants de Messana envers le représentant de l'accusation, deux citoyens de la ville – Basiliscus et Percennius – avaient courageusement accepté de lui offrir l'hospitalité et attendaient notre arrivée sur le port. A peine eûmes-nous mis pied à terre que Cicéron les interrogea à propos de la croix, mais ils le supplièrent d'attendre de nous avoir emmenés loin du port pour entendre leurs réponses. Ce ne fut que lorsque nous nous retrouvâmes à l'abri, dans la propriété de Basiliscus, qu'ils acceptèrent de nous raconter toute l'histoire. Verrès avait passé les derniers jours de son mandat à Messana, où il avait supervisé le chargement de son butin à bord du navire que la ville reconnaissante avait fait construire spécialement pour lui. Il y avait eu une fête donnée en son honneur environ un mois plus tôt et, presque comme si cela faisait partie des divertissements, on avait tiré un citoyen romain de la prison, on l'avait entièrement déshabillé en plein forum, puis publiquement fouetté, torturé et enfin crucifié.

— Un citoyen romain ? répéta Cicéron, incrédule, tout en me faisant signe de commencer à prendre des notes. Mais il est illégal d'exécuter un citoyen romain sans un procès en bonne et due forme. Tu es sûr que c'en était un ?

— Il criait qu'il s'appelait Publius Gavius, qu'il était un marchand venu d'Espagne et qu'il avait fait son service militaire dans les légions. Du début à la fin, à chaque coup de fouet, il hurlait : « Je suis un citoyen romain ! »

— « Je suis un citoyen romain », répéta Cicéron, en savourant la phrase. « Je suis un citoyen romain »... Quel crime était-il censé avoir commis ?

— De l'espionnage, répondit notre hôte. Il était censé embarquer sur un bateau pour l'Italie. Mais il a commis l'erreur de dire à tous ceux qu'il croisait qu'il s'était évadé des Carrières [1] de Syracuse et allait se rendre directement à Rome pour dénoncer les crimes de Verrès. Les anciens de Messana l'ont fait arrêter et l'ont placé en détention jusqu'à l'arrivée de Verrès. Et Verrès a alors ordonné qu'il subisse le fouet et la torture par les fers rouges avant d'être exécuté sur une croix orientée droit sur Regium afin qu'il puisse contempler le continent durant toute son agonie. Tu imagines – ne se trouver qu'à cinq milles du salut ! Les partisans de Verrès ont laissé la croix en place, en guise d'avertissement à tous ceux qui seraient tentés de parler trop librement.

— Il y a eu des témoins de cette crucifixion ?

— Bien sûr. Des centaines.

— Des citoyens romains ?

— Oui.

— Tu pourrais en nommer certains ?

Il hésita.

— Gaius Numitorius, chevalier romain de Putéoles, les frères Cottius de Tauromenium. Lucceius... Il est de Regium. Il doit y en avoir d'autres.

Je notai leurs noms. Ensuite, pendant que Cicéron prenait un bain, nous nous réunîmes autour de la baignoire pour discuter de ce que nous venions d'apprendre.

---

1. Les Latomies, anciennes carrières qui servaient de prison. (*N.d.T.*)

— Peut-être que ce Gavius était vraiment un espion, avança Lucius.

— Je serais plus enclin à le croire si Verrès n'avait pas proféré la même accusation contre Sthenius, qui n'était pas plus espion que toi ou moi, répliqua Cicéron. Non, c'est le mode opératoire favori du monstre : il prépare une accusation qu'il clame partout, puis il se sert de sa position de juge suprême dans la province pour arriver à un verdict et prononcer une sentence. La question est : pourquoi avoir choisi Gavius ?

Personne n'avait de réponse, et nous n'avions pas non plus le temps de nous attarder à Messana pour essayer d'en trouver une. Nous dûmes partir tôt le lendemain matin pour notre premier rendez-vous officiel dans la ville côtière de Tyndaris. Après cette visite, toutes les autres, et il y eut quantité de villes, suivirent le même schéma. Le conseil vint accueillir Cicéron avec tous les honneurs. Il fut conduit sur la place municipale, où on lui montra la statue de Verrès produite en série que les citoyens avaient dû acheter et qui gisait maintenant à terre, fracassée. Cicéron prononça un bref discours sur la justice romaine. On lui installa un siège et il écouta les plaintes des habitants. Il choisissait alors les plus spectaculaires et les plus faciles à prouver – à Tyndaris, ce fut l'histoire de Sopater, qui fut attaché, nu, sur une statue, jusqu'à ce que la ville cède à Verrès un bronze de Mercure – et moi-même ou l'un de mes deux assistants entrions alors en lice pour prendre les dépositions en présence de témoins et les faire signer.

Après Tyndaris, nous nous rendîmes à Therme, la ville de Sthenius, où nous rencontrâmes sa femme dans sa maison vide. Elle pleura quand Cicéron lui remit des lettres de son mari exilé. Puis nous terminâmes la semaine dans le port fortifié de Lilybée, à l'extrémité occidentale de l'île. Cicéron connaissait bien cet endroit car c'est là qu'il avait siégé durant sa questure. Nous séjournâmes, comme souvent par le passé, chez son vieil ami Pamphilius. Au dîner, le premier soir, Cicéron remarqua qu'il manquait sur la table de son hôte les décorations habituelles – une carafe et des coupes superbes provenant d'un héritage familial –, et lorsqu'il demanda ce qu'elles étaient devenues, on lui répondit que c'était Verrès qui s'en était emparé. Il s'avéra bientôt que tous les autres invités présents dans la salle à manger avaient des histoires similaires à raconter. Le jeune Gaius Cacurius avait été contraint de céder tous ses meubles, et Lutatius une table en citronnier à laquelle Cicéron avait régulièrement dîné. Lyso s'était fait voler sa précieuse statue d'Apollon, et Diodorus un ensemble de coupes d'argent ciselées par Mentor. La liste était infinie, et je suis bien placé pour le savoir puisque c'est à moi qu'il revenait de l'établir. Après avoir pris les dépositions de chacun d'eux et, par la suite, celles de leurs amis, je commençai à penser que Cicéron perdait peut-être un peu la tête – projetait-il de recenser tous les pots à crème et cuillers volés sur l'île ? – mais, bien entendu, il se révéla bien plus malin que ça, comme les événements allaient le démontrer.

Nous reprîmes notre chemin quelques jours plus tard, cahotant sur les chemins mal entretenus qui reliaient Lilybée à la ville-temple d'Agrigente, puis vers le cœur montagneux de l'île. L'hiver était d'une rigueur inhabituelle, le ciel et la terre paraissaient de plomb. Cicéron attrapa froid et resta, enveloppé dans son manteau, au fond du chariot. A Enna, ville construite à fleur de falaises et entourée de lacs et de forêts, les prêtres ululants sortirent tous pour nous accueillir, vêtus de leur robe élaborée et portant leurs rameaux sacrés, puis nous conduisirent au temple de Cérès, que Verrès avait dépouillé de sa statue de la déesse. Et là, pour la première fois, notre escorte fut impliquée dans une échauffourée avec les licteurs du nouveau gouverneur, Lucius Metellus. Ces brutes armées de leur faisceau se tenaient d'un côté de la place du marché et hurlaient des menaces de châtiments terribles à tous ceux qui oseraient témoigner contre Verrès. Cicéron parvint néanmoins à convaincre trois citoyens éminents d'Enna – Theodorus, Numenius et Nicasio – d'entreprendre le voyage à Rome pour apporter leurs preuves.

Nous finîmes par prendre la direction du sud-est pour retrouver la mer et arrivâmes dans les plaines fertiles qui s'étendent au pied de l'Etna. Cette terre appartenait à l'Etat et était administrée pour le compte du Trésor public romain par une société de collection d'impôts qui louait les parcelles à des fermiers. La première fois que Cicéron était venu sur l'île, les plaines de Leontini constituaient le grenier de Rome. Mais nous cheminions à présent parmi des fermes désertes et des champs gris, abandonnés, ponctués de colonnes de fumée brune signalant les endroits où vivaient les anciens fermiers désormais sans abri. Verrès et ses amis de la collecte des impôts avaient écumé la région comme une armée de pillards, réquisitionnant récoltes et troupeaux pour une fraction de leur valeur réelle et augmentant les fermages bien au-delà de ce que la plupart pouvaient payer. Un fermier qui avait osé se plaindre, Nymphodorus de Centuripae, avait été arrêté par Apronius, le percepteur de Verrès chargé de collecter la dîme, et pendu à un olivier sur la place du marché d'Etna. De tels récits mettaient Cicéron en rage et le poussaient à fournir de nouveaux efforts. Je repense encore avec tendresse à ce monsieur des plus urbains, la toge remontée aux genoux, ses beaux souliers rouges à la main, son mandat dans l'autre, foulant avec délicatesse les champs boueux sous une pluie battante pour prendre le témoignage d'un fermier à sa charrue. Lorsque nous arrivâmes enfin à Syracuse, après plus de trente jours d'un voyage ardu à travers la province, nous avions réuni les dépositions de près de deux cents témoins.

Syracuse est de loin la plus grande et la plus belle cité de l'île. Il s'agit en fait de quatre villes fondues en une seule. Trois d'entre elles – Achradine, Tycha et Neapolis – se sont étendues le long du port et, au centre de cette grande baie naturelle, se dresse la quatrième agglomération, connue sous le simple nom d'îlot. Elle servait traditionnellement de siège royal, et était reliée aux trois autres par un pont. C'est dans cette cité fortifiée à l'intérieur de la cité, interdite la nuit aux Siciliens, que loge le gouverneur romain, dans un palais proche des grands temples de Diane et de Minerve. La rumeur voulait que Syracuse soit, juste derrière Messana, la ville la plus loyale envers Verrès – pour lequel son sénat venait même de voter un panégyrique –, aussi avions-nous craint une réception hostile. En fait, ce fut tout le contraire. Sa réputation d'homme honnête et diligent avait précédé l'arrivée de Cicéron, et nous franchîmes la porte Agrigentine escortés par une foule de citoyens enthousiastes. (L'une des raisons de la popularité de Cicéron était aussi que, lorsqu'il était jeune magistrat, il avait retrouvé dans le cimetière municipal envahi par la végétation la tombe oubliée, vieille de cent trente ans, du mathématicien Archimède, le plus grand homme de l'histoire de Syracuse. Comme d'habitude, il avait lu quelque part que figuraient sur cette tombe un cylindre et une sphère, aussi, dès qu'il avait repéré le monument, avait-il payé quelqu'un pour dégager herbes et ronces. Il avait ensuite passé de nombreuses heures près de cette tombe, à méditer sur l'aspect éphémère de la gloire humaine. Sa générosité et son respect n'avaient pas été oubliés par la population locale.)

Mais ne nous égarons pas. Nous fûmes logés chez un chevalier romain, Lucius Flavius, un vieil ami de Cicéron, qui avait plein d'exemples de la corruption et de la cruauté de Verrès à ajouter à notre collection déjà pléthorique. Il y avait l'histoire de ce capitaine des pirates, Heracleo, qui avait pu entrer par la mer dans le port de Syracuse à la tête de quatre petites galères pour piller les entrepôts et était reparti sans rencontrer la moindre résistance. Capturé quelques semaines plus tard à Mégare, plus au nord sur la côte, ni lui ni ses hommes n'avaient défilé en tant que prisonniers, et la rumeur avait couru que Verrès l'avait échangé contre une forte rançon. Il y avait l'horrible affaire de ce banquier romain d'Espagne, Lucius Herennius : après l'avoir traîné dans le forum de Syracuse un beau matin, il avait été sommairement accusé d'être un espion, puis, sur l'ordre de Verrès, décapité sans autre forme de procès – malgré les supplications de ses amis et associés, qui s'étaient précipités sur place dès qu'ils avaient appris ce qui se passait. La similitude entre le cas d'Herennius et celui de Gavius à Messana était frappante : tous deux romains, tous deux arrivant d'Espagne, tous deux travaillant dans le commerce, tous deux accusés d'espionnage et tous deux exécutés sans avoir été entendus ni avoir eu droit à un vrai procès.

Ce soir-là, après dîner, Cicéron reçut un message de Rome. Dès qu'il eut lu la lettre, il s'excusa et nous prit à part, Lucius, le jeune Frugi et moi-même. La dépêche venait de son frère, Quintus, et elle apportait des nouvelles préoccupantes. Le tribunal des extorsions avait contre toute attente autorisé des poursuites contre l'ancien gouverneur d'Achaïe. L'accusateur, Dasianus, associé connu de Verrès, avait entrepris de se rendre en Grèce pour en rapporter des preuves deux jours avant l'ultimatum posé pour le retour de Sicile de Cicéron. Quintus pressait son frère de revenir à Rome au plus vite afin de redresser la situation.

— C'est un piège pour t'affoler et te pousser à écourter ton expédition ici, déclara aussitôt Lucius.

— Sans doute, concéda Cicéron. Mais je ne peux pas me permettre de prendre de risque. Si cet autre procès se glisse dans le calendrier du tribunal avant le nôtre, et si Hortensius le fait traîner comme il a tendance à le faire, notre affaire pourrait être repoussée à après les élections. A ce moment-là, Quintus Metellus et Hortensius seront consuls désignés. Le benjamin des frères Metellus sera très certainement préteur désigné, et le cadet restera gouverneur de Sicile. Comment veux-tu que nous nous en sortions dans ces conditions ?

— Qu'allons-nous faire alors ?

— Nous avons perdu trop de temps à courir après le menu fretin dans cette enquête, répondit Cicéron. Il faut que nous prenions l'offensive et que nous arrivions à faire parler ceux qui savent réellement ce qui s'est passé – les Romains eux-mêmes.

— Je suis d'accord, convint Lucius. La question est : comment ?

Cicéron jeta un coup d'œil autour de lui et baissa la voix avant de répondre.

— Nous allons lancer un raid, annonça-t-il. Un raid sur les bureaux des collecteurs de recettes.

Lucius lui-même pâlit : à part marcher sur le palais et essayer de mettre Metellus aux arrêts, c'était à peu près l'acte le plus provocant que Cicéron pouvait commettre. Les collecteurs de recettes formaient une corporation d'hommes de bonnes familles, de rang équestre, qui agissait sous protection de l'Etat et dont les actionnaires comprenaient certainement quelques-uns des sénateurs les plus riches de Rome. Cicéron lui-même, en tant que spécialiste du droit commercial, s'était constitué un réseau de partisans justement au sein de cette classe d'hommes d'affaires. Il savait qu'une telle stratégie pouvait se révéler risquée, mais il ne voulait pas en démordre, car il ne doutait pas que c'était ici et nulle part ailleurs qu'il pourrait atteindre le cœur sombre de la corruption meurtrière de Verrès. Il renvoya le messager à Rome la nuit même, avec une lettre pour Quintus lui annonçant qu'il ne lui restait plus qu'une chose à faire ici et qu'il quitterait l'île dans quelques jours.

Cicéron devait effectuer ses préparatifs avec célérité et dans le plus grand secret. Il fixa la date de son opération à deux jours plus tard, à l'heure la moins évidente – juste avant l'aube d'une grande fête publique, Terminalia. Que ce fût le jour sacré de Terme, dieu du bornage et du bon voisinage, ne le rendait à ses yeux que plus attractif d'un point de vue symbolique. Flavius, notre hôte, accepta de nous accompagner pour nous montrer où se situaient les lieux. Entre-temps, je me rendis sur le port de Syracuse et retrouvai le même capitaine digne de confiance dont j'avais loué les services des années auparavant, quand Cicéron avait effectué son retour peu glorieux en Italie. Grâce à lui, je louai un bateau et un équipage, et lui demandai de se tenir prêt à partir avant la fin de la semaine. Les preuves que nous avions déjà rassemblées furent serrées dans des malles et chargées à bord du bateau. Celui-ci fut placé sous bonne garde.

Aucun de nous ne dormit beaucoup la nuit du raid. Dans l'obscurité qui précède l'aube, nous disposâmes nos chars à bœufs de louage à chaque extrémité de la rue pour la bloquer et, quand Cicéron donna le signal, nous bondîmes tous, torche à la main. Le sénateur frappa sur la porte à coups redoublés, puis s'écarta sans attendre de réponse. Deux de nos serviteurs les plus costauds attaquèrent alors le panneau de bois à la hache. A peine eut-il cédé que nous nous engouffrâmes dans le couloir, bousculant le vieux gardien de nuit, et nous emparâmes des archives de la compagnie. Nous formâmes rapidement une chaîne humaine – Cicéron compris – pour nous passer de main en main les boîtes contenant les tablettes de cire et les rouleaux de papyrus jusque dans la rue, où on les chargea à l'arrière de nos chars.

J'appris ce jour-là une leçon précieuse : si l'on cherche la popularité, il n'y a pas de plus sûr moyen de l'obtenir que s'attaquer à une corporation de collecteurs d'impôts. Alors que le soleil se levait et que se répandait dans le voisinage la nouvelle de notre opération, une garde d'honneur de Syracusains enthousiastes se forma autour de nous, plus qu'assez importante pour empêcher le directeur de la compagnie, Carpinatius, de réoccuper les locaux à son arrivée avec un détachement de légionnaires prêté dans ce but par Lucius Metellus. Cicéron et lui se lancèrent dans une discussion houleuse au milieu de la route, Carpinatius insistant sur le fait que les archives des taxes provinciales étaient protégées de la saisie par la loi, Cicéron rétorquant que son mandat de la cour des extorsions l'emportait sur ce genre de détail. En réalité, comme Cicéron me le confia par la suite, Carpinatius avait raison. « Mais, ajouta-t-il, celui qui contrôle la rue contrôle la loi » et, en cette occasion du moins, c'était Cicéron qui contrôlait la rue.

En tout, nous avons dû transporter plus de quatre charrettes d'archives chez Flavius. Nous verrouillâmes les portes, postâmes des sentinelles et entreprîmes un tri des plus fastidieux. Aujourd'hui encore, en me souvenant de l'ampleur de la tâche à laquelle nous nous attaquions, un sentiment d'appréhension m'étreint et me fait transpirer. Ces archives, qui couvraient des années, recensaient non seulement les terres domaniales en Sicile, mais détaillaient chaque bête qu'un fermier y mettait à paître, chaque récolte qu'il y avait semée. Il y avait là le détail des prêts accordés, des impôts réglés et la correspondance afférente. Il devint bientôt évident que d'autres mains avaient déjà parcouru ces documents et en avaient effacé toute trace du nom de Verrès. Un message furieux arriva du palais du gouverneur, exigeant que Cicéron se présente devant Metellus dès le lendemain, à la réouverture du tribunal, pour répondre à l'injonction de Carpinatius de restituer les documents. Pendant ce temps, un nouvelle foule s'était rassemblée au-dehors et clamait le nom de Cicéron. Je repensai à la prédiction de Terentia selon laquelle son mari et elle subiraient l'ostracisme de Rome et finiraient leurs jours comme consul et première dame à Therme, et jamais prophétie ne parut plus pertinente qu'à cet instant. Seul Cicéron garda son calme. Il avait représenté suffisamment de collecteurs de recettes véreux pour connaître la plupart de leurs subterfuges. Une fois qu'il devint évident que les dossiers qui se rapportaient explicitement à Verrès avaient été supprimés, il sortit une vieille liste de tous les administrateurs de la société et la parcourut jusqu'à ce qu'il voie le nom du directeur financier en poste pendant la propréture de Verrès.

— Je vais te dire quelque chose, Tiron, m'expliqua-t-il. Je ne suis encore jamais tombé sur un directeur financier qui ne garde pas pour lui-même copie de tous les dossiers quand il cédait sa place à son successeur, juste au cas où.

Là-dessus, nous partîmes pour notre second raid de la matinée.

Notre proie s'appelait Vibius, et elle célébrait à cet instant les Terminalies avec ses voisins. Ils avaient dressé dans le jardin un autel garni de blé, de rayons de miel et de vin, tandis que Vibius venait de sacrifier un cochon de lait. (« Toujours très pieux, ces comptables véreux », commenta Cicéron.) Lorsqu'il vit le sénateur fondre sur lui, Vibius ne fut d'ailleurs pas sans évoquer lui-même un gros cochon de lait, mais une fois qu'il eut lu le mandat, qui portait le sceau prétorien de Glabrio, il conclut à contrecœur qu'il ne pouvait que coopérer. S'excusant auprès de ses invités médusés, il nous introduisit dans son tablinum et ouvrit son coffre. Parmi les titres, les livres de comptes et les bijoux, il y avait un petit paquet de lettres portant la mention « Verrès », et le visage de Vibius, lorsque Cicéron les ouvrit, exprimait une vraie terreur. Sans doute avait-il reçu l'ordre de les détruire et avait-il, soit oublié, soit pensé qu'il pourrait en tirer quelque profit.

A première vue, ce n'était pas grand-chose – de simples lettres d'un inspecteur des impôts, Lucius Canuleius, qui était chargé de collecter le droit de sortie sur toutes les marchandises passant par le port de Syracuse. Les lettres concernaient un envoi particulier de biens qui avaient quitté Syracuse deux ans plus tôt, et sur lesquels Verrès n'avait payé aucune taxe. Le détail des marchandises était joint : quatre cents fûts de miel, cinquante banquettes de salle à manger, deux cents lustres, et quatre-vingt-dix balles de toile maltaise. Un autre accusateur aurait pu ne pas déceler la signification de cette liste, mais Cicéron la vit tout de suite.

— Regarde ça, dit-il en me la tendant. Ce ne sont pas des marchandises saisies chez de malheureux particuliers. *Quatre cents* fûts de miel ? *Quatre-vingt-dix* balles de toile de l'étranger ? Il s'agit d'une cargaison, n'est-ce pas ? questionna-t-il en tournant son regard furieux sur l'infortuné Vibius. Ton gouverneur Verrès doit avoir détourné *un bateau*.

Le pauvre Vibius n'avait aucune échappatoire possible. Jetant des coups d'œil nerveux par-dessus son épaule en direction de ses invités abasourdis, qui nous regardaient, bouche bée, il confirma qu'il s'agissait bien d'une cargaison de navire, et que Canuleius avait reçu pour instruction de ne plus jamais essayer de prélever la moindre taxe sur les exportations du gouverneur.

— A combien de ces envois Verrès a-t-il procédé ? demanda Cicéron.

– Je ne le sais pas avec certitude.

– Une estimation alors.

– Une dizaine, répondit craintivement Vibius. Peut-être vingt.

– Et aucun droit n'a jamais été versé ? Rien n'a été enregistré ?

– Non.

– Et d'où Verrès tenait-il toutes ces cargaisons ? demanda Cicéron.

Vibius était si terrorisé qu'il semblait près de s'évanouir.

— Sénateur, je t'en supplie…

— Je vais te faire arrêter, dit Cicéron. Je vais te faire envoyer à Rome enchaîné. Je te briserai sur le banc des témoins devant les milliers de spectateurs du forum romain et jetterai ce qui restera aux chiens de la triade capitoline.

– De navires, sénateur, répondit Vibius d'une petite voix de souris. Il les tenait de navires.

– Quels navires ? Des navires qui venaient d'où ?

– De partout, sénateur. D'Asie. De Syrie. De Tyr. D'Alexandrie.

– Qu'est-il arrivé à ces navires ? Verrès les a-t-il fait saisir ?

– Oui, sénateur.

– Sur quel motif ?

– Espionnage.

– Ah, l'espionnage ! Bien sûr ! Jamais un homme n'a su démasquer autant d'espions que notre vigilant gouverneur Verrès, non ? Dis-moi alors, reprit-il en se tournant à nouveau vers Vibius, qu'est-il advenu de l'équipage de ces navires espions ?

– Ils ont été emmenés aux Carrières, sénateur.

– Et ensuite, que leur est-il arrivé ?

Il ne répondit pas.

Les Carrières de pierre étaient la prison la plus redoutable de Sicile, probablement la plus redoutable au monde – en tout cas, à ma connaissance. Elle faisait six cents pieds de long sur deux cents de large et était creusée profondément dans la roche solide de ce plateau fortifié qu'on appelle les Epipoles et qui domine Syracuse au nord. Là, dans cette fosse infernale d'où aucun cri ne pouvait sortir, exposés sans protection à la chaleur brûlante de l'été et aux pluies glacées de l'hiver, torturés par des gardes cruels et par les plus viles convoitises des autres prisonniers, les victimes de Verrès connurent les pires souffrances et succombèrent.

Cicéron, dont l'aversion pour la vie militaire était notoire, était souvent taxé de couardise par ses ennemis, et il avait certes tendance à avoir les nerfs fragiles et se montrer d'une sensibilité exagérée. Mais je puis certifier qu'il fit preuve de bravoure ce jour-là. Il retourna à notre quartier général et vint chercher

Lucius, laissant le jeune Frugi continuer de fouiller les archives des recettes. Puis, armés de nos seuls bâtons de marche et du mandat de Glabrio, suivis par la foule devenue habituelle des Syracusains, nous gravîmes le sentier ardu menant aux Epipoles. Comme toujours, l'annonce de son arrivée et de la nature de sa mission l'avait précédé, et le capitaine de la garde, après avoir fait l'objet d'une harangue vibrante du sénateur qui le menaçait de toutes sortes de répercussions si l'on n'accédait pas à ses demandes, nous permit de franchir le mur d'enceinte et de pénétrer sur le plateau. Une fois sur place, refusant de prêter attention aux avertissements comme quoi ce serait trop dangereux, Cicéron insista pour inspecter lui-même les Carrières.

Cette vaste prison, œuvre de Denys le Tyran, avait déjà plus de trois cents ans. Une très vieille porte métallique fut ouverte, et nous nous engageâmes dans la bouche d'un tunnel, guidés par des gardes munis de torches. Les murs luisants – rongés par la crasse et les champignons –, la cavalcade des rats dans la pénombre, l'odeur de mort et de déchets, les cris et les gémissements des âmes abandonnées… C'était véritablement une descente aux enfers. Nous finîmes par atteindre une nouvelle porte métallique et, lorsque serrures et verrous furent ouverts, nous entrâmes dans la prison proprement dite. Quel spectacle nous attendait ! On aurait dit qu'un géant avait rempli un sac de centaines d'hommes entravés par des fers, puis l'avait vidé dans un trou. La lumière était ténue, presque sous-marine, et il y avait des prisonniers aussi loin que le regard portait. Certains marchaient péniblement, quelques-uns s'étaient regroupés, mais la plupart gisaient séparés les uns des autres, simples sacs d'os jaunissants. Les morts du jour n'avaient pas encore été dégagés, et il était difficile de distinguer les squelettes vivants des cadavres.

Nous nous sommes frayé un chemin parmi les corps – ceux qui avaient déjà succombé et les moribonds : il n'y avait pas de différence évidente – et, à certains moments, Cicéron s'arrêtait pour demander à un homme son nom, se baissait pour entendre la réponse murmurée. Nous ne trouvâmes pas de Romains, seulement des Siciliens.

— Y a-t-il des citoyens romains parmi vous ? lança-t-il à la cantonade. Y en a-t-il parmi vous qui ont été arrêtés sur des bateaux ?

Seul le silence lui répondit. Il se retourna et appela le capitaine de la garde pour lui demander à voir les registres de la prison. Comme Vibius, le misérable se débattit entre sa peur de Verrès et sa peur de l'accusateur spécial, mais il finit par succomber à la pression de Cicéron.

Creusés dans les parois rocheuses de la carrière, il y avait des cellules séparées et des galeries, où l'on procédait à la torture et aux exécutions et où mangeaient et dormaient les gardes. (Nous découvrîmes par la suite que la méthode d'exécution la plus pratiquée était le garrot.) C'est là aussi que se trouvait l'administration de la prison, si l'on pouvait appeler ça ainsi. On alla nous chercher des caisses de rouleaux humides et moisis sur lesquels figuraient de longues listes de noms de prisonniers, avec la date de leur arrivée et de leur départ. Il était indiqué que certains avaient été libérés, mais, accolée à la plupart des noms, on avait griffonné la mention *edikaiothesan* – terme sicilien signifiant qu'on leur avait infligé la peine de mort.

— Je veux une copie de chaque entrée sur les trois années où Verrès a été gouverneur ici, me dit Cicéron, et toi, ajouta-t-il en s'adressant au capitaine de la prison, quand ce sera fait, tu signeras une déclaration stipulant que nous avons établi des copies conformes.

Pendant que deux autres secrétaires et moi-même nous mettions à l'ouvrage, Cicéron et Lucius fouillaient les registres en quête de noms romains. Quoique la majorité des prisonniers détenus dans les Carrières pendant le mandat de Verrès fussent de toute évidence siciliens, il y avait également un nombre considérable de personnes issues de tous les peuples de la Méditerranée – Espagnols, Egyptiens, Syriens, Ciliciens, Crétois, Dalmates. Quand Cicéron demanda les raisons de leur emprisonnement, on lui répondit que c'étaient des pirates – des pirates et des espions. Tous étaient enregistrés comme ayant été exécutés, dont, parmi eux, l'infâme pirate Heracleo. Les Romains, en revanche, avaient été prétendument « libérés » – y compris les deux hommes qui venaient d'Espagne, Publius Gavius et Lucius Herennius, dont on nous avait décrit les exécutions.

— Ces registres sont un ramassis de mensonges, glissa à voix basse Cicéron à Lucius. Le contraire même de la réalité. Personne n'a vu mourir Heracleo, alors que le spectacle d'un pirate crucifié ne manque jamais d'attirer une foule enthousiaste. Mais des tas de gens ont vu exécuter les Romains. Il me semble que Verrès s'est contenté d'inverser la situation – il a tué les membres d'équipage innocents et libéré les pirates, sans doute contre paiement d'une forte rançon. Si Gavius et Herennius avaient découvert sa traîtrise, cela expliquerait pourquoi Verrès était si pressé de les faire disparaître.

Je crus que le pauvre Lucius allait être malade. Il y avait certes un long chemin entre ses livres de philosophie dans Rome ensoleillée et l'examen de listes mortuaires à la lueur vacillante de bougies, quatre-vingts pieds sous une terre imbibée d'eau. Nous finîmes le plus vite possible, et je n'ai jamais été aussi heureux de fuir un endroit que je le fus en remontant le tunnel qui menait hors des Carrières pour rejoindre l'humanité à la surface. Une brise légère s'était levée, qui soufflait par la mer, et je me souviens comme si c'était cet après-midi même et non il y a plus d'un demi-siècle que nous avons tous tourné instinctivement le visage vers le large et bu avec reconnaissance l'air froid et pur.

— Promets-moi, dit Lucius après un moment, que si jamais tu arrives à obtenir cet *imperium* que tu désires tant, tu ne présideras jamais à une telle cruauté ni à une telle injustice.

— Je le jure, répondit Cicéron. Et si jamais, mon cher Lucius, tu dois te demander pourquoi, dans la vie réelle, des hommes bons renoncent à la philosophie pour rechercher le pouvoir, promets-moi en retour de toujours te souvenir de ce que tu as vu dans les Carrières de Syracuse.

Nous étions alors à la fin de l'après-midi et, grâce aux activités de Cicéron, Syracuse était en émoi. La foule qui nous avait suivis en haut de la pente raide, jusqu'à la prison, nous attendait encore devant les murs des Epipoles. En fait, elle avait même grossi et avait été rejointe par quelques-uns des citoyens les plus distingués de la ville, dont le grand prêtre de Jupiter, vêtu de ses robes sacrées. Ce pontificat, traditionnellement réservé aux Syracusains de plus haut rang, était à l'époque détenu par nul autre que le client de Cicéron, Heraclius, qui était rentré de Rome de son côté pour nous aider – courant ainsi de terribles risques personnels. Il arrivait avec la requête que Cicéron l'accompagne aussitôt au sénat de la ville, où les doyens attendaient de lui accorder un accueil officiel en bonne et due forme. Cicéron était partagé. Il lui restait beaucoup de travail et peu de temps pour l'accomplir. De plus, le fait qu'un sénateur romain s'adresse à une assemblée locale sans l'autorisation du gouverneur constituait certainement une infraction au protocole. Mais cela promettait également d'être une formidable occasion d'approfondir son enquête. Après une courte hésitation, il accepta de s'y rendre, et nous descendîmes la colline accompagnés d'une gigantesque escorte de Siciliens respectueux.

Le sénat était bondé. Sous une statue dorée de Verrès en personne, le doyen des sénateurs, le vénérable Diodorus, accueillit Cicéron en grec, et s'excusa de ne lui avoir apporté jusqu'ici aucune assistance : jusqu'aux événements d'aujourd'hui, ils n'avaient pas cru à sa sincérité. Révolté par les scènes dont il venait d'être témoin, Cicéron, s'exprimant lui aussi en grec, se lança à l'improviste dans un discours des plus brillants, promettant de vouer sa vie à redresser les torts commis à l'encontre des Siciliens. A la fin, les sénateurs de Syracuse votèrent presque à l'unanimité l'annulation de leur panégyrique de Verrès (qu'ils jurèrent n'avoir accepté de faire que parce qu'ils y avaient été obligés par Metellus). Au milieu des acclamations, quelques-uns parmi les plus jeunes membres de l'assemblée lancèrent des cordes autour du cou de la statue de Verrès et l'abattirent pendant que d'autres – plus efficacement – apportaient une profusion de nouvelles preuves des crimes de Verrès consignés dans les archives secrètes du Sénat. Ces actes indignes incluaient le vol de vingt-sept portraits inestimables dans le temple de Minerve – même les portes superbement décorées du sanctuaire avaient été emportées ! – ainsi que tous les détails des pots-de-vin que Verrès avait exigés pour rendre des verdicts de non-culpabilité lorsqu'il exerçait ses fonctions de juge.

On avait maintenant eu vent de cette assemblée et du renversement de la statue au palais du gouverneur, et, lorsque nous voulûmes quitter le sénat, nous découvrîmes que le bâtiment était cerné de soldats romains. Le rassemblement fut dispersé sur ordre de Metellus, Heraclius fut arrêté, et Cicéron fut enjoint de se présenter immédiatement devant le gouverneur. Nous étions tout près de déclencher une émeute sanglante, mais Cicéron se hissa sur une charrette et demanda aux Siciliens de garder leur calme, que Metellus n'oserait pas s'en prendre à un sénateur romain agissant sous l'autorité de la cour d'un préteur – quoique, ajouta-t-il, ne plaisantant qu'à moitié, ils pussent tout de même se renseigner sur ce qu'il était devenu s'il n'avait pas réapparu avant la nuit. Il descendit alors de son perchoir et nous nous laissâmes conduire sur le pont qui menait à l'île.

A cette époque, la famille Metellus était presque à l'apogée de sa puissance. Surtout, la branche de la *gens* qui avait produit les trois frères, Quintus, Lucius et Marcus – tous avaient atteint la quarantaine –, paraissait prête à dominer Rome pour les années à venir. C'était, comme disait Cicéron, un monstre à trois têtes, et la tête du milieu, Lucius – le cadet –, était par bien des aspects la plus redoutable des trois. Il nous reçut dans la salle royale du palais du gouverneur avec la panoplie complète de son *imperium* – belle silhouette imposante assise sur sa chaise curule sous le regard de marbre d'une douzaine de ses prédécesseurs. Il était flanqué de ses licteurs tandis qu'un magistrat et ses secrétaires se tenaient derrière lui, et qu'une sentinelle armée gardait la porte.

— C'est une offense qui relève de la trahison de fomenter la rébellion dans une province romaine, commença-t-il sans se lever ni s'embarrasser de préliminaires.

— C'est aussi une offense qui relève de la trahison d'insulter le peuple et le Sénat de Rome en empêchant leur représentant mandaté d'accomplir sa tâche, rétorqua Cicéron.

— Vraiment ? Et quel genre de « représentant romain » s'agresse à un sénat grec dans sa langue d'origine ? Partout où tu es allé dans cette province, tu as créé des problèmes. Je ne le tolérerai pas ! Notre garnison n'est pas assez importante pour maintenir l'ordre parmi tant d'autochtones. Tu rends cet endroit ingouvernable, avec ta fichue agitation.

— Je t'assure, gouverneur, que le ressentiment est tourné contre Verrès, et non contre Rome.

— Verrès ! s'exclama Metellus en frappant le bras de son fauteuil. Depuis quand t'intéresses-tu à Verrès ? Je vais te le dire, moi. Depuis que tu as vu la possibilité de te servir de lui pour faire avancer ta carrière, sale petit avocaillon fouteur de merde !

— Note ça, Tiron, me dit Cicéron sans quitter Metellus du regard. Je veux un compte rendu mot pour mot. Ce genre d'intimidation est parfaitement recevable devant un tribunal.

Mais j'avais trop peur pour esquisser un geste, car il y avait beaucoup de cris en provenance des autres hommes présents dans la pièce, et Metellus s'était levé d'un bond.

— Je t'ordonne, dit-il, de rendre les documents que tu as volés ce matin !

— Je me permettrai de rappeler au gouverneur avec le plus grand respect, répliqua calmement Cicéron, qu'il n'est pas sur le terrain d'exercice mais qu'il s'adresse à un citoyen romain libre, et que je dois m'acquitter de la tâche qui m'a été assignée !

Metellus avait posé les mains sur ses hanches et se penchait en avant, son large menton dressé.

— Tu vas rendre ces documents maintenant, en privé… ou tu seras sommé de les restituer demain, au tribunal, devant tout Syracuse !

— Je choisis, comme toujours, de tenter ma chance devant le tribunal, répondit Cicéron avec une petite inflexion de la tête. Surtout en sachant sur quel juge honorable et impartial je peux compter avec toi, Lucius Metellus – digne héritier de Verrès !

Je sais que je reproduis exactement leurs termes parce qu'à peine sommes-nous sortis de la salle – soit presque aussitôt après ce dernier échange – que Cicéron et moi les avons reconstitués pendant que c'était encore frais dans notre mémoire, au cas où il en aurait besoin devant le tribunal. (La transcription se trouve aujourd'hui encore dans ses papiers.)

— Ça s'est bien passé, plaisanta-t-il, bien qu'il eût la voix et les mains qui tremblaient – il nous apparaissait maintenant clairement que toute cette mission et peut-être même sa vie étaient menacées. Mais quand on cherche le pouvoir et qu'on est un homme nouveau, ajouta-t-il presque pour lui-même, on n'a pas le choix. Personne ne va nous le servir sur un plateau.

Nous rentrâmes aussitôt chez Flavius et travaillâmes toute la nuit, à la faible lueur de lampes à huile crachotantes et de bougies siciliennes qui nous enfumaient, pour préparer l'audience du lendemain matin. Honnêtement, je ne voyais vraiment pas ce que Cicéron pouvait espérer, sinon l'humiliation. Metellus ne lui accorderait jamais de jugement en sa faveur, outre le fait – comme Cicéron l'avait avoué en privé – que la loi allait dans le sens de la société des impôts. Mais, pour citer le noble Térence, la fortune sourit aux audacieux, et elle sourit certainement à Cicéron cette nuit-là. C'est le jeune Frugi qui fit la découverte capitale. Je n'ai, dans ce récit, pas mentionné Frugi aussi souvent que je l'aurais dû, principalement parce qu'il était doté de cette gentillesse discrète qui ne suscite guère le commentaire et qui ne se remarque que quand la personne a disparu. Il avait passé la journée sur les archives de la société des impôts et, le soir, bien qu'il eût attrapé le rhume de Cicéron, il refusa d'aller se coucher et s'attaqua aux preuves rassemblées par le sénat de Syracuse. Minuit devait être passé depuis longtemps lorsque je l'entendis pousser une exclamation. Puis il nous fit signe de le rejoindre à sa table. S'y trouvait disposée toute une série de tablettes de cire qui donnaient le détail des opérations bancaires de la société. En soi, les listes de noms, les dates et les sommes prêtées ne signifiaient pas grand-chose. Mais lorsque Frugi les eut comparées à la liste établie par les Syracusains de ceux qui avaient été forcés de payer des pots-de-vin à Verrès, nous pûmes constater qu'elles correspondaient tout à fait : ils avaient acquis les fonds dont ils avaient besoin en empruntant. Plus spectaculaire encore fut l'effet produit quand il nous montra un troisième ensemble de comptes : les reçus de la société. Aux mêmes dates exactement, les mêmes sommes avaient été redéposées auprès de la société des impôts par un certain Gaius Verrucius. L'identité du déposant était si grossièrement déguisée que nous éclatâmes tous de rire : de toute évidence, le nom inscrit au départ était bien « Verrès » mais, chaque fois, les deux dernières lettres avaient été grattées et l'on avait ajouté « ucius » par-dessus.

— Donc, Verrès exigeait des pots-de-vin, commenta Cicéron avec une excitation grandissante, et insistait pour que ses victimes empruntent les sommes nécessaires à Carpinatius – sûrement à un taux d'intérêt exorbitant. Puis il réinvestissait le produit de ses extorsions avec ses amis de la société des impôts, de sorte que non seulement il protégeait son capital, mais il gagnait aussi des parts de profit supplémentaire ! Quel scélérat génial ! Quel scélérat génial, cupide et stupide !

Et après avoir exécuté une petite danse joyeuse, il jeta les bras autour d'un Frugi tout embarrassé et l'embrassa chaleureusement sur les deux joues.

De tous les triomphes que remporta Cicéron dans les tribunaux, je dois dire que celui qu'il connut le lendemain fut parmi les plus chers à son cœur – surtout si l'on considère que, d'un point de vue technique, il s'agissait d'une défaite et non d'une victoire. Il sélectionna les preuves qu'il devait emporter à Rome, et Lucius, Frugi, Sositheus, Laurea et moi-même portâmes chacun une caisse de documents au forum de Syracuse, où Metellus avait dressé son tribunal. Une foule immense de gens du cru s'était déjà rassemblée. Carpinatius nous attendait. Il se prenait pour un grand juriste et se représenta lui-même, citant tous les statuts et la jurisprudence établissant que les registres des impôts ne pouvaient être sortis de la province, et donnant dans l'ensemble l'impression de n'être que l'humble victime d'un sénateur trop puissant. Cicéron gardait tête baissée et affichait une telle attitude d'abattement que j'eus du mal à conserver mon sérieux. Quand, enfin, il se leva, il s'excusa d'avoir bafoué la loi, implora le pardon du gouverneur, promit de restituer volontiers les documents à Carpinatius, mais – il s'interrompit – mais il y avait cependant un petit point qu'il ne comprenait pas et qu'il aimerait bien qu'on éclaircisse pour lui auparavant. Il prit une des tablettes de cire et l'examina en affichant le plus complet désarroi.

— Qui est exactement Gaius Verrucius ?

Carpinatius, qui souriait d'un air satisfait, évoqua

soudain un homme qui venait d'être transpercé par une flèche en pleine poitrine pendant que Cicéron, jouant l'étonné et faisant comme si tout cela constituait un mystère qui le dépassait, soulignait la coïncidence entre les noms, les dates et les sommes inscrits dans les registres de la société des impôts et les demandes de pots-de-vin rassemblées par le sénat de Syracuse.

— Et il y a encore autre chose, ajouta Cicéron sur un ton aimable. Ce monsieur, qui a traité tant d'affaires avec vous, n'apparaît pas dans vos comptes avant l'arrivée en Sicile de son presque homonyme Gaius Verrès, et n'a plus rien signé avec vous depuis le départ de Gaius Verrès. Mais, pendant les trois ans de la présence de Verrès, il était votre plus gros client. Et il est tout de même malheureux – vous voyez ? demanda-t-il à la foule en lui montrant les comptes – que, chaque fois que l'esclave qui tenait tes registres devait inscrire son nom, il ait commis la même faute de style. Mais voilà. Je suis sûr que tout cela s'explique très simplement. Aussi, le mieux serait sans doute que tu dises à la cour qui est ce Verrucius et où on peut le trouver.

Carpinatius lança un regard désespéré à Metellus pendant que quelqu'un criait dans la foule :

— Il n'existe pas !

— Il n'y a jamais eu de Verrucius en Sicile ! lançait un autre. C'est Verrès !

— C'est Verrès ! C'est Verrès ! reprit la foule en chœur.

Cicéron leva la main pour leur intimer le silence.

— Carpinatius insiste sur le fait que je n'ai pas le droit de sortir ces archives de la province, et je concède que, d'après la loi, il a raison. Mais il n'est dit nulle part dans la loi que je ne doive pas faire de copies tant qu'elles sont rigoureuses et contrôlées par des témoins. Tout ce dont j'ai besoin, c'est d'un peu d'aide. Qui m'aidera à copier ces dossiers afin que je puisse les présenter à Rome et traduire ce porc de Verrès devant la justice pour ses crimes contre le peuple de Sicile ?

Une forêt de mains se dressa aussitôt. Metellus tenta de réclamer le silence, mais ses paroles se perdirent dans le tumulte des gens qui criaient leur soutien. Avec l'aide de Flavius, Cicéron repéra les personnalités les plus éminentes de la ville – siciliennes et romaines – et les invita à s'avancer pour prendre une part des preuves. Puis je tendis à chaque volontaire une tablette et un style. Je voyais du coin de l'œil Carpinatius chercher frénétiquement à rejoindre Metellus, et je voyais celui-ci, bras croisés, contempler d'un air furieux, depuis son banc surélevé, le chaos qui régnait dans son tribunal. Il finit par se contenter de tourner les talons et gravit avec colère les marches derrière lui pour disparaître dans le temple.

Ainsi se termina la visite de Cicéron en Sicile. Metellus, je n'en doute pas, aurait donné cher pour faire arrêter Cicéron, ou du moins pour l'empêcher d'emporter des preuves. Mais Cicéron avait mis trop de gens de son côté, tant parmi la communauté romaine que sicilienne, que son arrestation aurait déclenché une émeute et, comme Metellus l'avait avoué lui-même, il n'avait pas les troupes nécessaires pour contrôler toute la population. A la fin de l'après-midi, les copies des dossiers de la compagnie des impôts étaient contresignées par les témoins, scellées et transportées sur notre bateau qui attendait sous bonne garde au port, où elles rejoignirent les autres malles de preuves à charge. Cicéron ne resta lui-même qu'une autre nuit sur l'île, à dresser la liste des témoins qu'il espérait présenter à Rome. Lucius et Frugi acceptèrent de rester à Syracuse pour organiser leur voyage.

Le lendemain matin, ils accompagnèrent Cicéron au

port. Une foule d'admirateurs avait envahi les quais, et il fit un beau discours de remerciement.

— Je sais que je transporte dans ce vaisseau fragile l'espoir de toute cette province. Tant que cela restera en mon pouvoir, je ne vous abandonnerai pas.

Puis je l'aidai à monter sur le pont, où il se tint, les joues trempées de larmes. En acteur chevronné qu'il était, je savais qu'il pouvait simuler n'importe quelle émotion à volonté, mais je suis certain que, ce jour-là, ses sentiments n'étaient pas feints. Je me demande même, avec le recul, s'il ne pressentait pas qu'il ne reverrait jamais cette île. Les rames plongèrent et nous emportèrent dans le chenal. Les visages s'estompèrent sur les quais, les silhouettes rapetissèrent puis disparurent alors que nous franchissions lentement l'entrée du port pour prendre le large.

VIII

Le voyage de retour de Regium à Rome s'avéra plus aisé que ne l'avait été l'aller. C'était en effet le début du printemps et le climat plus doux rendait le continent accueillant. Non que nous ayons eu beaucoup l'occasion d'admirer les fleurs et les petits oiseaux. Cicéron travailla pendant tout le trajet, bien calé, secoué et ballotté à l'arrière du chariot couvert, dressant les grandes lignes de son accusation contre Verrès. J'allais chercher les documents dans la charrette à bagages à mesure qu'il en avait besoin et courais derrière sa voiture en écrivant sous sa dictée, ce qui n'était pas un mince exploit. Son projet, tel que je le comprenais, était de diviser l'ensemble des preuves en quatre séries d'accusations : corruption en tant que juge, extorsion par le biais de taxes et impôts divers, pillage de biens privés et publics et enfin châtiments illégaux et tyranniques. Les dépositions des témoins et les archives furent classées en conséquence, et, alors même qu'il tressautait sur le chemin, Cicéron rédigea le brouillon de passages entiers de son discours d'ouverture. (Tout comme il avait entraîné son corps à porter le poids de ses ambitions, il s'était, par sa seule volonté, guéri des nausées dues aux cahots et devait, au fil des années, effectuer une masse de travail considérable au cours de ses voyages du nord au sud de l'Italie.) De cette manière, pratiquement sans remarquer où il se trouvait, il effectua le voyage en moins de quinze jours et arriva à Rome pour les Ides de mars, soit deux mois exactement après notre départ. Pendant ce temps, loin de rester inactif, Hortensius avait monté toute une procédure d'accusation élaborée. Bien entendu, comme l'avait soupçonné Cicéron, il s'agissait en partie d'un leurre visant à lui faire quitter la Sicile au plus vite. Dasianus n'avait pas pris la peine de se rendre en Grèce pour collecter des preuves. Il n'avait même jamais quitté Rome. Mais cela ne l'avait pas empêché de trouver des charges contre l'ancien gouverneur d'Achaïe devant le tribunal des extorsions, et le préteur, Glabrio, qui n'avait rien à faire avant le retour de Cicéron, s'était retrouvé contraint de le laisser agir. Ce personnage insignifiant, depuis longtemps oublié de tous, revenait donc jour après jour ronronner interminablement devant un jury de sénateurs visiblement assommés, avec Hortensius à ses côtés. Et dès que la loquacité faisait défaut à Dasianus, le Maître de Danse se levait avec grâce et pirouettait sur la scène du tribunal, exposant ses propres arguments choisis.

Quintus, en fidèle chef d'état-major bien rodé, avait, pendant notre absence, préparé un programme de campagne quotidien et avait tout exposé dans le bureau de Cicéron. Celui-ci s'empressa d'aller l'étudier dès son retour. Un seul coup d'œil suffisait à comprendre le projet d'Hortensius. Des taches de teinture rouge indiquaient les fêtes pendant lesquelles la cour ne siégerait pas. Une fois ces jours retirés, il ne restait plus que vingt jours ouvrables avant la vacance du Sénat. La vacance durait en elle-même vingt autres jours, et était immédiatement suivie par les cinq jours des fêtes en l'honneur de Flore. Venaient ensuite les fêtes en l'honneur d'Apollon, les jeux tarentins, les fêtes de Mars et ainsi de suite. Il y avait pratiquement un jour sur quatre qui était férié.

— Pour dire les choses simplement, annonça Quintus, à en juger par la façon dont ça se passe, Hortensius n'aura aucun mal à monopoliser la cour jusqu'aux élections consulaires de la fin juillet. Toi-même, tu devras préparer les élections des édiles au début du mois d'août. Nous ne pouvons donc compter pouvoir passer devant le tribunal avant le 5 août. Mais alors, vers la mi-août, ce sera le début des jeux de Pompée – et ils sont censés durer au moins quinze jours. Et enfin, il y aura bien sûr les jeux de Rome et les jeux de la Plèbe…

— Par pitié, s'exclama Cicéron en examinant le schéma, personne ne fait donc jamais rien dans cette fichue ville, à part regarder des hommes et des animaux s'entre-tuer ?

Son optimisme, qui l'avait soutenu pendant tout le trajet depuis Syracuse, semblait soudain l'abandonner comme l'air s'échappe d'une vessie. Il s'était préparé à un combat, mais Hortensius connaissait trop bien son affaire pour l'affronter directement en audience publique. L'entrave et l'usure, telles étaient ses tactiques, et il semblait avoir tous les atouts de son côté. Chacun savait que Cicéron possédait des ressources limitées. Plus il devrait attendre pour que son affaire soit portée devant le tribunal, plus cela lui coûterait d'argent. Nos premiers témoins allaient arriver d'un jour à l'autre de Sicile. Ils attendraient d'être défrayés des dépenses du voyage, de leur séjour et du manque à gagner qu'engendrerait leur absence. Pour couronner le tout, Cicéron allait devoir financer sa campagne pour l'élection à l'édilité. Et, en supposant qu'il l'emporte, il devrait alors trouver l'argent pour rester en place pendant un an, restaurer des édifices publics et organiser deux séries de jeux officiels. Il ne pourrait se permettre d'esquiver ces obligations : les électeurs ne pardonnaient pas la mesquinerie.

Il ne restait donc plus qu'à endurer une nouvelle séance orageuse avec Terentia. Ils dînèrent en tête à tête le soir de notre retour de Syracuse, et je fus appelé plus tard dans la soirée par Cicéron, qui me demanda de lui apporter les brouillons des passages de son discours d'ouverture. Lorsque j'entrai, Terentia était allongée, très raide, sur sa banquette, et tripotait sa nourriture avec irritation ; Cicéron n'avait visiblement pas touché à son assiette. Je fus content de lui remettre le coffret à documents et de m'éclipser. Le discours était déjà très développé et il aurait fallu au moins deux jours pour le prononcer. Plus tard, je l'entendis arpenter la pièce, déclamant certains passages, et je compris qu'elle le faisait répéter avant de décider si elle devait ou non lui avancer l'argent. Ce qu'elle entendit dut lui plaire puisque, le lendemain matin, Philotimus prit des dispositions pour que nous puissions bénéficier d'un nouveau crédit allant jusqu'à cinquante mille sesterces. Mais c'était humiliant pour Cicéron et, selon moi, cette époque marque indubitablement le début de sa préoccupation toujours croissante à propos de l'argent, sujet qui ne l'avait jamais intéressé le moins du monde auparavant.

J'ai le sentiment que je m'attarde un peu trop dans mon récit, vu que j'en suis déjà à mon huitième rouleau de Hieratica, et qu'il faudrait que j'accélère si je ne veux pas mourir à la tâche ou vous épuiser en lecture. Permettez-moi donc de traiter les quatre mois suivants très rapidement. Cicéron fut contraint de travailler avec encore plus d'ardeur. Le matin, il commençait par s'occuper de ses clients (et, bien sûr, il y avait énormément d'affaires en retard qui s'étaient accumulées pendant son voyage en Sicile). Puis il se rendait au tribunal, ou au Sénat, selon les sessions. Au Sénat, il gardait profil bas et prenait grand soin de ne pas parler à Pompée le Grand, de crainte que celui-ci ne lui demande d'abandonner les poursuites contre Verrès et de renoncer à sa candidature à l'édilité, ou – pis encore – ne lui propose son aide, ce qui le rendrait redevable de l'homme le plus puissant de Rome, situation qu'il était bien décidé à éviter. Il devait attendre que les tribunaux et le Sénat soient fermés pendant les vacances ou lcs jours fériés pour se consacrer à l'affaire Verrès, trier et assimiler les preuves, préparer les témoins. Nous fîmes venir une centaine de Siciliens à Rome et, comme c'était pour la plupart leur premier séjour dans la cité, ils avaient besoin qu'on les prenne par la main. C'est à moi qu'incomba cette tâche et je devins une sorte d'accompagnateur polyvalent, chargé de les guider dans la cité, d'essayer de les empêcher de tomber entre les mains des espions de Verrès, dc sombrer dans l'alcool ou de se bagarrer – et laissez-moi vous dire qu'un Sicilien qui a le mal du pays n'est pas une sinécure. Ce fut un soulagement lorsque le jeune Frugi revint à son tour de Syracuse pour me donner un coup de main (le cousin Lucius était resté en Sicile pour s'occuper du transfert des preuves et des témoins nécessaires). Enfin, en début de soirée, Cicéron reprenait avec Quintus ses visites aux quartiers généraux des tribus pour sa campagne à l'édilité.

Hortensius ne restait pas non plus les bras croisés. Par l'entremise de son porte-parole, Dasianus, il continuait de bloquer le tribunal des extorsions avec ses procédures interminables. En fait, il n'y avait pas de limite à ses subterfuges. Par exemple, il se mit en quatre pour se montrer amical avec Cicéron, le saluant chaque fois qu'ils se retrouvaient ensemble dans le senaculum, à attendre le quorum du Sénat, et l'attirant avec ostentation à part pour s'entretenir avec lui de la situation politique en général. Au début, Cicéron fut flatté, puis il découvrit qu'Hortensius et ses partisans faisaient courir le bruit qu'il avait accepté un énorme pot-de-vin pour saboter son accusation, d'où les grandes accolades publiques. Nos témoins, cloîtrés dans leurs appartements disséminés dans la ville, eurent vent de la rumeur et commencèrent à paniquer comme des poulets dans un poulailler à l'approche d'un renard, aussi Cicéron dut-il aller les voir tous personnellement pour les rassurer les uns après les autres. Lorsque, à leur rencontre suivante, Hortensius s'avança vers lui, la main tendue, Cicéron lui tourna le dos. Hortensius sourit et se détourna – quelle importance ? Tout se passait comme il le voulait.

Je devrais peut-être en dire un peu plus sur cet homme étonnant – « le roi des tribunaux », comme l'avait surnommé sa clique de fidèles – dont la rivalité avec Cicéron anima le barreau romain pendant toute une génération. La clé de sa réussite était sa mémoire. En plus de vingt ans de plaidoiries, on n'avait jamais vu Hortensius se servir d'une note. Ce n'était pas un problème pour lui de mémoriser un discours de quatre heures et de le dire à la perfection, que ce soit au Sénat ou dans le forum. Et cette mémoire phénoménale n'avait rien du résultat appliqué d'un labeur nocturne ininterrompu : elle brillait en pleine lumière. Il avait la capacité hallucinante de se souvenir de tout ce que disaient ses adversaires, que ce soit lors de déclarations ou d'interrogatoires, et pouvait le leur renvoyer à la figure quand il le voulait. Il évoquait un gladiateur doublement armé dans l'arène de la justice, portant coups d'épée et de trident mais aussi protégé par le filet et le bouclier. Cet été-là, il avait quarante-quatre ans et vivait avec sa femme, sa fille et son fils adolescents dans une maison décorée avec un goût exquis sur le mont Palatin, à côté de chez son beau-frère, Catulus. *Exquis*, voilà le mot qui caractérisait le mieux Hortensius : des manières exquises, une coiffure, des vêtements, un parfum exquis, un goût exquis en toutes choses. Il ne prononçait jamais une parole grossière. Mais son grand défaut était une cupidité qui avait déjà atteint des proportions extravagantes – avec un palais dans la baie de Naples, un zoo privé, une cave contenant dix mille fûts du meilleur chianti, un tableau de Cydias acheté cent cinquante mille sesterces, des anguilles ornées de bijoux, des arbres arrosés au vin, il fut, dit-on, le premier à servir du paon à dîner. Tout le monde connaît ces histoires. C'est cette extravagance qui l'avait conduit à conclure une alliance avec Verrès, qui le couvrait du fruit de ses pillages – le plus célèbre de ses présents étant un sphinx inestimable sculpté dans un seul bloc d'ivoire – et finançait sa campagne pour le consulat.

Les élections consulaires devaient se tenir le 27 juillet. Le 23, le jury du tribunal des extorsions vota l'acquittement de l'ancien gouverneur d'Achaïe pour toutes les charges qui pesaient contre lui. Cicéron, qui avait abandonné son travail sur le discours d'ouverture pour venir attendre le verdict, écouta impassiblement Glabrio annoncer que le procès contre Verrès commencerait le 5 août – « Et j'espère que tes allocutions à la cour seront un peu plus brèves », dit-il à Hortensius, qui répliqua par un petit sourire suffisant. Il ne restait plus qu'à sélectionner un jury. Ce qui fut fait le lendemain. La loi imposait trente-deux sénateurs, tirés au sort. Chaque partie avait droit à six objections, mais, même après que Cicéron eut utilisé toutes ses récusations, le jury demeurait d'une hostilité décourageante : il comprenait – encore – Catulus et son protégé Catilina ainsi qu'une autre grande figure du Sénat, Servilius Vatia Isauricus ; Marcus Metellus lui-même se glissa dans le nombre. A côté de ces aristocrates purs et durs, nous pouvions également faire une croix sur des cyniques comme Aemilius Alba, Marcus Lucrecius et Antonius Hybrida, qui se vendraient immanquablement au plus offrant, et Verrès ne se montrait pas avare de ses richesses. La signification de l'expression « se rengorger comme un paon » ne m'apparut réellement que lorsque je vis le visage d'Hortensius le jour où le jury fut constitué. Il avait de quoi être comblé : le consulat était dans sa poche et, avec lui, il n'en doutait plus, l'acquittement de Verrès.

Les jours qui suivirent furent les plus éprouvants pour les nerfs que Cicéron eût jamais endurés. Le matin de l'élection consulaire, il était si déprimé qu'il eut peine à se forcer à se rendre au Champ de Mars pour voter. Mais il fallait bien sûr qu'il soit vu comme un citoyen actif. Le résultat ne fut jamais mis en doute dès l'instant où sonnèrent les trompettes et où le drapeau rouge fut hissé au sommet du Janicule. Hortensius et Quintus Metellus étaient tous deux soutenus par Verrès et son or, par les aristocrates et par les partisans de Pompée et de Crassus. Néanmoins, il règne toujours en ces occasions une atmosphère de compétition, quand les candidats et leurs partisans quittent la ville de bonne heure le matin pour gagner les parcs de vote tandis que les commerçants les plus dynamiques proposent dès l'ouverture vin et saucisses, parasols et dés, ainsi que tout ce qui est nécessaire pour apprécier une bonne élection. Pompée, en tant que premier consul en activité et suivant la coutume, se tenait déjà à l'entrée de la tente du président du bureau de vote, un augure à son côté. Dès que tous les candidats au consulat et à la préture, soit une vingtaine de sénateurs, se furent alignés dans leur toge blanchie, il monta sur l'estrade et lut la prière traditionnelle. Les votes commencèrent peu après, et les milliers d'électeurs n'eurent plus qu'à traîner et bavarder jusqu'à ce que vienne leur tour d'entrer dans les parcs.

C'était la vieille république à l'œuvre, chacun votant dans la centurie qui lui était attribuée, comme dans les temps anciens, quand les soldats élisaient leur général. Maintenant que ce rite a perdu toute signification il est difficile de s'imaginer ce que ce spectacle avait d'émouvant, même pour un esclave tel que moi, qui n'avait pas le droit de vote. Il incarnait quelque chose de merveilleux – un élan de l'esprit humain qui avait pris vie un demi-millénaire auparavant, parmi ce peuple indomptable qui vivait au milieu des rochers trop durs et des marais trop meubles des Sept Collines, un élan vers la lumière de la liberté et de la dignité, pour échapper aux ténèbres et à l'asservissement bestial. Voilà ce que nous avons perdu. Non qu'il s'agît d'une vraie démocratie aristotélicienne, loin de là. La préséance par les centuries – qui étaient au nombre de cent quatre-vingt-treize – a toujours été déterminée par la fortune, et les classes les plus riches ont toujours voté en premier et annoncé les candidatures en premier aussi : soit un avantage significatif. Ces centuries avaient également l'avantage de comprendre moins de membres, alors que celles des pauvres, comme la centurie des bas quartiers de Subura, étaient vastes et très peuplées ; il en résultait donc que la voix d'un homme riche avait plus de valeur. Pourtant, c'était la liberté telle qu'on l'appliquait depuis des siècles, et personne sur le Champ de Mars ne s'imaginait qu'on puisse un jour la lui retirer.

La centurie de Cicéron, l'une des douze qui comptaient uniquement des membres de l'ordre équestre, fut appelée en milieu de matinée, au moment où il commençait à faire chaud. Il pénétra avec ses pairs dans l'enceinte de corde et entreprit d'exploiter la foule comme il savait le faire – un mot par-ci, la main posée sur un coude par-là. Puis ils se rangèrent en ligne et défilèrent devant la table où on leur demandait leur nom avant de leur remettre leur plaquette de vote. S'il devait y avoir manœuvres d'intimidation, c'est généralement là que cela se passait, car les partisans de chaque candidat pouvaient s'approcher tout près des électeurs pour leur murmurer promesses ou menaces. Mais, ce jour-là, tout était calme, et je regardai Cicéron franchir le pont de bois et disparaître derrière les planches pour voter. Lorsqu'il émergea de l'autre côté, il dépassa la file des candidats et de leurs amis qui se tenaient sous une tente et s'arrêta pour s'entretenir brièvement avec Palicanus – l'ancien tribun se présentait à la préture – puis sortit sans un regard pour Hortensius ou Metellus.

Comme celles qui l'avaient précédée, la centurie de Cicéron soutenait la liste officielle – Hortensius et Quintus Metellus au consulat ; Marcus Metellus et Palicanus à la préture – et il ne s'agissait plus que d'attendre d'avoir atteint la majorité absolue avant de clore les votes. Les plus pauvres devaient savoir qu'ils n'influeraient guère sur l'issue du scrutin, mais le droit de vote représentait un tel privilège qu'ils restèrent tout l'après-midi debout en pleine chaleur, à attendre leur tour de prendre leurs plaquettes et de franchir le pont. Cicéron et moi parcourûmes les rangs des électeurs dans le cadre de sa campagne pour l'édilité, et je m'étonnai encore de voir combien il connaissait de gens personnellement – non seulement le nom des électeurs eux-mêmes, mais aussi celui de leur épouse, le nombre de leurs enfants et ce qu'ils faisaient dans la vie, le tout sans attendre mes renseignements. A la onzième heure, alors que le soleil commençait tout juste à plonger vers le Janicule, on arrêta enfin les votes et Pompée annonça les vainqueurs. Hortensius arrivait premier dans les scrutins, avec Quintus Metellus comme deuxième consul ; Marcus Mettellus l'avait emporté pour la préture. La foule en liesse de leurs partisans les entourèrent, puis, pour la première fois, nous vîmes la silhouette aux cheveux roux de Gaius Verrès se glisser au premier rang – « Le maître des marionnettes vient saluer », remarqua Cicéron – et l'on aurait pu croire, à la façon dont les aristocrates lui serraient la main et lui assenaient des claques dans le dos, que c'était lui qui avait gagné l'élection. L'un d'eux, ancien consul du nom de Scribonius Curion, étreignit Verrès et lui annonça, assez fort pour que tout le monde pût entendre :

— Je peux désormais t'annoncer que cette élection signifie ton acquittement !

Il y a en politique peu de choses plus difficiles à contrer que le sentiment d'inéluctabilité, car les humains agissent en troupeaux et se précipiteront toujours comme des moutons vers la sécurité du vainqueur. De tous côtés, on entendait à présent la même opinion : Cicéron était fichu, Cicéron était fini, les aristocrates reprenaient le pouvoir et aucun jury ne condamnerait Gaius Verrès. Aemilius Alba, qui se croyait spirituel, racontait à qui voulait l'entendre qu'il était désespéré : le marché s'était effondré pour les jurés de Verrès, et il n'arrivait plus à se vendre plus de trois mille sesterces. L'attention générale se reporta donc sur les élections prochaines au poste d'édile, et Cicéron ne tarda pas à découvrir des traces de l'œuvre de Verrès en arrière-plan de cette campagne aussi. Ranunculus, agent électoral bien disposé à l'égard de Cicéron et qui fut par la suite employé par lui, vint prévenir le sénateur que Verrès avait organisé, chez lui, de nuit, une réunion de tous les professionnels de la corruption et avait offert cinq mille sesterces à tous ceux qui arriveraient à persuader leur tribu de ne pas voter pour Cicéron. Je voyais bien que Cicéron et son frère s'inquiétaient. Mais le pis était à venir. Quelques jours plus tard, à la veille du vote, le Sénat se réunit sous la direction de Crassus, pour assister au tirage au sort qui devait déterminer quelle cour présiderait chaque préteur désigné lorsqu'ils prendraient leurs fonctions, au mois de janvier. Je n'étais pas présent, mais Cicéron se trouvait à la chambre, et il en rentra blême et défaillant. L'impensable s'était produit : Marcus Metellus, déjà juré dans le procès Verrès, avait tiré le tribunal des extorsions !

Même dans ses prédictions les plus pessimistes, Cicéron n'avait jamais envisagé un tel cas de figure. Il était tellement atterré qu'il en perdit presque la voix.

— Tu aurais dû entendre le tumulte dans la chambre, murmura-t-il à Quintus. Crassus a certainement truqué le tirage au sort. Tout le monde le pense, mais personne ne sait *comment* il a fait. Cet homme n'aura de cesse tant que je ne serai pas anéanti, ruiné et exilé.

Il gagna son bureau d'un pas traînant et s'effondra dans son fauteuil. C'était une journée étouffante, le 3 août, et l'on pouvait à peine remuer au milieu de toutes les preuves accumulées pour l'affaire Verrès : les monceaux d'archives fiscales, de déclarations sous serment et de dépositions cuisant dans la chaleur et la poussière. (Et il n'y avait là qu'une partie de l'ensemble : la plupart des dossiers étaient enfermés dans des caisses à la cave.) L'ébauche de son discours – de son monumental discours d'ouverture qui ne cessait de croître, telle une folie galopante – formait des piles chancelantes sur sa table de travail. J'avais depuis longtemps cessé d'essayer de deviner où il en était. Lui seul savait comment cela s'organisait. Tout était dans sa tête. Il entreprit de se masser les tempes du bout des doigts et réclama un verre d'eau d'une voix rauque. Je m'apprêtais à aller le lui chercher lorsque j'entendis un soupir suivi d'un choc sourd et découvris en me retournant qu'il s'était effondré en avant et cogné le crâne contre le bord de son bureau. Quintus et moi nous précipitâmes de chaque côté pour le relever. Il avait les joues grisâtres, et une traînée de sang rouge vif lui coulait du nez ; sa bouche restait mollement entrouverte.

Quintus était paniqué.

— Vite ! me cria-t-il, va chercher Terentia !

Je montai à sa chambre au pas de course et lui dis que le maître se trouvait mal. Elle descendit aussitôt et se révéla magnifique dans sa manière de prendre les choses en main. Cicéron, la tête entre les jambes, avait à présent repris connaissance. Elle s'agenouilla près de lui, réclama de l'eau, tira un éventail de sa manche et se mit à l'agiter vigoureusement afin de rafraîchir son mari. Entre-temps, Quintus, qui se tordait les mains, avait envoyé les deux jeunes secrétaires chercher les médecins qu'ils pourraient trouver dans le voisinage, et chacun revint flanqué d'un docteur grec. Les deux médicastres commencèrent tout de suite à se disputer pour savoir s'il fallait purger ou saigner. Terentia les envoya paître tous les deux. Elle refusa aussi qu'on porte Cicéron jusqu'à son lit, sinon, avertit-elle Quintus, la nouvelle se propagerait très vite, et l'avis largement partagé selon lequel Cicéron était un homme fini ne tarderait pas à devenir réalité. Elle le fit se lever péniblement et, lui tenant le bras, le conduisit dans l'atrium où il faisait plus frais. Quintus et moi les suivîmes.

— Tu n'es pas fini ! l'entendis-je dire d'une voix sévère. Tu as ton procès – eh bien, maintenant, à toi de plaider !

Cicéron marmonna une réponse.

— Tout cela est très bien, Terentia, mais tu ne comprends pas ce qui vient de se passer ! s'écria Quintus.

Et il lui raconta la nomination de Metellus à la présidence du tribunal des extorsions, et ses implications. Il n'y avait aucune chance de pouvoir faire accuser Verrès si c'était *lui* qui présidait. Leur seul espoir demeurait donc que le procès soit conclu avant la fin décembre. Mais cela paraissait impossible, vu l'art qu'avait Hortensius de faire traîner les choses. Il y avait tout simplement trop de preuves pour le temps disponible : seulement dix jours avant les jeux de Pompée, et le seul discours d'ouverture de Cicéron prendrait déjà presque tout. A peine aurait-il terminé d'énoncer son cas que la cour serait ajournée pendant près d'un mois et, le temps qu'ils se réunissent à nouveau, le jury aurait oublié ses arguments les plus brillants.

— Non que cela ait beaucoup d'importance, conclut sombrement Quintus, puisque la plupart d'entre eux sont déjà à la solde de Verrès.

— C'est la vérité, Terentia, intervint Cicéron en regardant autour de lui comme s'il venait de se réveiller et de comprendre où il était. Je dois me retirer de la course à l'édilité, ajouta-t-il. Ce serait déjà humiliant de perdre, mais plus humiliant encore de gagner et de ne pas pouvoir assumer les devoirs de ma charge.

— C'est pathétique, répliqua Terentia en dégageant

son bras avec emportement. Tu ne mérites pas d'être élu si tu capitules au premier échec, sans même te battre !

— Ma chère, fit Cicéron sur un ton suppliant en pressant sa main sur son front, si tu m'expliques comment je suis censé défier le temps lui-même, alors je me battrai bravement. Mais que puis-je faire, avec seulement dix jours pour énoncer mon accusation avant que la cour ne se mette en vacances pendant des semaines d'affilée ?

Terentia se pencha vers lui au point que son visage se retrouva à quelques pouces à peine de celui de son époux.

— Raccourcis ton discours ! siffla-t-elle.

Lorsque sa femme se fut retirée dans sa partie de la maison, Cicéron, pas encore remis de son malaise, se réfugia dans son bureau et y resta un long moment, assis les yeux fixés sur le mur. Nous le laissâmes seul. Sthenius arriva juste avant le coucher du soleil pour nous informer que Quintus Metellus avait convoqué tous les témoins siciliens chez lui, et que quelques-uns parmi les plus timorés avaient bêtement obtempéré. Sthenius avait obtenu de l'un d'eux un compte rendu complet de la façon dont Metellus avait cherché à les intimider pour qu'ils retirent leur témoignage. « Je suis consul désigné, avait-il tonné. L'un de mes frères gouverne la Sicile et l'autre va présider le tribunal des extorsions. De nombreuses mesures ont été prises pour faire en sorte que Verrès ne soit pas inquiété. Nous n'oublierons pas ceux qui auront été contre nous. » Je pris en note la citation exacte et allai timidement voir Cicéron. Il n'avait pas bougé depuis plusieurs heures. Je lui lus les propos de Metellus, mais il ne parut pas entendre.

Je commençais à être sérieusement inquiet et m'apprêtais à retourner chercher son frère ou sa femme quand son esprit émergea soudain des limbes où il avait erré.

— Organise-moi un rendez-vous avec Pompée pour ce soir, me dit soudain Cicéron d'une voix sinistre, regardant toujours droit devant lui.

Voyant que j'hésitais et me demandais s'il ne s'agissait pas d'un nouveau symptôme du mal dont il souffrait, il me foudroya du regard et me lança :

— Vas-y !

La maison de Pompée se trouvait tout près dans le même quartier du mont Esquilin que celle de Cicéron. Le soleil venait de disparaître, mais il faisait encore clair, et terriblement chaud, avec un vent dolent en provenance de l'est – la pire combinaison possible en cette période de l'été parce quelle charriait dans le voisinage la puanteur des corps en décomposition émanant des grandes fosses communes, derrière le mur d'enceinte de la ville. Je crois que le problème se pose moins aujourd'hui mais, il y a soixante ans, la porte Esquinile était l'endroit où l'on laissait toutes les créatures mortes indignes de funérailles convenables – les cadavres de chiens, de chats, de chevaux, d'ânes, d'esclaves, d'indigents et de bébés mort-nés, le tout mêlé et se décomposant avec les ordures ménagères. La puanteur attirait toujours des volées de mouettes hurlantes, et je me souviens que, ce soir-là, elle était particulièrement puissante : une odeur rance et pénétrante qui se déposait sur la langue tout autant qu'elle envahissait les narines.

La demeure de Pompée était beaucoup plus vaste que celle de Cicéron, avec deux licteurs postés devant et une foule de curieux rassemblés de l'autre côté de la rue. Il y avait aussi une demi-douzaine de litières couvertes rangées à l'abri du mur, dont les porteurs, accroupis à côté, jouaient aux osselets – signe qu'on donnait un grand dîner à l'intérieur. Je délivrai mon message au portier, qui disparut aussitôt et revint un instant plus tard avec le préteur désigné, Palicanus, qui essuyait son menton graisseux avec une serviette. Il me reconnut et me demanda de quoi il s'agissait. Je lui répétai mon message.

— Et comment ! répondit Palicanus, toujours aussi direct. Tu peux lui dire de ma part que le consul le recevra tout de suite.

Cicéron devait savoir que Pompée accepterait de le rencontrer car, lorsque je rentrai, il s'était déjà changé et, encore très pâle, se tenait prêt à partir. J'échangeai un dernier regard avec Quintus, puis nous nous mîmes en route. Nous n'échangeâmes pas un mot en chemin – Cicéron, qui détestait tout ce qui se rapportait à la mort, garda sa manche pressée contre son nez et sa bouche pour empêcher l'odeur du champ Esquilin d'y pénétrer.

— Attends ici, me dit-il lorsque nous eûmes atteint la maison de Pompée, et je ne le revis pas pendant plusieurs heures.

Le jour s'estompa tout à fait, la lumière crépusculaire violacée se muant en obscurité alors que les étoiles commençaient d'apparaître par petits groupes au-dessus de la ville. Occasionnellement, lorsque la porte s'ouvrait, des éclats de voix et de rires étouffés se déversaient dans la rue, avec des bouffées de fumets de viande et de poisson rôtis. Mais en cette nuit délétère, tout me paraissait sentir la mort, et je me demandais comment faisait Cicéron pour manger, car il était à présent évident que Pompée l'avait invité à se joindre au dîner.

Je fis les cent pas, m'adossai au mur, tentai de mettre

au point quelques nouveaux symboles pour mon grand système de prise de notes et essayai de m'occuper du mieux que je pus pendant que la nuit se déroulait. Enfin, les invités commencèrent à sortir, la moitié d'entre eux trop ivres pour tenir debout. C'était bien la bande de Picenus qui était là – Afranius, ancien préteur et amateur de danse ; Palicanus, bien sûr ; et Gabinius, beau-fils de Palicanus, qui avait aussi la réputation d'aimer les femmes et les chansons. Cela ressemblait fort à une réunion d'anciens combattants, et il me paraissait difficile d'imaginer que Cicéron ait pu s'amuser. Seul le cultivé et austère Varron – « Celui qui a montré à Pompée où se trouvait le Sénat », selon l'expression lapidaire de Cicéron – avait dû être d'une compagnie acceptable, d'autant plus qu'il semblait toujours sobre en quittant la demeure. Cicéron fut le dernier à partir. Il s'engagea dans la rue et je courus après lui. Une belle lune jaune brillait dans le ciel, et je n'eus aucun mal à distinguer sa silhouette. Il gardait à nouveau la main contre son nez, car ni la chaleur ni l'odeur n'avaient beaucoup faibli, et, dès qu'il fut à distance respectable de la maison de Pompée, il s'appuya contre un coin de rue et vomit avec violence.

J'arrivai derrière lui et lui demandai s'il avait besoin d'aide, sur quoi il secoua la tête et me répondit :

— C'est fait.

Il ne m'en dit pas plus et, lorsqu'il rentra à la maison, il n'en dit pas davantage à Quintus, qui l'attendait avec inquiétude.

— C'est fait.

Le lendemain, à l'aube, nous parcourûmes les deux milles qui nous séparaient du Champ de Mars pour la suite des élections. Même si celles-ci étaient moins prestigieuses que les élections au consulat et à la préture, elles présentaient néanmoins l'avantage d'être toujours beaucoup plus excitantes. Il y avait trente-quatre hommes à élire (vingt sénateurs, dix tribuns, et quatre édiles), ce qui signifie que les candidats étaient tout simplement trop nombreux pour qu'on puisse contrôler les suffrages : à partir du moment où la voix d'un homme riche n'avait pas plus de poids que celle d'un pauvre, tout pouvait arriver. Crassus présidait en tant que deuxième consul ces élections supplémentaires mais, comme le fit remarquer sombrement Cicéron en mettant ses chaussures :

— Je suppose que même lui ne pourrait pas truquer le scrutin.

Il s'était réveillé de mauvaise humeur, visiblement préoccupé. Quel qu'il fût, l'accord qu'il avait conclu la veille avec Pompée avait visiblement troublé son sommeil, et il s'emporta contre son valet, sous le prétexte que ses chaussures n'étaient pas aussi impeccables qu'elles l'auraient dû. Il revêtit la même toge d'un blanc éclatant qu'il avait endossée six ans plus tôt jour pour jour, lorsqu'il avait été élu au Sénat pour la première fois, et se prépara mentalement avant qu'on ouvre la porte d'entrée, comme s'il était sur le point de soulever quelque chose de très lourd. Cette fois encore, Quintus avait bien travaillé, et une foule superbe attendait d'escorter Cicéron aux parcs de vote. Lorsque nous arrivâmes au Champ de Mars, nous le trouvâmes bondé jusqu'au fleuve : on procédait à un recensement et des dizaines de milliers de personnes étaient venues se faire enregistrer. Vous imaginez le tumulte. Il devait y avoir une centaine de candidats pour les trente-quatre postes à pourvoir et, sur le vaste champ ouvert, on pouvait voir ces silhouettes éclatantes passer et repasser, accompagnées par leurs amis et partisans, pour essayer de recueillir les toutes dernières voix avant l'ouverture du scrutin. La chevelure rousse de Verrès se faisait remarquer alors qu'il courait partout flanqué de son père, de son fils et de son esclave affranchi Timarchides – le personnage qui avait fouillé notre maison –, faisant à qui accepterait de voter contre Cicéron les promesses les plus extravagantes. Cette vision parut chasser instantanément les idées noires de Cicéron, et il se lança lui aussi dans la campagne. Je crus à plusieurs reprises que nos groupes allaient s'affronter, mais la foule était telle que cela fut évité.

Lorsque l'augure se déclara satisfait, Crassus sortit de la tente sacrée, et les candidats se rassemblèrent au pied de sa tribune. Je dois signaler que parmi eux, pour sa première tentative d'entrée au Sénat, se trouvait Jules César, qui se tenait près de Cicéron et entamait avec lui une conversation amicale. Il y avait longtemps déjà qu'ils se connaissaient, et c'était en fait sur la recommandation de Cicéron que le jeune homme s'était rendu à Rhodes étudier la rhétorique auprès d'Apollonius Molon. L'hagiographie que l'on dresse aujourd'hui autour des premières années de César tend à en faire un génie remarqué par ses contemporains depuis son plus jeune âge. Il n'en est rien, et quiconque l'eût vu dans sa toge blanchie ce matin-là, tripotant nerveusement ses cheveux déjà clairsemés, aurait eu du mal à le distinguer des autres jeunes candidats de bonne famille. Il y avait cependant une grande différence : peu d'entre eux auraient pu être aussi pauvres. Pour se présenter aux élections, il avait dû s'endetter lourdement car il habitait dans la Subura un logement très modeste peuplé de femmes – sa mère, son épouse et sa petite fille – et je me le représente à cette époque non comme un héros radieux prêt à conquérir Rome mais comme un trentenaire insomniaque, que le vacarme de son voisinage indigent empêchait de dormir et qui ressassait amèrement l'état de pauvreté auquel lui, le descendant d'une des plus anciennes familles de Rome, était réduit. Son antipathie envers les aristocrates était par conséquent bien plus dangereuse pour eux que ne le fut jamais celle de Cicéron. Ne devant son statut qu'à lui-même, Cicéron ne les appréciait guère et les enviait tout à la fois. Mais César, qui se considérait comme un descendant en ligne directe de Vénus, ne voyait en eux que de méprisables usurpateurs.

Voilà que je me laisse emporter à commettre la même faute que les hagiographes, à savoir projeter la lumière déformante de l'avenir sur les ombres du passé. Rapportons simplement que ces deux hommes remarquables, qui n'avaient que six ans d'écart et beaucoup en commun quant à l'intelligence et l'apparence, bavardaient aimablement au soleil lorsque Crassus monta à la tribune et lut la prière familière :

— Puisse cette affaire s'achever bien et heureusement pour moi, pour mes meilleures intentions, pour ma charge, et pour le peuple de Rome !

Puis le vote commença.

Conformément à la tradition, la première tribu à pénétrer dans le parc fut la Suburana. Mais en dépit de tous les efforts de Cicéron depuis des années, ses membres ne votèrent pas pour lui. Ce fut un rude coup, qui suggérait fortement que les agents corrupteurs de Verrès avaient mérité leur prime. Cicéron se contenta cependant de hausser les épaules : il savait que beaucoup de personnalités influentes qui devaient encore voter observeraient sa réaction, et il importait d'afficher un masque de confiance. Puis ce fut au tour des trois autres tribus de la cité de voter chacune à leur tour : l'Esquilina, la Collina et la Palatina. Cicéron obtint le soutien des deux premières, mais pas de la troisième, ce qui n'était guère surprenant dans la mesure où il s'agissait certainement de la tribu la plus proaristocratique de toutes les communautés romaines. Le score était donc de deux contre deux, soit un début plus serré qu'il ne l'aurait voulu. Les trente et une tribus rustiques commencèrent ensuite à s'aligner, les Aemilia, Camilia, Fabia, Galeria… je connaissais tous ces noms, qui figuraient dans les dossiers de son bureau, je savais quel était le personnage important pour chacune d'elles, qui avait besoin d'une faveur et qui en devait une. Trois sur quatre votèrent pour Cicéron. Quintus s'approcha pour lui chuchoter quelque chose à l'oreille et, pour la première fois peut-être, il put se permettre de se détendre en constatant que l'argent de Verrès s'était de toute évidence révélé plus tentant pour les tribus composées en majorité d'habitants de la ville. Les Horatia, Lemonia, Papiria, Menenia… La journée se poursuivit ainsi dans la chaleur et la poussière. Cicéron s'asseyait sur un tabouret entre les dépouillements, mais il se levait toujours dès que les électeurs passaient devant lui après avoir voté, et il fouillait sa mémoire pour retrouver leur nom, les remercier et saluer leur famille. Les Sergia, Voltina, Pupina, Romilia… Cicéron n'obtint pas le vote de cette dernière tribu, ce qui n'avait rien d'étonnant puisque c'était celle de Verrès, néanmoins, au milieu de l'après-midi, il avait gagné le soutien de seize tribus et il ne lui en manquait plus que deux pour obtenir la victoire. Verrès n'avait cependant pas encore abandonné et passait encore de groupe en groupe avec son fils et Timarchides. Durant une heure éprouvante, la balance parut pencher de son côté. Les Sabatini ne votèrent pas pour Cicéron, les Publilia non plus. Mais il passa de justesse avec les Scaptia et fut enfin propulsé au sommet par les Falerna, de Campanie du

Nord : sur les trente tribus qui avaient voté jusque-là, dix-huit avaient donné leurs voix à Cicéron, et cinq tribus n'avaient pas encore voté. Mais quelle importance ? Il était arrivé au bout de ses peines et, sans que je m'en aperçoive, Verrès quitta discrètement le terrain de vote pour aller compter ses pertes. César, dont l'élection au Sénat venait d'être confirmée, fut le premier à se retourner pour serrer la main de Cicéron. Je vis Quintus brandir triomphalement les poings en l'air tandis que Crassus fixait avec colère un point dans le lointain. Il y eut des acclamations de la part des spectateurs qui faisaient eux-mêmes leur décompte, ces fidèles fanatiques qui suivent les élections comme d'autres se passionnent pour les courses de chars – ils appréciaient particulièrement ce qui venait de se passer. Le vainqueur lui-même paraissait stupéfait de sa victoire, mais personne n'aurait pu la contester, pas même Crassus, qui allait devoir la proclamer en essayant de ne pas s'étouffer. Contre toute attente, Marcus Cicéron devenait édile de Rome.

Une grande foule – elles sont toujours plus denses après une victoire – escorta Cicéron du Champ de Mars jusqu'à chez lui, où les esclaves domestiques s'étaient rassemblés sur le seuil de sa maison pour l'applaudir. Même Diodotus, le stoïque aveugle, fit une rare apparition. Nous étions tous fiers d'appartenir à une personnalité si éminente ; sa gloire rejaillissait en effet sur chaque membre de la maisonnée ; notre valeur et notre amour-propre augmentant proportionnellement aux siens. Tullia surgit de l'atrium en s'écriant « Papa ! » et enroula ses bras autour des jambes de son père. Terentia elle-même vint l'embrasser en souriant. Je garde cette image d'eux trois dans ma mémoire – le jeune orateur triomphant, la main gauche posée sur la tête de sa fille et la droite enlaçant les épaules de sa femme visiblement heureuse. La nature accorde au moins ce don à ceux qui sourient rarement : lorsque cela leur arrive, leur physionomie en est transformée, et je vis en cet instant que, malgré toutes ses récriminations contre son mari, Terentia était fière de son intelligence et de sa réussite.

Ce fut Cicéron qui rompit à contrecœur cette étreinte familiale.

— Je vous remercie tous, déclara-t-il en regardant son public tout acquis. Mais l'heure de la fête n'est pas encore venue. Nous ne pourrons célébrer la victoire que lorsque Verrès sera vaincu. Demain, enfin, j'ouvrirai le procès au forum, alors prions les dieux pour que, sous peu, un honneur plus grand encore échoie à cette maison. Alors, qu'attendez-vous ? demanda-t-il avant de claquer des mains. Au travail !

Cicéron se retira avec Quintus dans son bureau et me fit signe de les suivre. Il se jeta dans son fauteuil avec un soupir de soulagement et lança ses chaussures au loin. Pour la première fois depuis plus d'une semaine, la tension semblait avoir disparu de son visage. Je supposais qu'il voulait se mettre de toute urgence à la mise en forme de son discours, mais il avait apparemment pour moi d'autres projets. Je devais retourner en ville avec Sositheus et Laurea, et nous devions à nous trois aller voir tous les témoins siciliens pour leur apprendre son élection, vérifier qu'ils tenaient bon et leur donner comme instruction de se présenter le lendemain matin au tribunal.

— Tous ? répétai-je avec étonnement. Tous les cent ?

— C'est bien ça, répondit-il, sa voix ayant recouvré toute sa fermeté. Et dis à Eros d'engager une douzaine de porteurs, des hommes de confiance, pour que toutes les caisses de preuves puissent m'accompagner au tribunal dès demain matin.

— Tous les témoins… une douzaine de porteurs… toutes les caisses de preuves…, répétai-je pour dresser la liste de ses instructions. Mais je n'en aurai pas terminé avant minuit, dis-je, incapable de dissimuler ma stupeur.

— Pauvre Tiron. Mais ne t'en fais pas – nous aurons tout le temps de dormir quand nous serons morts.

— Je ne m'inquiète pas pour mon sommeil, sénateur, répliquai-je avec raideur. Je me demandais seulement quand je pourrais vous aider à rédiger votre discours.

— Je n'aurai pas besoin de ton aide, dit-il avec un petit sourire.

Puis il porta un doigt à ses lèvres pour me prévenir de ne rien dire. Mais comme je n'avais aucune idée du sens de sa remarque, je ne risquais pas de divulguer ses projets et, une fois de plus, je partis dans un état de totale confusion.

IX

Enfin, le 5 août, sous le consulat de Gnaeus Pompée Magnus et de Marcus Licinius Crassus, un an et neuf mois après l'arrivée de Sthenius chez Cicéron, débuta le procès de Gaius Verrès.

Ayez à l'esprit la chaleur estivale. Calculez le nombre de victimes qui avaient intérêt à voir Verrès traduit devant la justice. Rappelez-vous que Rome grouillait de toute façon de citoyens venus pour le recensement, les élections et les prochains jeux de Pompée. Considérez que l'audience affichait les deux plus grands orateurs du jour en combat singulier (« un duel d'une vraie grandeur », comme le qualifia plus tard Cicéron). Mettez tout cela ensemble et vous aurez une petite idée de l'atmosphère qui régnait ce matin-là au tribunal des extorsions. Des centaines de spectateurs déterminés à être bien placés avaient dormi dans le forum. Il ne restait plus dès l'aube un seul endroit libre à l'ombre. A la deuxième heure, il ne restait plus de place du tout. Dans les portiques et sur les marches du temple de Castor, dans le forum lui-même et les colonnades qui l'entouraient, sur les toits et les balcons des maisons, sur les flancs des collines – partout où des êtres humains pouvaient se serrer, se percher ou se suspendre –, on trouvait le peuple de Rome.

Frugi et moi courions comme une paire de chiens de berger pour rameuter nos témoins dans le tribunal. Et quelle assemblée exotique et colorée elles formaient dans leurs robes sacrées et costumes locaux, ces victimes de toutes les étapes de la carrière de Verrès attirées par la promesse de la vengeance – prêtres de Junon et de Cérès, mystagogues de la Minerve de Syracuse et des vierges sacrées de Diane ; nobles grecs dont l'ascendance remontait à Cécrops, Eurysthène ou aux grandes maisons ioniènes et minyènes, et Phéniciens dont les ancêtres avaient été prêtres du Melcarth tyrien, ou soi-disant apparentés au Iah sidonien ; une foule impatiente d'héritiers spoliés et leurs tuteurs, de propriétaires de bateaux, de marchands de grain et de fermiers en faillite, de pères se lamentant sur leurs enfants emmenés en esclavage, d'enfants pleurant leurs parents morts dans les geôles du gouverneur ; de délégations en provenance du pied du Taurus, des bords de la mer Noire, de nombreuses villes du continent grec, des îles de l'Egée et, bien sûr, de tous les bourgs et villes de Sicile.

J'étais tellement occupé à m'assurer que tous les témoins étaient introduits dans l'enceinte du tribunal et que chaque caisse de preuves se trouvait à sa place et sous bonne garde que je ne vis pas tout de suite quel spectacle Cicéron avait mis en scène. Ainsi ces caisses de preuves incluaient à présent des témoignages publics recueillis par les anciens de pratiquement toutes les villes de Sicile. Ce n'est que lorsque les jurés commencèrent à se frayer un passage dans la foule pour rejoindre leur place sur les bancs que je compris pourquoi – homme de spectacle s'il en fut – Cicéron avait tant insisté pour que *tout* soit en place dès la première heure. L'impression produite sur la cour fut extraordinaire. Même les figures de marbre comme celles du vieux Catulus et d'Isauricus trahirent leur surprise. Quant à Glabrio, lorsqu'il sortit du temple, précédé de ses licteurs, et se retrouva confronté à un tel mur de visages, il s'immobilisa un instant en haut des marches et recula d'un demi-pas.

Cicéron, qui s'était tenu à l'écart jusqu'à la toute dernière minute, se fraya un chemin dans la foule puis gravit l'escalier jusqu'à sa place, au banc de l'accusation. Le calme s'imposa soudain ; un frémissement silencieux d'anticipation parcourut l'atmosphère. Sans prêter attention aux cris d'encouragement de ses partisans, Cicéron se retourna et s'abrita les yeux du soleil pour examiner l'assistance, scrutant à droite et à gauche comme, j'imagine, un général pourrait étudier la configuration du terrain et la disposition des nuages avant d'engager la bataille. Puis il s'assit et je me postai derrière lui afin de pouvoir lui passer tous les documents dont il aurait besoin. Les employés du tribunal installèrent la chaise curule de Glabrio – signal que la séance était ouverte – et tout fut prêt, à l'exception de Verrès et d'Hortensius. Cicéron, qui paraissait plus calme qu'il ne l'avait jamais été, se redressa pour me murmurer :

— Peut-être qu'il ne va pas venir en fin de compte.

Inutile de dire qu'il vint bel et bien. Glabrio envoya l'un de ses licteurs – mais Hortensius nous donnait un avant-goût de sa tactique, qui consistait à perdre autant de temps que possible. Finalement, peut-être une heure plus tard, sous les applaudissements ironiques, la silhouette immaculée du consul désigné remonta la foule des spectateurs, suivi par son plus jeune conseiller – rien de moins que le jeune Scipion Nasica, le rival en amour de Caton –, puis par Quintus Metellus et enfin par Verrès lui-même, qui paraissait plus roux encore que d'habitude dans la chaleur du soleil. Pour un homme ayant un tant soit peu de conscience, la vision de tous ces rangs de victimes et accusateurs, tous rangés devant lui, eût dû être une vision de l'enfer. Le monstre se contenta d'un petit salut, comme s'il était content de voir de vieilles connaissances. Glabrio rappela la cour à l'ordre, mais avant que Cicéron ne puisse se lever pour commencer son discours, Hortensius bondit pour solliciter l'attention du juge : selon la loi cornélienne, assura-t-il, un accusateur ne peut convoquer plus de quarante-huit témoins, alors que cet accusateur en avait fait venir au moins le double dans un seul but d'intimidation ! Il se lança ensuite dans un long discours élégant et bien rodé sur l'origine de la cour des extorsions, qui dura ce qui sembla une bonne heure. Puis Glabrio finit par l'interrompre, certifiant qu'il n'y avait rien dans la loi qui restreignît le nombre des témoins présents au tribunal, seulement ceux qui faisaient une déposition verbale. Une fois encore, il invita Cicéron à ouvrir le procès, mais une fois encore, Hortensius intervint avec un autre point de détail. La foule commençait à le huer, mais il poursuivit tout de même, comme il le fit chaque fois que Cicéron se leva pour prendre la parole, perdant ainsi toutes les premières heures de la journée en points de détails légaux sans intérêt.

Ce ne fut qu'au milieu de l'après-midi, alors que Cicéron se levait avec lassitude pour la neuvième ou dixième fois, qu'Hortensius resta enfin assis. Cicéron le regarda, attendit, puis écarta lentement les bras en une attitude de feinte stupéfaction. Une vague de rires parcourut le forum. Hortensius répondit par un geste gracieux de la main en direction de la barre, comme pour répondre « Je vous en prie ». Cicéron s'inclina avec courtoisie et s'avança. Il s'éclaircit la gorge.

Il n'y aurait pu avoir pire moment pour se lancer dans une entreprise aussi immense. La chaleur était insupportable. La foule devenait lasse et impatiente. Hortensius minaudait. Il ne restait peut-être que deux heures avant que la cour n'ajourne l'audience. Et cela allait pourtant être le moment le plus décisif de toute l'histoire du droit romain – voire, je n'en serais guère surpris, de l'histoire du droit en général.

— Messieurs de la cour, commença Cicéron, et je me penchai sur ma tablette pour prendre ses paroles avec mon système de notes.

Pour la première fois, j'ignorais tout de ce qu'il allait dire avant un discours important. J'attendis encore, le cœur battant, puis levai nerveusement les yeux et le vis qui s'éloignait de moi à travers le tribunal. Je crus qu'il allait s'arrêter devant Verrès, mais il le dépassa pour se planter devant les sénateurs qui composaient le jury.

— Messieurs de la cour, répéta-t-il en s'adressant à eux directement. En cette période de grande crise politique voici que l'on vous offre, non pas grâce à la sagesse d'un homme mais presque comme un don du ciel, ce dont vous avez le plus besoin – ce qui vous aidera plus que n'importe quoi d'autre à remédier à l'impopularité de votre ordre et à la suspicion qui entoure ces tribunaux. Il est pratiquement admis – ce qui est aussi pernicieux pour la République que pour vous-mêmes – que ces tribunaux, dont vous, les sénateurs, constituez le jury, ne condamneront jamais un homme, aussi coupable soit-il, s'il a suffisamment *d'argent*.

Et il mit un merveilleux accent plein de mépris sur ce dernier mot.

— Là, tu n'as pas tort ! cria une voix dans la foule.

— Mais le caractère de l'homme que je poursuis est tel, continua Cicéron, que vous pourriez l'utiliser pour restaurer votre réputation. Gaius Verrès a pillé les finances publiques, s'est comporté comme un pirate et comme un fléau destructeur dans la province de Sicile. Il vous suffira de constater la culpabilité de cet homme pour retrouver fort justement le respect des autres. Si vous ne le condamnez pas – si son immense richesse suffit à faire voler en éclats votre honnêteté – eh bien, j'aurai au moins réussi à démontrer quelque chose. La nation ne croira pas que Verrès est innocent et que je me fourvoie… mais elle saura certainement tout ce qu'elle doit savoir sur un jury de sénateurs romains !

C'était un beau coup pour commencer. Il y eut un bruissement d'approbation en provenance du public qui évoqua un souffle de vent à travers une forêt et, curieusement, le point de mire du procès parut soudain se déplacer de vingt pas sur la gauche. C'était comme si les sénateurs, qui transpiraient sous le soleil et se tortillaient inconfortablement sur leurs bancs de bois, étaient brusquement passés au rang d'accusés tandis que l'immense assemblée des témoins venus des quatre coins de la Méditerranée devenaient les juges. Cicéron ne s'était jamais adressé à une telle multitude, mais les cours de Molon sur la plage lui furent très utiles et, lorsqu'il se tourna vers le forum, il avait la voix haute et claire.

— Permettez-moi de vous parler du projet effronté et dément que Verrès a en ce moment à l'esprit. Il lui paraît évident que j'aborde ce procès si bien préparé que je pourrai le coincer comme voleur et criminel, non seulement dans l'enceinte de ce tribunal, mais aux yeux du monde entier. Malgré cela, il tient l'aristocratie en si piètre estime, il juge les tribunaux sénatoriaux si négligeables et corrompus qu'il se croit permis de se vanter partout ouvertement d'avoir acheté la meilleure date pour le début du procès, d'avoir constitué lui-même le jury et, pour plus de sûreté, d'avoir acheté aussi les élections consulaires pour ses deux amis en titre, qui ont essayé d'intimider mes témoins !

Voilà exactement ce que la foule était venue entendre. Le bruissement d'approbation se mua en rugissement. Metellus bondit avec colère, et Hortensius l'imita – oui, même Hortensius, qui accueillait habituellement toutes les provocations faites au sein de l'arène tout au plus d'un froncement de sourcils. Furieux, ils se mirent à gesticuler en direction de Cicéron.

— Pardon ? répliqua-t-il en se tournant vers eux. Escomptiez-vous donc que je me tairais sur une question aussi grave ? Que je puisse me soucier d'autre chose que de mon devoir et de mon honneur quand le pays tout entier et ma propre réputation courent un si grand danger ? Metellus, tu me surprends. Tenter d'intimider des témoins, en particulier ces Siciliens craintifs et déjà tant frappés par le malheur, en en appelant à la peur que leur inspirent ta situation de consul désigné et le pouvoir de tes deux frères – si ce n'est pas de la corruption de justice, je serais heureux de savoir ce que c'est ! Que ne ferais-tu pas pour un parent innocent si tu renonces déjà à ton devoir et à ton honneur pour un vaurien de la pire espèce qui n'est même pas de ta famille ? Parce que, permets-moi de te dire que Verrès proclame partout que tu n'as été élu consul que grâce à ses efforts, et qu'au mois de janvier, il aura les deux consuls et le président du tribunal à sa botte !

Je dus m'arrêter d'écrire à ce moment parce que le tumulte devenait trop fort pour que je puisse continuer d'entendre. Metellus et Hortensius avaient mis leurs mains en porte-voix et hurlaient des choses à l'adresse de Cicéron. Verrès, hors de lui, faisait signe à Glabrio de mettre fin à tout cela. Les sénateurs du jury restaient assis sans bouger – la plupart d'entre eux regrettant, j'en suis sûr, de ne pas se trouver n'importe où ailleurs – pendant que les licteurs s'efforçaient d'empêcher les spectateurs d'envahir le tribunal. Finalement, Glabrio parvint à rétablir l'ordre et Cicéron reprit, d'une voix beaucoup plus calme :

— Telle est donc leur tactique. Aujourd'hui, la cour n'a commencé à siéger qu'en milieu d'après-midi – ils s'imaginent déjà qu'aujourd'hui ne compte pas. Il ne reste plus que dix jours avant les jeux en l'honneur de Pompée le Grand. Ceux-ci prendront quinze jours et seront immédiatement suivis par les jeux romains. Il s'attendent donc à ne pas donner leur réponse avant un délai de près de quarante jours. Ils entendent bien alors pouvoir, grâce à de longs discours et échappatoires techniques diverses, faire durer le procès jusqu'aux jeux de la Victoire. A ces jeux succéderont sans interruption les jeux de la Plèbe, après quoi il ne restera que très peu de jours, voire aucun, durant lesquels la cour pourra siéger. De cette façon, ils s'imaginent que tout l'élan de l'accusation sera retombé, dissipé, et que l'affaire n'aura plus qu'à être représentée devant Marcus Metellus, qui siège à présent dans ce jury.

« Ainsi, que suis-je censé faire ? Si je consacre à mon discours tout le temps alloué par la loi, il y a un très gros risque que l'homme que je poursuis me file entre les doigts. La réponse évidente qui m'a été donnée il y a quelques jours est : “Raccourcis ton discours !”, et c'est un conseil judicieux. Mais, après réflexion, je vais faire encore mieux. Messieurs, *je ne vais pas faire de discours du tout.*

Je levai les yeux, stupéfait. Cicéron regardait Hortensius, et son rival le dévisageait avec la plus merveilleuse expression de stupeur figée sur le visage. Comme un homme qui se promènerait gaiement dans un bois, se croyant seul et en sécurité, et qui s'immobiliserait en entendant une brindille craquer derrière lui, soudain effarouché.

— C'est vrai, Hortensius, reprit Cicéron, je ne vais pas me prêter à ton jeu et passer les dix prochains jours à prononcer le long discours habituel. Je ne vais pas laisser cette affaire s'éterniser jusqu'en janvier pour que Metellus et toi puissiez, en tant que consuls, envoyer vos licteurs chercher mes témoins afin de les faire taire en les terrorisant. Je ne vous offrirai pas, messieurs les jurés, le luxe d'avoir quarante jours pour oublier mes accusations et vous perdre, vous et votre conscience, dans les buissons touffus de la rhétorique d'Hortensius. Je ne vais pas remettre le règlement de cette affaire à un moment où tous ces gens qui sont venus à Rome pour le recensement et les jeux seront rentrés chez eux, dispersés dans toute l'Italie. Je vais appeler mes témoins dès maintenant ; je vais commencer sur-le-champ et voilà comment je vais procéder : je lirai l'accusation individuelle. Je la commenterai et en expliquerai les détails. J'appellerai le témoin qui la soutient et je l'interrogerai. Puis toi, Hortensius, tu auras la même possibilité que moi de présenter tes commentaires et d'interroger le témoin. Je vais donc faire cela et conclurai ma plaidoirie en l'espace de dix jours.

Durant toute ma longue vie, j'ai chéri – et continuerai de chérir pendant le peu de temps qu'il me reste à vivre – la réaction d'Hortensius, de Verrès, de Metellus et de Scipion Nasica en cet instant. Evidemment, Hortensius se leva dès qu'il fut revenu de son saisissement et protesta que ce manquement à la procédure habituelle était parfaitement illégal. Mais Glabrio l'attendait de pied ferme, et lui répliqua d'un ton sans réplique que Cicéron avait parfaitement le droit de mener son accusation comme il l'entendait, et qu'il en avait pour sa part plus qu'assez des discours interminables, comme il l'avait déjà clairement fait savoir dans cette même cour avant les élections consulaires. Sa remarque avait visiblement été préparée auparavant, et Hortensius fut à nouveau debout pour l'accuser de collusion avec l'accusation. Glabrio, qui était pour le moins quelqu'un d'irritable, le prévint qu'il ferait mieux de tenir sa langue s'il ne voulait pas qu'il lui envoie ses licteurs pour le faire sortir du tribunal, tout consul désigné qu'il était. Hortensius se rassit avec fureur, croisa les bras et baissa résolument les yeux sur ses pieds tandis que Cicéron concluait son introduction en se tournant à nouveau vers le jury.

— Aujourd'hui, le monde a les yeux tournés vers nous et attend de voir dans quelle mesure la conduite de chacun d'entre nous sera dictée par sa conscience et le respect de la loi. Lorsque vous rendrez votre verdict et vous prononcerez sur le prisonnier, le peuple de Rome se prononcera sur vous. Le cas de Verrès déterminera si, avec des sénateurs pour juges, un homme si évidemment coupable et aussi riche peut être condamné. Parce qu'il est de notoriété publique que Verrès ne se distingue par rien d'autre que ses crimes monstrueux et son immense fortune. S'il est acquitté, il sera donc impossible d'imaginer d'autres explications que les plus honteuses. Messieurs, je vous conseille donc, pour votre bien, de faire en sorte que cela ne se produise pas.

Là-dessus, il leur tourna le dos.

— J'appelle mon premier témoin… Sthenius de Therme.

Je doute fortement qu'aucun aristocrate de ce jury – Catulus, Isauricus, Metellus, Catilina, Lucretius,

Aemilius et les autres – n'ait eu à subir une telle insolence auparavant, surtout de la part d'un homme nouveau sans le moindre masque ancestral à exposer sur le mur de son atrium. Comme ils ont dû détester de devoir rester là, sans réagir, pendant que Cicéron allait s'asseoir sous l'ovation extatique de la foule en délire. Quant à Hortensius, on avait presque envie de le plaindre. Il avait fondé toute sa carrière sur sa capacité à mémoriser d'interminables discours et à les prononcer avec l'aplomb d'un acteur. Et voilà qu'il se retrouvait frappé de mutisme ; pis encore, il devait envisager la perspective d'avoir à faire quatre douzaines de minidiscours pour répondre à chacun des témoins que Cicéron allait présenter durant les dix jours suivants. Il n'avait pas, loin de là, effectué les recherches suffisantes pour y parvenir, comme cela se révéla cruellement évident lorsque Sthenius monta à la barre des témoins. Cicéron l'avait appelé en premier en signe de respect pour celui qui était à l'origine de toute cette fantastique entreprise, et le Sicilien fut loin de le décevoir. Il y avait longtemps qu'il attendait ce jour devant le tribunal, et il en tira le meilleur parti possible, donnant un compte rendu déchirant de la façon dont Verrès avait abusé de son hospitalité, volé ses biens, forgé des accusations contre lui, puis l'avait condamné à payer une amende et à recevoir le fouet avant de le condamner à mort en son absence puis de falsifier les enregistrements du tribunal de Syracuse – enregistrements que Cicéron produisit à titre de preuve et fit circuler dans le jury.

Lorsque Glabrio pria Hortensius d'interroger à son tour le témoin, le Maître de Danse montra, ce qui n'était pas surprenant, quelque réticence à prendre la parole. La règle d'or du contre-interrogatoire est de ne jamais, quelles que soient les circonstances, poser une question dont on ne connaît pas la réponse, et Hortensius n'avait tout simplement aucune idée de ce que Sthenius pourrait dire. Il déplaça deux ou trois papiers, s'entretint à voix basse avec Verrès puis s'approcha de la barre des témoins. Que pouvait-il faire ? Après quelques questions irritées cherchant à démontrer que le Sicilien était fondamentalement hostile à la loi romaine, il lui demanda pourquoi, entre tous les avocats disponibles, il avait choisi directement d'aller voir Cicéron – connu pour être un agitateur des basses classes. N'avait-il pas voulu depuis le début créer de l'agitation ?

— Mais je ne suis pas allé directement voir Cicéron, répondit Sthenius en toute ingénuité. Le premier avocat que je suis allé voir, c'est toi.

Il y eut des rires, même parmi les jurés.

Hortensius déglutit, et s'efforça de rire avec les autres.

— Vraiment ? Je ne peux pas dire que je me souvienne de toi.

— Eh bien, ce n'est pas très étonnant, si ? Tu es un homme très occupé. Mais moi, je me souviens de toi, sénateur. Tu as dit que tu représentais Verrès. Tu as dit que tu te moquais éperdument de ce qu'il m'avait volé, et qu'aucune cour de justice ne croirait jamais la parole d'un Sicilien contre celle d'un Romain.

Hortensius dut attendre que le tonnerre de sifflets s'apaise.

— Je n'ai pas d'autre question, déclara-t-il d'une voix lugubre.

Le procès fut alors ajourné jusqu'au lendemain.

Mon intention était au départ de décrire en détail le procès de Gaius Verrès, mais maintenant que j'ai commencé à l'écrire, je me rends compte que c'est inutile. Après le coup de maître tactique de Cicéron lors de ce premier jour, Verrès et ses avocats donnèrent principalement l'impression d'être victimes d'un siège : terrés dans leur petite forteresse, cernés par leurs ennemis, frappés jour après jour par une pluie de projectiles tandis que des galeries se creusaient sous les murs qui s'éboulaient. Ils n'avaient aucun moyen de riposter. Leur seul espoir était de parvenir à résister à l'assaut pendant les neuf jours restants, puis d'essayer de se ressaisir pendant la pause imposée par les jeux de Pompée. L'objectif de Cicéron était des plus clairs : anéantir les défenses de Verrès de telle sorte que, lorsqu'il aurait terminé l'exposé de son cas, même le jury sénatorial le plus corrompu de Rome n'oserait pas l'acquitter.

Cicéron s'attela à sa mission avec sa discipline habituelle. L'équipe de l'accusation se réunissait avant l'aube. Pendant que Cicéron faisait sa gymnastique puis se faisait raser et habiller, je lui lisais les récits des témoins qu'il allait appeler ce jour-là, et lui dressais la liste des preuves. Il me dictait ensuite les grandes lignes de ce qu'il allait dire. Pendant une heure ou deux, il se familiarisait avec l'ordre du jour et mémorisait l'ensemble de ses remarques pendant que Quintus, Frugi et moi nous assurions que tous ses témoins et coffrets de preuves étaient prêts. Nous descendions alors en procession la colline jusqu'au forum – car là, il s'agissait bien d'une procession si l'on considère que, dans tout Rome, la prestation de Cicéron devant le tribunal passait pour le meilleur spectacle de la ville. La foule était aussi dense le deuxième et le troisième jour que le premier, et le récit des témoins était souvent bouleversant lorsqu'ils s'effondraient en larmes en racontant les turpitudes dont ils avaient fait l'objet. Je me rappelle en particulier Dio d'Halésa, à qui l'on avait dérobé dix mille sesterces, et les deux frères d'Agyrium, contraints de céder tout leur héritage de quatre mille sesterces. Il aurait dû y en avoir d'autres, mais Marcus Metellus avait catégoriquement refusé de laisser partir une dizaine de témoins, et parmi eux Heraclius de Syracuse – un outrage à la justice que Cicéron n'eut aucun mal à tourner à son avantage.

— Les droits de nos alliés, tonna-t-il, ne comprenaient même pas la permission de se plaindre de leurs souffrances !

Aussi incroyable que cela puisse paraître, Hortensius, lui, ne pipait mot. Cicéron terminait son examen du témoin et Glabrio proposait au Roi des Tribunaux de l'interroger à son tour, mais Sa Majesté se contentait de secouer royalement la tête ou de déclarer sur un ton hautain :

— Je n'ai pas de question pour le témoin.

Le quatrième jour, Verrès plaida un malaise pour se faire excuser, mais Glabrio ne voulut rien entendre et lui dit qu'on l'amènerait au tribunal sur son lit, si nécessaire.

Ce fut l'après-midi suivant que Lucius, le cousin de Cicéron, rentra enfin à Rome, sa mission en Sicile terminée. Cicéron fut enchanté de le trouver à la maison en rentrant du tribunal, et il l'embrassa en pleurant à chaudes larmes. Sans l'aide de Lucius, qui avait expédié preuves et témoins sur le continent, le dossier de Cicéron n'aurait pas été moitié aussi solide. Mais ces sept mois d'efforts avaient visiblement épuisé le jeune homme. Lucius, qui avait toujours été assez faible, était à présent d'une maigreur alarmante et souffrait d'une toux convulsive et douloureuse. Même ainsi, sa détermination à faire condamner Verrès demeurait inébranlable – à tel point qu'il avait manqué l'ouverture du procès pour faire un détour avant de rentrer à Rome. Il avait en effet séjourné à Putéoles pour y retrouver deux autres témoins : le chevalier romain Gaius Numitorius, qui avait assisté à la crucifixion de Gavius à Messana, et un ami à lui, un marchand qui avait pour nom Marcus Annius et qui se trouvait à Syracuse quand le banquier romain Herennius avait été exécuté sur décision judiciaire.

— Et où se trouvent ces messieurs ? demanda Cicéron avec empressement.

— Ici, répondit Lucius. Dans le tablinum. Mais je dois t'avertir qu'ils ne veulent pas témoigner.

Cicéron s'empressa d'aller rejoindre ces deux hommes imposants – « les témoins parfaits, comme il raconta plus tard, prospères, respectables, sobres et, surtout, pas siciliens ». Comme Lucius l'avait annoncé, ils renâclaient à s'impliquer ; c'étaient des hommes d'affaires, qui n'avaient aucune envie de se faire des ennemis puissants et n'appréciaient guère la perspective de jouer un rôle décisif dans le grand spectacle antiaristocratique que donnait Cicéron dans le forum romain. Mais il les fit changer d'avis car ils n'étaient pas bêtes et s'aperçurent vite que, dans le compte des pertes et profits, ils avaient davantage à gagner en s'alignant du côté des vainqueurs.

— Vous savez ce que Pompée a dit à Sylla quand le vieil homme essayait de lui refuser un triomphe pour son vingt-sixième anniversaire ? demanda Cicéron. Il me l'a raconté l'autre soir, au dîner. « Il y a plus de monde qui vénère le soleil levant que le soleil couchant. »

Ce mélange pertinent de noms célèbres, d'appel au patriotisme et à l'intérêt personnel finit par l'emporter, et au moment de dîner en compagnie de Cicéron et de sa famille, ils l'avaient assuré de leur soutien.

— Je savais que si je te les laissais un moment, tu en ferais ce que tu voudrais, lui chuchota Lucius.

Je pensais que Cicéron les ferait monter à la barre des témoins dès le lendemain, mais il était trop malin pour ça.

— Le clou d'un spectacle doit toujours venir à la fin, dit-il.

Il faisait maintenant monter le niveau de l'indignation à chaque preuve produite, et était passé de la corruption des juges, l'extorsion et le vol qualifié à des châtiments cruels et anormaux. Le huitième jour du procès, il fit témoigner deux capitaines de la marine sicilienne, Phalacrus de Centuripa et Onasus de Ségeste, qui racontèrent comment leurs hommes et eux-mêmes n'avaient pu échapper au fouet et à l'exécution qu'en versant des pots-de-vin à l'affranchi de Verrès Timarchides (présent au tribunal, je suis heureux de le dire, pour subir son humiliation en personne). Pis encore, les familles de ceux qui n'avaient pu réunir les sommes suffisantes pour que leurs parents soient libérés s'étaient vu réclamer de l'argent pour que le bourreau ne saccage pas volontairement la décapitation de leurs proches.

— Imaginez la douleur insoutenable, l'angoisse de ces malheureux parents contraints d'acheter pour leurs enfants non pas la vie mais une mort rapide !

Je voyais les sénateurs du jury secouer la tête et échanger des propos à voix basse, et, chaque fois que Glabrio invitait Hortensius à interroger les témoins et que l'avocat répondait, encore et toujours : « Pas de question », ils grognaient de plus en plus. Leur position devenait intolérable et, cette nuit-là, nous parvinrent les premières rumeurs comme quoi Verrès avait déjà vidé sa maison et s'apprêtait à fuir en exil.

Telle était donc la situation au neuvième jour, quand nous fîmes venir Annius et Numitorius au tribunal. Il ne restait plus que deux jours avant les grands jeux de

Pompée, et la foule qui occupait le forum était plus dense que jamais. Verrès arriva en retard, et visiblement ivre. Il trébucha en montant les marches du temple jusqu'au tribunal, et Hortensius dut le soutenir tandis que le public hurlait de rire. Lorsqu'il passa devant Cicéron, il lui adressa de ses yeux injectés de sang un regard consterné où se mêlaient la peur et la rage – le regard affolé d'un animal pourchassé, acculé. Cicéron ne perdit pas de temps et appela son premier témoin, Annius, qui rapporta qu'un matin, alors qu'il inspectait une cargaison sur le port de Syracuse, un ami était arrivé en courant pour lui annoncer que leur associé, Herennius, était enchaîné sur le forum et tentait de défendre sa tête.

— Qu'as-tu fait, alors ?

— Je m'y suis rendu tout de suite, naturellement.

— Et qu'as-tu découvert ?

— Il y avait peut-être une centaine de personnes sur place qui hurlaient qu'Herennius était un citoyen romain et ne pouvait être exécuté sans un procès en bonne et due forme.

— Comment savais-tu qu'Herennius était un citoyen romain ? N'était-ce pas un banquier qui arrivait d'Espagne ?

— Beaucoup d'entre nous le connaissaient personnellement. Même s'il avait des affaires en Espagne, il était né à Syracuse, d'une famille romaine et avait grandi dans cette ville.

— Et quelle a été la réponse de Verrès à vos protestations ?

— Il a ordonné qu'Herennius soit décapité sur-le-champ.

Un grondement d'horreur parcourut le tribunal.

— Qui a assené le coup fatal ?

— Le bourreau, Sextius.

— A-t-il fait son travail vite et bien ?

— Pas vraiment, non.

— De toute évidence, dit Cicéron en se tournant vers le jury, il n'avait pas versé de pots-de-vin suffisants à Verrès et à sa bande de malfaiteurs.

Pendant la majeure partie du procès, Verrès était resté vautré sur son siège, mais ce matin-là, poussé par l'alcool, il bondit et se mit à crier qu'il n'avait jamais touché de pots-de-vin. Hortensius dut le faire asseoir. Cicéron ne lui prêta aucune attention et continua de questionner calmement son témoin.

— Voilà une situation extraordinaire, non ? Une centaine d'entre vous se portent garants de l'identité de ce citoyen romain, mais Verrès n'attend même pas une heure pour vérifier qui il est véritablement. Comment expliques-tu cela ?

— Je l'expliquc très simplement, sénateur. Herennius était passager sur un bateau venu d'Espagne qui a été confisqué avec toute sa cargaison par les agents de Verrès. Il a été envoyé aux Carrières avec tous ceux qui se trouvaient à bord, puis traîné en place publique pour y être exécuté comme pirate. Ce que Verrès ne savait pas, c'est qu'Herennius n'était pas du tout espagnol. Il était connu de la communauté romaine de Syracuse et ne pouvait manquer d'être identifié. Mais quand Verrès s'est aperçu de son erreur, il était trop tard pour libérer Herennius parce qu'il en savait trop sur les manœuvres du gouverneur.

— Pardonne-moi, mais je ne comprends pas très bien, intervint Cicéron, en jouant les ingénus. Pourquoi Verrès voudrait-il exécuter le passager innocent d'un navire de marchandises en le faisant passer pour un pirate ?

— Il avait besoin d'un certain nombre d'exécutions.

— Pourquoi ?

— Parce qu'il avait été payé pour libérer les vrais pirates.

Verrès s'était relevé et hurlait que c'était un mensonge. Cette fois, Cicéron ne fit pas comme s'il ne l'avait pas entendu mais alla se planter devant lui.

— Un mensonge, espèce de monstre ? Un mensonge ? Pourquoi, alors, les registres de ta prison font-ils mention de la libération d'Herennius ? Et pourquoi stipulent-ils que le célèbre pirate Heracleo a été exécuté alors que personne sur l'île ne l'a vu mourir ? Je vais te dire pourquoi – c'est parce que toi, le gouverneur de Rome responsable de la sécurité des mers, tu te faisais payer par les pirates eux-mêmes !

— Cicéron, le grand avocat qui se croit si intelligent, commenta Verrès avec amertume, son articulation rendue pâteuse par l'alcool. Celui qui croit tout savoir ! Et voilà quelque chose que tu ne sais pas. Heracleo est sous ma garde personnelle, ici, chez moi, à Rome, et il pourra te dire lui-même que ce ne sont là que des mensonges !

Il paraît maintenant ahurissant qu'il ait pu laisser échapper quelque chose d'aussi stupide, mais les faits sont là – ils figurent dans les minutes du procès – et, au milieu du chahut général, on put entendre Cicéron demander à Glabrio d'envoyer ses licteurs chez Verrès afin d'arrêter le célèbre pirate et de le jeter en prison, « pour la sécurité publique ». Puis, pendant qu'on s'occupait de ça, il appela son second témoin de la journée, Gaius Numitorius. Je songeai à part moi que Cicéron allait peut-être un peu trop vite : il aurait pu essayer de tirer davantage de l'aveu involontaire de la présence d'Heracleo. Mais le grand avocat avait senti que le moment de la mise à mort était venu, et il y avait des mois, depuis l'instant où nous avions débarqué en Sicile, qu'il savait quelle lame il allait utiliser. Numitorius jura de dire la vérité et monta à la barre. Cicéron lui fit rapidement établir par son témoignage l'essentiel des faits concernant Publius Gavius : que c'était un marchand qui avait embarqué sur un bateau en provenance d'Espagne ; que le navire avait été saisi et tous ses passagers envoyés aux Carrières, d'où Gavius était parvenu à s'évader ; qu'il avait réussi à gagner Messana afin d'y prendre un bateau pour le continent, mais qu'il avait été appréhendé alors qu'il montait à bord et remis à Verrès dès le débarquement. Le silence de la foule était impressionnant.

— Décris à la cour ce qu'il s'est passé ensuite.

— Verrès a convoqué un tribunal dans le forum de Messana, poursuivit Numitorius, et il a fait venir Gavius devant lui. Il a annoncé à tout le monde que cet homme était un espion, ce qui ne laissait qu'un seul châtiment possible. Puis il a ordonné qu'on fasse dresser une croix donnant sur le détroit, vers Regium, afin que le prisonnier puisse contempler l'Italie en mourant. Il a alors ordonné qu'on déshabille Gavius et qu'on le fouette devant la ville entière. Enfin il a ordonné qu'il soit torturé aux fers rouges avant d'être crucifié.

— Gavius a-t-il dit quelque chose ?

— Seulement au début, pour jurer que ces accusations étaient fausses. Qu'il n'était pas un espion étranger, mais un citoyen romain, conseiller de la ville de Consa et ancien soldat de la cavalerie romaine, sous le commandement de Lucius Raecius.

— Qu'a répondu Verrès ?

— Il a dit que c'étaient des mensonges et a ordonné le début de l'exécution.

— Peux-tu nous décrire comment Gavius a subi cette mort épouvantable ?

— Il s'est comporté avec beaucoup de courage, sénateur.

— En Romain ?

— En Romain.

— A-t-il crié quelque chose ?

Je savais où Cicéron voulait en venir.

— Seulement entre les coups de fouet et alors qu'il voyait les fers sur le feu.

— Et qu'est-ce qu'il disait ?

— Chaque fois que le fouet s'abattait, il répétait : « Je suis un citoyen romain. »

— Tu veux bien répéter plus fort ce qu'il a dit, afin que tout le monde puisse entendre.

— Il disait : « Je suis un citoyen romain. »

— Juste ça ? fit Cicéron. Laisse-moi m'assurer que je te comprends bien. Un coup s'abat (il avait collé ses poignets l'un contre l'autre, les avait levés au-dessus de sa tête et avait esquissé une secousse en avant, comme s'il venait de recevoir un coup de fouet sur le dos) et il dit à travers ses dents serrées : « Je suis un citoyen romain. » Un coup s'abat (nouvelle secousse du corps), « Je suis un citoyen romain ». Un coup s'abat, « Je suis un citoyen romain »…

Ces simples mots transcrits ne peuvent donner la moindre idée de l'effet produit par la prestation de Cicéron sur ceux qui y assistaient. Le silence qui régnait amplifiait ses paroles. C'était comme si nous étions tous témoins de cette monstrueuse erreur judiciaire. Certains hommes et femmes – amis de Gavius, je pense – se mirent à crier, puis il y eut un mouvement d'indignation grandissant dans tout le forum. Cela n'empêcha pas Verrès de repousser la main d'Hortensius qui le retenait et de se lever.

— C'était un sale espion ! vociféra-t-il. Un espion ! Il ne disait ça que pour retarder son châtiment !

— *Mais il l'a dit !* s'exclama triomphalement Cicéron, qui déboula vers lui en agitant un doigt accusateur.

Tu admets qu'il l'a dit. Je t'accuse en me fondant sur tes propres paroles : l'homme clamait qu'il était un citoyen romain, et tu n'as rien fait ! Cette mention à sa citoyenneté ne t'a pas fait hésiter, ne t'a pas incité à retarder, ne fût-ce que d'un moment, l'exécution d'une peine de mort aussi cruelle que révoltante ! Si toi, Verrès, tu avais été arrêté en Perse ou dans une partie reculée de l'Inde et qu'on t'avait traîné sur le lieu de ton supplice, quel cri aurais-tu émis sinon de clamer que tu es citoyen romain ? Qu'en était-il donc de cet homme que tu précipitais vers la mort ? Le seul fait qu'il ait assuré être citoyen romain n'aurait-il pas dû l'épargner pendant une journée, ne fût-ce qu'une heure, afin de vérifier la véracité de ses dires ? Eh bien non, pas avec toi comme magistrat ! Et pourtant, l'homme le plus pauvre, de la plus humble extraction, a toujours eu jusqu'à présent l'assurance, même en les terres les plus reculées, que le cri « Je suis un citoyen romain » était l'ultime défense, le dernier sanctuaire. Ce n'est pas seulement Gavius, citoyen obscur, que tu as cloué sur cette croix d'agonie : c'est le principe universel qui veut que tous les Romains sont des hommes libres !

Le tumulte qui accueillit la fin de la tirade de Cicéron fut terrifiant. Loin de s'apaiser au bout de quelques instants, il repartit de plus belle et s'amplifia encore, et je pris conscience, à la périphérie de mon champ de vision, d'un mouvement dans notre direction. Les vélariums sous lesquels se tenaient certains spectateurs pour se protéger du soleil commencèrent à céder avec un effroyable bruit de déchirement. Un homme tomba d'un balcon sur la foule en dessous. Il y eut des cris. Une foule manifestement prête à faire justice elle-même fonça vers les marches de la plate-forme. Hortensius et Verrès se levèrent si précipitamment qu'ils renversèrent le banc derrière eux. On entendit Glabrio crier l'ajournement du procès avant que ses licteurs et lui-même montent à la hâte les marches qui les séparaient du temple, l'accusé et son éminent conseiller se précipitant à leur suite de la manière la plus indigne. Certains jurés s'enfuirent également vers le sanctuaire de l'édifice sacré (mais pas Catulus : je me souviens très bien de lui debout sur un rocher anguleux, regardant droit devant lui tandis que la masse des corps déferlait autour de lui). Les lourdes portes de bronze se refermèrent. Il revenait donc à Cicéron de monter sur son banc pour tenter de restaurer le calme, mais quatre ou cinq hommes, de solides gaillards en vérité, gravirent les marches au pas de course, le saisirent par les jambes et le soulevèrent. J'étais terrifié, tant pour ma propre sécurité que pour la sienne, mais il étendit les bras comme s'il voulait étreindre le monde entier. Lorsqu'ils l'eurent solidement installé sur leurs épaules, les hommes firent en sorte qu'il soit face au forum. Le tonnerre d'applaudissements qui s'ensuivit retentit avec fracas tandis que le cri de « Ci-cé-ron ! Ci-cé-ron ! Ci-cé-ron ! » déchirait le ciel de Rome.

Et ce fut la fin de Gaius Verrès. Nous ne sûmes jamais exactement ce qui se passa à l'intérieur du temple après que Glabrio eut suspendu la séance, mais Cicéron pensait qu'Hortensius et Metellus avaient dû faire comprendre à leur client que toute défense serait inutile. Leurs propres dignité et autorité étaient déjà très compromises. Il fallait absolument qu'ils se débarrassent de lui avant que la réputation du Sénat n'ait à souffrir davantage. Verrès pouvait avoir payé les jurés autant qu'il voulait – aucun membre du jury n'oserait voter son acquittement après les scènes dont ils venaient d'être témoins. Quoi qu'il en soit, Verrès sortit subrepticement du temple dès que la foule se fut dispersée, puis quitta la ville à la nuit tombée – déguisé, prétendent certains, en femme – et s'enfuit à bride abattue vers le sud de la Gaule. Sa destination était le port de Massilia, où les exilés échangeaient traditionnellement l'histoire de leur infortune au-dessus d'une assiette de mulets grillés en feignant de se trouver dans la baie de Naples.

Il ne restait plus qu'à fixer le montant de l'amende. Quand Cicéron rentra chez lui ce soir-là, il convoqua une réunion pour déterminer les sommes appropriées. Personne ne connaîtra jamais la valeur totale de ce que Verrès a volé pendant ses années en Sicile – j'ai entendu parler d'une estimation de quarante millions de sesterces – mais Lucius, comme à son habitude, était en faveur de l'option la plus radicale, à savoir la saisie de tous les biens de Verrès. Quintus estimait que dix millions était une somme raisonnable. Cicéron conservait un silence étonnant pour quelqu'un qui venait de remporter une victoire aussi éclatante, et il restait à son bureau, la mine sombre, en train de jouer avec un style de métal. En début d'après-midi, nous reçûmes une lettre d'Hortensius, qui nous faisait part d'une proposition de Verrès de verser un million de sesterces au tribunal à titre de dédommagement. Lucius, surtout, se montra atterré – « C'est une insulte », commenta-t-il – et Cicéron n'hésita pas à envoyer le messager promener. Une heure plus tard, celui-ci était de retour, avec ce qu'Hortensius annonçait comme étant « son dernier chiffre » : un règlement d'un million et demi de sesterces. Cette fois, Cicéron dicta une réponse :

De : Marcus Tullius Cicéron
A : Quintus Hortensius Hortalus
Salutations !
Au vu de la somme ridicule que propose ton client en dédommagement de son incomparable cruauté, j'ai

l'intention de demander à Glabrio de me permettre de poursuivre l'accusation demain, et j'exercerai alors mon droit d'aborder cette question et quelques autres devant la cour.

— Voyons à quel point ses amis aristocrates et lui apprécieront la perspective de se faire mettre un peu plus le nez dans leur propre crasse, me lança-t-il.

Je finis de sceller la lettre, et à peine l'eus-je remise au messager qu'il entreprit de me dicter le discours qu'il voulait prononcer le lendemain – une attaque cinglante contre les aristocrates qui prostituaient leurs grands noms et ceux de leurs ancêtres en cherchant à défendre un vaurien comme Verrès. Poussé par Lucius en particulier, il déversa son mépris :

— Nous avons conscience de l'aversion et de la jalousie avec lesquelles certains de ces « nobles » considèrent le mérite et l'énergie des « hommes nouveaux » ; du fait qu'il nous suffit de fermer les yeux un instant pour risquer de tomber dans un piège ; que si nous leur laissons entrevoir la moindre possibilité de nous soupçonner ou de nous accuser de la faute la plus infime, nous en subissons aussitôt les conséquences ; que nous ne pouvons jamais relâcher notre vigilance ni prendre le moindre repos. Nous avons des ennemis – affrontons-les ; des tâches à accomplir – supportons-les ; sans oublier qu'un ennemi avoué et déclaré est moins terrible qu'un ennemi qui se cache et ne dit rien !

— Et voilà encore mille voix de parties, marmonna Quintus.

L'après-midi se déroula ainsi, sans autre réponse d'Hortensius, lorsque, juste avant la tombée de la nuit, il y eut du mouvement dans la rue. Peu après, Eros fit irruption dans le bureau pour nous annoncer la nouvelle époustouflante que Pompée le Grand en personne se trouvait dans le vestibule. La surprise était de taille, mais Cicéron et son frère n'eurent que le temps d'échanger un regard avant d'entendre une voix militaire familière aboyer :

— Où est-il ? Où est le plus grand orateur de tous les temps ?

Cicéron murmura un juron et sortit dans le tablinum, aussitôt suivi par Quintus, puis Lucius et enfin moi-même, juste à temps pour voir le premier consul pénétrer à grands pas dans l'atrium. Les dimensions de cette maison modeste le rendaient encore plus imposant qu'il le semblait habituellement.

— Ah, le voilà ! s'exclama-t-il. Voici l'homme que tout le monde vient voir !

Il fonça droit sur Cicéron, jeta ses bras puissants autour de lui et le serra dans une étreinte digne d'un ours. De là où je me tenais, juste derrière Cicéron, je vis ses yeux gris et rusés se poser alternativement sur chacun de nous, et, lorsqu'il lâcha enfin son hôte embarrassé, il insista pour être présenté à tous, même à moi ; de sorte qu'à trente-quatre ans, moi, petit esclave domestique d'Arpinum, pouvais me vanter d'avoir déjà serré la main des deux consuls en exercice de Rome.

Il avait laissé ses gardes du corps dans la rue et était entré seul dans la maison, ce qui constituait une marque significative de faveur et de confiance. Cicéron, dont la politesse était toujours irréprochable, ordonna à Eros d'aller dire à Terentia que Pompée le Grand était en bas, et il me pria de servir du vin.

— Juste un peu, dit Pompée en posant sa grande main sur la tasse. Nous allons dîner et je ne resterai qu'un instant. Mais je ne pouvais passer devant notre voisin sans venir lui présenter mes respects. Nous avons observé ta progression au cours de ces derniers jours, Cicéron. Nous avons reçu les rapports de notre ami Glabrio. C'est magnifique. Nous buvons à ta santé.

Il leva sa tasse, mais sans qu'une goutte, je le vis bien, ne touchât ses lèvres.

— Et maintenant que cette grande entreprise est heureusement derrière nous, nous espérons que nous te verrons davantage, d'autant plus que je vais bientôt redevenir un citoyen ordinaire.

– Ce sera avec plaisir, répondit Cicéron en s'inclinant fugitivement.

— Après-demain, par exemple, qu'est-ce que tu fais ?

— C'est le jour de l'ouverture des jeux. Tu auras sûrement d'autres occupations. Un autre jour, peut-être…

— Balivernes. Viens voir les jeux depuis notre tribune. Tu n'auras pas à souffrir d'être vu en notre compagnie. Que le monde soit témoin de notre amitié, ajouta-t-il avec emphase. Tu aimes les jeux, n'est-ce pas ?

Cicéron hésita, et je vis son cerveau passer en revue les conséquences tant d'un refus que d'une acceptation. Mais en fait, il n'avait pas le choix.

— J'adore les jeux, assura-t-il. Rien ne me ferait plus plaisir.

— Parfait, tonna Pompée.

Eros revint à cet instant, porteur d'un message comme quoi Terentia était alitée, souffrante, et les priait de l'excuser.

— Quel dommage, commenta Pompée, légèrement déconcerté. Espérons qu'il y aura d'autres occasions. Nous devons y aller, ajouta-t-il en me rendant son verre intact. Tu as certainement beaucoup à faire. Au fait, dit-il en se retournant sur le seuil de l'atrium, as-tu décidé du montant de l'amende ?

— Pas encore, répondit Cicéron.

— Qu'ont-ils proposé ?

— Un million et demi.

— Accepte, dit Pompée. Tu les as roulés dans la merde. Inutile de les forcer à la manger. Ce serait très embarrassant pour moi et dangereux pour la stabilité de l'Etat de pousser davantage cette affaire. Tu me comprends ?

Il fit un petit salut amical et sortit. Nous entendîmes la porte s'ouvrir et le commandant de ses gardes du corps mettre ses hommes au garde-à-vous. La porte se referma. Personne ne parla pendant un long moment.

— Quel personnage épouvantable, commenta Cicéron. Scrs-moi un autrc vcrrc.

J'allai chercher la carafe et vis Lucius, le visage sombre.

— Qu'est-cc qui lui donnc lc droit dc tc parlcr comme ça ? demanda-t-il. Il a dit que c'était une visite de courtoisie.

— Une visite de courtoisie ! Oh, Lucius ! s'esclaffa Cicéron. C'était la visite d'un encaisseur de loyers.

— Un encaisseur de loyers ? Qu'est-ce que tu lui dois ?

Lucius était peut-être philosophe, mais ce n'était pas un imbécile, et l'explication lui apparut soudain.

— Oh, je comprends !

Une expression de dégoût se peignit sur ses traits et il se détourna.

— Epargne-moi ta supériorité, lui dit Cicéron en le retenant par le bras. Je n'avais pas le choix. Le tribunal des extorsions venait juste d'échoir à Marcus Metellus. Le jury était acheté. Nous allions perdre le procès. J'étais à ça (Cicéron montra un petit espace entre son pouce et son index) d'abandonner toute l'affaire. Et puis Terentia m'a dit : « Raccourcis ton discours ! », et je me suis rendu compte que c'était la solution – produire tous les documents et tous les témoins, le faire en dix jours et faire *honte* aux juges – tout était là, Lucius, tu comprends ? – leur faire honte devant tout Rome afin qu'ils n'aient pas d'autre choix que de le déclarer coupable.

Il lui parla ainsi et exerça tous ses pouvoirs de persuasion, comme si Lucius était un jury à lui tout seul qu'il lui fallait convaincre – étudiant son visage, cherchant à y déceler des indices lui révélant quels mots, quels arguments emporteraient son soutien.

— Mais *Pompée*, fit Lucius avec amertume. Après tout ce qu'il t'a fait !

— Je n'avais besoin que d'une chose, Lucius – une toute petite faveur –, à savoir l'assurance que je pourrais agir comme je l'entendais et faire venir mes témoins sur-le-champ. Il n'y a eu ni pots-de-vin ni corruption. Il fallait juste que je sois sûr que Glabrio accepterait. Mais, en tant qu'accusateur, je n'étais pas en position d'aller voir moi-même le préteur de la cour. Alors je me suis creusé la cervelle pour savoir qui le pourrait.

— Et il n'y avait qu'un seul homme à Rome en situation de le faire, Lucius, intervint Quintus.

— Exactement ! s'écria Cicéron. Un seul homme que Glabrio était tenu par l'honneur d'écouter : celui qui lui avait rendu son fils quand sa femme divorcée était morte – Pompée.

— Mais ce n'était pas une toute petite faveur, protesta Lucius. C'était une grosse ingérence et, maintenant, il va y avoir un prix très lourd à payer… et pas par toi, par le peuple de Sicile.

— Le peuple de Sicile ! s'écria Cicéron, qui commençait à s'emporter. Le peuple de Sicile n'a jamais eu d'ami plus sincère que moi. Sans moi, il n'y aurait jamais eu de poursuites. Sans moi, on ne leur aurait jamais proposé un million et demi. Bon sang, si je n'avais pas été là, Gaius Verrès aurait été *consul* dans deux ans ! Tu ne peux pas me reprocher d'avoir abandonné le peuple de Sicile !

— Alors, refuse de lui verser son loyer, le pressa Lucius en lui saisissant la main. Demain, au tribunal, exige les dommages et intérêts maxima, et Pompée n'aura qu'à aller se faire voir. Tu as tout Rome de ton côté. Ce jury n'osera pas se dresser contre toi. Qui se soucie de Pompée ? Dans cinq mois, comme il le dit lui-même, il ne sera même plus consul. Promets-le-moi.

Cicéron serra avec ferveur la main de Lucius entre les siennes et plongea son regard dans le sien – la bonne vieille étreinte sincère dont j'avais tant de fois été témoin dans cette même pièce.

— Je te promets, dit-il, je te promets d'y réfléchir.

Peut-être qu'il y a réfléchi. Qui suis-je pour le juger ? Mais je doute que cela ait pu occuper son esprit plus de quelques instants. Cicéron n'a jamais voulu se mettre à la tête d'une foule prête à renverser l'Etat, ce qui aurait été son seul espoir de survie s'il avait retourné Pompée contre lui alors qu'il était déjà opposé à toute l'aristocratie.

— Le problème, avec Lucius, dit-il en posant les pieds sur son bureau après le départ de son cousin, c'est qu'il prend la politique pour un combat en faveur de la justice. La politique est un métier.

— Tu crois que Verrès a payé Pompée pour qu'il intervienne, et fasse baisser les dommages ? demanda Quintus, exprimant tout haut ce que j'avais pensé tout bas.

— C'est possible. Ou plus vraisemblablement, il

préfère éviter de se retrouver pris au milieu d'une guerre civile entre le peuple et le Sénat. Pour ma part, je serais heureux de faire saisir tout ce que possède Verrès et de laisser ce misérable croupir en terre gauloise. Mais cela ne risque pas d'arriver, soupira-t-il. Alors nous ferions mieux de voir tout ce qu'on peut tirer de ce million et demi.

Nous passâmes tous les trois le reste de la soirée à dresser une liste des requérants les plus solides et, après déduction des propres frais de Cicéron, qui se montaient à près de cent mille sesterces, nous estimâmes qu'il pourrait tout juste s'acquitter de ses obligations envers Sthenius et ses pareils ainsi que tous les témoins qui avaient fait le voyage jusqu'à Rome. Mais que dire aux prêtres ? Comment fixer un prix sur le pillage des statues des temples en pierres et métaux précieux depuis longtemps démontées et refondues par les orfèvres de Verrès ? Et quelles sommes pourraient dédommager les familles et amis de Gavius, d'Herennius et des autres innocents qu'il avait assassinés ? Ce travail donna à Cicéron un premier avant-goût de ce qu'était le pouvoir – qui revient généralement, si l'on y réfléchit, à choisir entre deux options aussi désagréables l'une que l'autre – et il trouva la potion plutôt amère.

Nous nous rendîmes au tribunal le lendemain matin avec la procession de rigueur, et la même foule immense nous attendait à sa place habituelle – tout était conforme aux journées précédentes s'il n'y avait eu l'absence de Verrès et la présence de vingt à trente membres de la garde des magistrats, postés sur tout le périmètre du tribunal. Glabrio fit une brève déclaration en ouverture de séance pour avertir qu'il ne tolérerait pas de perturbations semblables à celles qui s'étaient produites la veille. Puis il pria Hortensius de prendre la parole.

— Pour cause de problèmes de santé…, commença-t-il, déclenchant un splendide éclat de rire de tous côtés. Pour cause de problèmes de santé, répéta-t-il lorsqu'il put enfin reprendre la parole, dus à la tension occasionnée par ce procès, et dans le but d'épargner à l'Etat d'autres perturbations, mon client, Gaius Verrès, n'a plus l'intention de se défendre contre les charges portées contre lui par l'accusateur spécial.

Il s'assit. Il y eut des applaudissements de la part des Siciliens devant cette capitulation, mais guère de réactions parmi les spectateurs. Ils attendaient les directives de Cicéron. Celui-ci se leva, remercia Hortensius pour sa déclaration – « résolument plus courte que les discours auxquels il nous a habitués en ces lieux » – et réclama la peine maximale sous la loi cornélienne, à savoir la déchéance à perpétuité de ses droits civils, « afin que plus jamais l'ombre de Gaius Verrès ne puisse menacer ses victimes ou mettre en péril la juste administration de la République romaine ». Cela suscita la première véritable acclamation de la matinée.

— Je voudrais, poursuivit Cicéron, pouvoir défaire ses crimes et rendre aux hommes comme aux dieux tout ce qu'il leur a volé. Je voudrais pouvoir rendre à Junon les offrandes et ornements pillés dans ses temples de Samos et de Malte. Je voudrais que Minerve puisse revoir les décorations de son temple à Syracuse. Je voudrais que la statue de Diane puisse être rendue à la ville de Ségeste et celle de Mercure au peuple de Tyndaris. Je voudrais pouvoir réparer la double offense faite à Cérès, dont les représentations ont été enlevées à Enna comme à Catane. Mais le brigand s'est envolé, ne laissant derrière lui que les murs nus et planchers déserts de ses demeures, ici, à Rome et dans la campagne. Ce sont d'ailleurs les seuls biens qu'il sera possible de saisir et de vendre. Son avocat estime l'ensemble à un million et demi de sesterces, et c'est donc ce que je réclamerai et accepterai en dédommagement de ses crimes.

Un grondement parcourut l'assistance, et quelqu'un cria :

— Pas assez !

— Ce n'est pas assez, j'en conviens. Et peut-être que certaines personnes présentes dans ce tribunal, qui ont défendu Verrès lorsque son étoile était montante, et d'autres qui lui ont promis leur soutien s'ils se trouvaient parmi ses juges, devraient examiner leur conscience… et devraient aussi examiner le contenu de leurs villas !

Hortensius se leva aussitôt pour se plaindre de ce que l'accusateur parlait par énigmes.

— Eh bien, répliqua Cicéron du tac au tac, si l'on considère que Verrès lui a offert un sphinx en ivoire, le consul désigné devrait être entraîné à résoudre les énigmes.

Ce ne pouvait être une plaisanterie préméditée puisque Cicéron n'avait aucune idée de ce qu'Hortensius allait dire. Mais, une fois écrite, cette réflexion me paraît bien naïve, et peut-être ladite plaisanterie faisait-elle partie de la provision de traits d'esprit spontanés que Cicéron alimentait régulièrement à la lueur de la bougie, pour y piocher dès que l'occasion s'en présentait. Quelle que soit la vérité, c'était en tout cas la preuve de l'importance que peut avoir l'humour en public, car personne ne se souvient aujourd'hui de ce qui a été dit lors de ce dernier jour du procès, à l'exception de la blague de Cicéron sur le sphinx en ivoire. En y repensant, je ne suis même pas sûr que c'était vraiment drôle. Mais cela a eu le mérite de calmer la foule et de transformer ce qui aurait pu être un discours embarrassant en un triomphe de plus. « Assieds-toi vite » – tel avait toujours été le conseil de Molon quand les choses se passaient bien, et Cicéron le suivit. Je lui donnai une serviette pour qu'il s'éponge le visage et s'essuie les mains pendant que les applaudissements continuaient. Et c'est là-dessus que s'acheva l'épuisante accusation contre Gaius Verrès.

Cet après-midi-là, le Sénat se réunit pour sa séance de clôture avant les quinze jours de vacances des jeux de Pompée. Lorsque Cicéron eut fini d'arranger les choses avec les Siciliens, il était en retard pour le début de la séance, et nous dûmes traverser le forum au pas de course depuis le temple de Castor jusqu'à la curie. Crassus, consul qui présidait le Sénat ce mois-ci, avait déjà réclamé le silence et lisait la dernière dépêche de Lucullus sur l'évolution de la campagne sur le front de l'Est. Plutôt que de l'interrompre en faisant une entrée remarquée, Cicéron resta sur le seuil de la salle, et nous écoutâmes le rapport de Lucullus. Le général aristocrate avait, selon ses propres dires, remporté toute une série de victoires éclatantes et pénétré dans le royaume de Tigrane, où il avait vaincu le roi lui-même pendant la bataille et massacré des dizaines de milliers d'ennemis, s'enfonçant en territoire hostile pour capturer la ville de Nisibisis et prendre le frère du roi en otage.

— Crassus doit en être malade, me glissa joyeusement Cicéron. Sa seule consolation est de savoir que Pompée en est encore plus vert de jalousie.

De fait, Pompée, assis à côté de Crassus, bras croisés, semblait plongé dans une rêverie morose.

Quand Crassus eut terminé, Cicéron profita de la pause pour pénétrer dans la salle. Il faisait chaud et les rais de lumière en provenance des hautes fenêtres illuminaient des tourbillons scintillants de moucherons.

Il remonta l'allée centrale d'un pas décidé, tête dressée, et observé par tous, dépassant son ancienne place dans l'ombre, près de la porte, pour se diriger vers l'estrade consulaire. Le banc des prétoriens semblait plein, mais Cicéron se plaça patiemment à côté, attendant un peu avant de revendiquer la place qui lui revenait, car il savait, comme toute l'assemblée savait, que la récompense traditionnelle des accusateurs victorieux était l'appropriation du rang du vaincu. Je ne sais pas combien de temps dura le silence, mais il me parut terriblement long alors que seuls les pigeons se faisaient entendre sous le toit. C'est Afranius qui finit par lui faire signe de venir s'asseoir près de lui et dégagea suffisamment d'espace en poussant sans ménagement ses voisins sur le banc de bois. Cicéron se fraya un passage entre une demi-douzaine de jambes étendues et s'immisça à sa place en affichant un air de défi. Il jeta alentour un coup d'œil sur ses rivaux, croisant et soutenant le regard de chacun. Nul ne le provoqua. Enfin, quelqu'un se leva pour prendre la parole et, d'une voix réticente, félicita Lucullus et ses légions victorieuses – en y réfléchissant, il s'agissait peut-être de Pompée. Peu à peu, le murmure bas des conversations chuchotées reprit.

Je ferme les yeux et je vois encore leurs visages dans la lumière dorée de cette fin d'après-midi estivale – Cicéron, Crassus, Pompée, Catulus, Catilina, les frères Metellus – et il m'est difficile de croire que ces hommes et leurs ambitions, ainsi que l'édifice même où ils se tenaient, ne sont plus aujourd'hui qu'un peu de poussière.

DEUXIÈME PARTIE

PRÉTORIEN

68 av. J.-C. – 64 av. J.-C.

Nam eloquentiam quae admirationem
non habet nullam iudico.
« L'éloquence qui n'étonne pas ne m'apparaît pas
comme de l'éloquence. »

Cicéron, lettre à Brutus,
48 av. J.-C.

X

Je propose de reprendre mon récit un peu plus de deux ans après le moment où s'achève le dernier rouleau – ellipse qui, je le crains, en dit beaucoup sur la nature humaine. En effet, si vous me demandiez : « Tiron, pourquoi veux-tu éluder une si longue période de la vie de Cicéron ? », je serais obligé de vous répondre : « Parce que, mon ami, ces années ont été heureuses, et qu'il n'y a rien de plus ennuyeux à lire que le bonheur. »

L'édilité du sénateur s'avéra une grande réussite. Il était principalement chargé de l'approvisionnement de la ville en céréales bon marché et, en cela, le procès contre Verrès lui fut très utile. Afin de lui prouver leur gratitude pour les avoir défendus, non seulement les fermiers et marchands de grain de Sicile l'aidèrent à maintenir leur prix bas, mais ils lui firent même présent de toute une cargaison. Cicéron se montra assez rusé pour s'assurer que d'autres en partagent le crédit. Depuis le siège des édiles, dans le temple de Cérès, il remit ce butin à la centaine d'élus locaux qui, dans la pratique, dirigeaient effectivement Rome, afin qu'ils se chargent de la distribution. Et beaucoup d'entre eux, par reconnaissance, devinrent ses clients. Avec leur aide, il construisit au cours des mois qui suivirent une machine électorale sans pareille (Quintus se targuait toujours de pouvoir rameuter à tout moment une foule de deux cents personnes dans la rue en moins d'une heure), grâce à laquelle il était tenu au courant de pratiquement tout ce qui se passait en ville. Lorsqu'un constructeur ou un commerçant avait, par exemple, besoin d'un permis particulier ou souhaitait raccorder ses locaux au réseau de distribution d'eau, ou encore s'inquiétait de l'état du temple local, il y avait toutes les chances pour que le problème soit porté à la connaissance de l'un des deux frères. Et c'est cette attention laborieuse au détail le plus banal, ainsi que des qualités d'orateur en constante progression qui firent de Cicéron un formidable homme politique. Il organisa même de bons jeux – ou, plutôt, c'est Quintus qui s'en occupa pour lui – et, à l'apogée de la fête de Cérès, quand, conformément à la tradition, on lâcha dans le Circus Maximus des renards au dos desquels on avait attaché des torches enflammées, les deux cent mille spectateurs de l'arène se levèrent pour l'acclamer dans sa tribune officielle.

— Que tant de gens puissent tirer autant de plaisir d'un spectacle aussi révoltant fait presque douter des principes mêmes sur lesquels se fonde la démocratie, me confia-t-il en rentrant ce soir-là.

Il était néanmoins content que les masses voient désormais en lui un brave type et plus seulement « le Fin Lettré » ou « le Grec ».

Tout allait également pour le mieux dans sa carrière juridique. Hortensius, après une année de consulat particulièrement tranquille, passait de plus en plus de temps en baie de Naples, à communier avec ses poissons parés de bijoux et ses arbres arrosés au vin, abandonnant à Cicéron la complète domination du barreau romain. Les dons et legs de clients reconnaissants commencèrent à affluer en telles quantités qu'il put même avancer à son frère le million indispensable pour entrer au Sénat – car Quintus s'était tardivement décidé pour une carrière politique bien qu'il fût plutôt piètre orateur et que Cicéron pensât en privé que la voie militaire aurait mieux convenu à son tempérament. Cependant, malgré sa fortune et son prestige grandissants, Cicéron refusait de déménager de la maison de son père, de crainte de ternir son image de défenseur du peuple en se pavanant sur le mont Palatin. Il préféra, sans même consulter Terentia, s'endetter lourdement sur ses rentrées à venir pour acheter une grande villa à la campagne, dans les monts Albains, près de Tusculum, à près de treize milles des yeux scrutateurs des électeurs les plus proches. Elle feignit d'être ennuyée la première fois qu'il l'emmena la voir, et décréta que le climat en altitude n'était pas bon pour ses rhumatismes. Mais je voyais bien qu'elle était secrètement enchantée d'avoir une si belle retraite à une demi-journée seulement de Rome. Catulus possédait la propriété adjacente, et Hortensius avait lui aussi une maison à proximité, mais l'hostilité était telle entre Cicéron et les aristocrates que, malgré les longues journées d'été qu'il passa à lire et à écrire à l'ombre fraîche des peupliers de sa villa, ils ne l'invitèrent pas une fois à dîner. Cela ne dérangeait pas Cicéron ; en fait, cela l'amusait plutôt dans la mesure où cette maison avait autrefois appartenu au grand héros de la noblesse, Sylla, et qu'il se doutait à quel point ils devaient tous se sentir irrités de la voir à présent aux mains d'un homme nouveau d'Arpinum. La villa n'avait pas été redécorée depuis plus de dix ans et, lorsqu'il en fit l'acquisition, une fresque murale représentant le dictateur en train de recevoir une décoration militaire de la part de ses troupes occupait tout un mur. Cicéron s'assura que tous ses voisins fussent au courant qu'il s'était empressé de faire recouvrir ces fresques de chaux.

Heureux, donc, était Cicéron à l'automne de ses trente-neuf ans : prospère, populaire, reposé après un été à la campagne et préparant déjà les élections du mois de juillet de l'année suivante, lorsqu'il aurait l'âge de se présenter à la préture – dernière marche avant le consulat tant convoité.

C'est donc à ce moment crucial de sa destinée, alors que la chance allait l'abandonner et rendre sa vie à nouveau intéressante, que je reprends mon récit.

A la fin du mois de septembre, ce fut l'anniversaire de Pompée et, pour la troisième année consécutive, Cicéron reçut une invitation à assister à un dîner en son honneur. Il poussa un grognement en ouvrant le message. Il avait en effet découvert à ses dépens qu'il n'est guère dans la vie de bienfaits plus pénibles que l'amitié d'un grand homme. Au début, il avait trouvé flatteur d'être convié à se joindre au cercle très fermé des amis de Pompée. Mais il n'avait pas tardé à se lasser d'entendre répéter les mêmes anecdotes militaires – le plus souvent illustrées par des déplacements de plats et de carafes sur la table du dîner – qui racontaient comment le jeune général était venu à bout des trois armées de Marius à Auximum, ou avait tué dix-sept mille Numides en un seul après-midi à l'âge de vingt-quatre ans, ou avait fini par vaincre les rebelles espagnols près de Valence. Pompée donnait des ordres depuis l'âge de dix-sept ans, et c'est peut-être pour cette raison qu'il n'avait développé aucune des subtilités de l'intelligence d'un Cicéron. Les conversations tant prisées par le sénateur – traits d'esprit spontanés, échos échangés, fines observations susceptibles de déboucher sur les plus brillants ou profonds exposés concernant la nature des relations humaines –, tout cela était étranger à Pompée. Le général aimait faire une déclaration devant une assistance qui observait un silence respectueux, asséner quelques platitudes, puis se rasseoir et s'immerger dans la flatterie de ses invités. Cicéron disait souvent qu'il aurait préféré se faire arracher toutes les dents par un barbier ivre du forum Boarium plutôt que d'avoir à écouter un autre de ces soliloques à table.

Le fond du problème était que Pompée s'ennuyait. A la fin de son consulat, comme promis, il avait pris sa retraite avec sa femme, son jeune fils et sa toute petite fille. Et ensuite ? Dépourvu du moindre talent d'orateur, il n'y avait rien pour le distraire dans les tribunaux. La production littéraire n'avait pour lui aucun intérêt. Il ne pouvait qu'assister, pétri de jalousie, aux succès de Lucullus qui poursuivait ses conquêtes contre Mithridate. Alors qu'il n'avait pas encore quarante ans, son avenir, comme on dit, était derrière lui. Il lui arrivait de quitter sa propriété pour faire quelques incursions au Sénat, non pour parler, mais pour écouter les débats, ce qui donnait lieu, il y tenait, à d'immenses processions de clients et d'amis. Cicéron, qui se sentait obligé de faire au moins une partie du chemin avec lui, le compara à un éléphant qui chercherait à s'installer dans une fourmilière.

Mais c'était encore quelqu'un d'extrêmement puissant, suivi par énormément d'électeurs, quelqu'un qu'il valait mieux ne pas fâcher, surtout lorsqu'une élection devait se tenir moins d'un an plus tard. Durant l'été, il avait encore assuré le tribunat à son grand ami Gabinius : il continuait donc à se mêler de politique. Ainsi, le 30 septembre, Cicéron se rendit comme d'habitude à la fête d'anniversaire, revenant plus tard dans la soirée pour nous régaler, Quintus, Lucius et moi, d'un compte rendu des festivités. Pareil à un enfant, Pompée adorait recevoir des cadeaux, et Cicéron lui avait apporté une lettre manuscrite de la main de Zénon, fondateur du stoïcisme, vieille de deux cents ans et infiniment précieuse, qu'Atticus avait acquise pour lui à Athènes. Cicéron avait envie de la garder pour sa propre bibliothèque de Tusculum ; mais il espérait qu'en l'offrant à Pompée, il pourrait éveiller chez le général un début d'intérêt pour la philosophie. Au lieu de quoi, Pompée y avait à peine jeté un coup d'œil avant de la poser de côté pour consacrer toute son attention à un présent de Gabinius, une corne de rhinocéros en argent contenant un aphrodisiaque égyptien constitué d'excréments de babouin.

— Comme j'aurais voulu pouvoir récupérer cette lettre ! grommela Cicéron en se laissant tomber sur une banquette, le dos de la main posé sur le front. A l'heure qu'il est, une servante de cuisine est probablement en train d'allumer le feu avec.

— Qui y avait-il d'autre ? demanda avidement Quintus.

Il venait d'effectuer sa préture en Ombrie et n'était de retour à Rome que depuis quelques jours, ce qui le rendait impatient de tout savoir.

— Oh, la cohorte habituelle. Notre tout nouveau tribun désigné, Gabinius, évidemment, et son beau-père, l'amateur d'art Palicanus ; le plus grand danseur de Rome, Afranius ; cette créature espagnole de Pompée, Balbus, ainsi que Varron, le grand esprit de la maison. Oh, et Marcus Fonteius, ajouta-t-il avec légèreté, mais pas assez pour ne pas attirer aussitôt l'attention de Lucius.

— Et de quoi avez-vous parlé avec Fonteius ? demanda Lucius en essayant tout aussi maladroitement de paraître désinvolte.

— De tout et de rien.
— De son procès ?
— Naturellement.
— Et qui va défendre ce gredin ?

Cicéron garda un instant le silence, puis répondit à voix basse :

— C'est moi.

Il me faut expliquer, pour ceux qui ne se souviennent pas de cette affaire, que ce Fonteius avait été gouverneur de Gaule transalpine environ cinq ans plus tôt, et qu'un hiver, alors que Pompée se trouvait particulièrement en difficulté pendant sa campagne contre les rebelles en Espagne, il avait fait envoyer au général cerné de toutes parts des vivres et des soldats pour lui permettre de tenir jusqu'au printemps. Cela avait marqué le début de leur amitié. Fonteius n'avait cessé de s'enrichir considérablement, en employant les méthodes de Verrès, c'est-à-dire en extorquant un maximum d'impôts illégaux aux populations indigènes. Les Gaulois ne s'étaient pas rebellés tout de suite, se disant que le vol et l'exploitation avaient depuis toujours été les corollaires de la civilisation. Mais après le procès triomphant de Cicéron contre le gouverneur de Sicile, le chef des Gaulois, Induciomarus, était venu à Rome demander au sénateur de les représenter devant le tribunal des extorsions. Lucius était tout à fait pour ce procès ; en fait, il avait même amené Induciomarus à la maison : ce personnage avait tout l'air d'un sauvage, avec son costume barbare constitué d'une veste et d'une culotte, et cela me fit un choc, lorsque j'ouvris la porte, de le trouver là un beau matin. Cicéron, cependant, avait poliment refusé. Une année s'était écoulée, et les Gaulois avaient fini par rassembler une équipe juridique solide avec Plaetorius, qui était préteur désigné, et Marcus Fabius comme assistant. L'affaire devait être portée bientôt devant la cour.

— Mais c'est honteux, s'emporta Lucius. Tu ne peux pas le défendre. Il est tout aussi coupable que Verrès.

— Sottises. Il n'a tué ni emprisonné personne de manière arbitraire. Le pire qu'on puisse lui reprocher est d'avoir exigé des impôts excessifs de la part des marchands de vin de Narbonne, et contraint certains habitants à payer plus que d'autres pour l'entretien des routes. Et puis, ajouta promptement Cicéron avant que Lucius ne puisse réfuter cette version quelque peu édulcorée des activités de Fonteius, qui suis-je pour décider de sa culpabilité ? Ce sera à la cour d'en juger, pas à nous. A moins que tu ne sois un tyran et lui refuses le droit d'être défendu ?

— Je lui refuserais le droit d'être défendu par *toi*, rétorqua Lucius. Tu as entendu de la bouche même d'Induciomarus ce qui lui est reproché. Tout cela doit-il être effacé simplement parce que Fonteius est un ami de Pompée ?

— Ça n'a rien à voir avec Pompée.

— Pourquoi le faire, alors ?

— C'est politique, répondit Cicéron, qui se redressa soudain et pivota pour se retrouver les pieds bien plantés sur le sol.

Il fixa son regard sur Lucius et dit, très sérieusement :

— L'erreur fatale entre toutes, pour un homme d'Etat, est de laisser ses compatriotes croire, ne serait-ce qu'un instant, qu'il place les intérêts des étrangers au-dessus de ceux de son peuple. C'est le mensonge que mes ennemis ont répandu après que j'ai représenté les Siciliens dans l'affaire Verrès, et c'est une calomnie que je peux enterrer si je défends Fonteius maintenant.

— Et les Gaulois ?

— Les Gaulois seront parfaitement représentés par Plaetorius.

— Pas aussi bien que par toi.

— Tu dis toi-même que Fonteius n'est pas très défendable. Eh bien, que le cas le moins solide soit défendu par le meilleur avocat ! Ça ne peut pas être plus équitable.

Cicéron lui adressa son sourire le plus charmeur, mais, pour une fois, Lucius refusa de se laisser amadouer. Sachant, j'imagine, que la seule façon de l'emporter sur Cicéron dans une discussion était de se retirer complètement de la conversation, il se leva et se dirigea en claudiquant vers l'atrium. Je ne m'étais jusque-là pas vraiment rendu compte qu'il avait si mauvaise mine, à quel point il était maigre et se tenait voûté ; il ne s'était jamais tout à fait remis des efforts qu'il avait dû fournir en Sicile.

— Des mots, des mots, rien que des mots, lâcha-t-il avec amertume. N'y a-t-il donc aucune limite aux subterfuges dont tu peux leur faire user ? Cependant, tu es comme tous les hommes, Marcus : ta plus grande force est aussi ta faiblesse. Et je suis vraiment désolé pour toi, parce que tu ne seras bientôt plus capable de reconnaître tes subterfuges de la vérité. Et alors, tu seras perdu.

— « La vérité », se gaussa Cicéron. Voilà un terme bien vague dans la bouche d'un philosophe !

Il ne s'adressait plus qu'au vide, car Lucius était parti.

— Il reviendra, commenta Quintus.

Il ne revint pas et, durant les jours suivants, Cicéron se consacra aux préparatifs du procès avec le visage déterminé de quelqu'un qui se résigne à une opération chirurgicale douloureuse, mais nécessaire. Quant à son client, Fonteius, il avait anticipé ces poursuites depuis plus de trois ans et avait mis ce temps à profit pour accumuler quantité de preuves à sa décharge. Il avait des témoins d'Espagne et de Gaule, dont des officiers du camp de Pompée et divers marchands et fermiers des impôts cupides et rusés – membres de la communauté romaine de Gaule, qui étaient prêts à jurer que le jour était la nuit et la terre, la mer pourvu qu'ils fussent assurés de pouvoir en tirer un profit substantiel. Le seul problème, comme Cicéron en prit conscience une fois son dossier terminé, résidait dans le fait que Fonteius était réellement coupable. Il resta assis un long moment, le regard fixé sur le mur de son bureau, pendant que je m'agitais autour de lui sur la pointe des pieds, et il est important que je décrive ce qu'il faisait afin que l'on puisse comprendre son personnage. Il n'essayait pas simplement de concevoir une tactique ingénieuse qui lui permettrait de dominer l'accusation, comme l'aurait fait un avocat de second ordre. *Il s'efforçait de trouver quelque chose en quoi croire.* C'était la substance même de son génie, à la fois en tant qu'avocat et homme d'Etat. « Il n'y a pas plus convaincant que la conviction, disait-il. Il faut tout simplement croire à ce que l'on soutient, sinon, on est perdu. Aucun raisonnement, aussi logique, élégant ou brillant qu'il puisse être, n'emportera l'adhésion des juges si votre public sent que la sincérité n'y est pas. » Juste une chose en laquelle croire, il ne lui en fallait pas plus. Il s'en emparait alors, échafaudait un développement, l'embellissait et le transformait pour, en l'espace d'une heure ou deux, en faire la question la plus fondamentale qui soit, prête à être présentée avec une passion qui ne manquerait pas d'occulter la piètre rationalité de ses adversaires. Ensuite, il oubliait le plus souvent tout. En quoi a-t-il donc cru lorsqu'il s'est agi de Marcus Fonteius ? Il garda les yeux rivés sur le mur pendant des heures et aboutit à la seule idée que son client était romain, attaqué dans sa propre ville par les ennemis traditionnels de Rome, à savoir les Gaulois, et que quels que fussent les tenants et les aboutissants de l'affaire, c'était une sorte de traîtrise.

Telle était la ligne que s'était fixée Cicéron lorsqu'il entra sur la scène devenue familière du tribunal des extorsions, devant le temple de Castor. Le procès dura de la fin octobre à la mi-novembre, et fut âprement disputé, témoin après témoin, jusqu'au tout dernier jour, quand Cicéron prononça son discours de conclusion pour la défense. Depuis ma place, derrière le sénateur, j'avais cherché dès le premier jour à repérer Lucius parmi la foule des spectateurs, mais ce ne fut que lors de cette dernière matinée que je crus le voir, ombre pâle appuyée contre un pilier à l'arrière du public. Si c'était bien lui – je ne le saurai jamais –, je me suis souvent demandé ce qu'il pensait de l'éloquence de son cousin, qui s'en prenait aux témoignages des Gaulois et agitait le doigt en direction d'Induciomarus – « Sait-il réellement ce qu'on entend par témoigner ? Le plus grand chef de la Gaule est-il digne de se mettre au même niveau que le dernier des citoyens de Rome ? » – avant de demander comment un jury romain pouvait réellement croire la parole d'un homme dont les dieux réclamaient l'immolation de victimes humaines : « Qui ne sait pas en effet qu'aujourd'hui encore, ils perpétuent la coutume barbare et monstrueuse de sacrifier des hommes ? » Qu'aurait-il dit de la description que fit Cicéron des témoins gaulois « paradant d'un bout à l'autre du forum avec, sur le visage, une expression déterminée et des menaces barbares sur leurs lèvres » ? Et qu'aurait-il pensé du brillant coup de théâtre de Cicéron, en toute fin de procès, lorsque, au moment de conclure, il fit venir à la barre la sœur même de Fonteius, une vierge vestale vêtue de la tête aux pieds de sa robe officielle, ample et d'un blanc éclatant, un châle de toile blanche sur ses frêles épaules, qui souleva son voile blanc pour montrer aux juges ses larmes – vision qui fit éclater son frère en sanglots ? Cicéron posa doucement la main sur l'épaule de son client.

— Contre un tel péril, citoyens, défendez un citoyen brave et sans reproche. Montrez au monde que vous placez davantage votre confiance dans les témoignages de vos compatriotes que dans ceux des étrangers, que le bien-être de nos citoyens vous tient davantage à cœur que les caprices de nos ennemis, que vous faites plus de cas des prières de celle qui préside à vos sacrifices que de l'effronterie de ceux qui ont fait la guerre à tous les sacrifices et temples du monde. Enfin, messieurs, veillez – et là, il en va de la dignité du peuple romain – à montrer que les prières d'une vestale comptent plus pour vous que les menaces des Gaulois.

Bref, c'est sans doute ce discours qui l'emporta, à la fois pour Fonteius, qui fut acquitté, et pour Cicéron, qui ne fut plus désormais considéré que comme le plus fervent patriote de Rome. Je levai les yeux dès que j'eus terminé ma transcription, mais il n'était plus possible de distinguer qui que ce fût dans la foule – celle-ci n'était plus qu'une créature compacte et grouillante qui psalmodiait, sous la direction de Cicéron, son extase d'autoglorification nationale. Quoi qu'il en soit, j'espère sincèrement que Lucius n'était pas présent, et il y a certainement une chance pour que ce soit le cas dans la mesure où on le retrouva chez lui, quelques heures à peine plus tard, sans vie.

Cicéron dînait en privé avec Terentia quand la nouvelle nous parvint. Le messager était un des esclaves de Lucius. Tout jeune encore, il pleurait de façon incontrôlable, et c'est à moi qu'il incomba d'annoncer la nouvelle au sénateur. Lorsque j'eus parlé, il leva un regard vide de son assiette, me regarda bien en face et dit avec irritation « Non », comme si je lui présentais les mauvais documents en plein procès. Et, pendant un long moment, c'est tout ce qu'il put dire.

— Non, non, non.

Il ne bougea pas, il ne cligna même pas des yeux. Les rouages de son cerveau semblaient coincés. Ce fut Terentia qui prit enfin la parole, et suggéra doucement qu'il aille voir ce qui s'était passé exactement. Il se mit alors à chercher maladroitement ses chaussures.

— Surveille-le bien, Tiron, me glissa-t-elle à mi-voix.

Le chagrin tue le temps. Tout ce que j'ai retenu de cette nuit-là et du lendemain ne sont que des fragments de scène, pareils aux hallucinations criardes qui vous reviennent après un accès de fièvre. Je me souviens du corps de Lucius, si maigre et décharné quand nous l'avons trouvé, couché dans son lit sur le côté droit, genoux relevés, la main gauche posée à plat sur ses yeux, et de Cicéron penché au-dessus de lui avec une chandelle pour, comme le veut la tradition, le ramener à la vie.

— Qu'est-ce qu'il voyait ? ne cessait-il de demander. Qu'est-ce qu'il voyait ?

Cicéron n'était pas, comme je l'ai déjà signalé, particulièrement superstitieux, mais il n'arrivait pas à se débarrasser de la conviction que Lucius avait été confronté dans ses derniers instants à une vision d'horreur, et que c'était la terreur qui l'avait tué. Quant aux causes réelles de sa mort, je dois confesser que je porte depuis toutes ces années un secret dont je serais heureux de me décharger. Il y avait, dans un coin de la petite chambre, un pilon et un mortier et, posés à côté, quelques brins de ce que Cicéron – et moi aussi au début – prit pour du fenouil. C'était une supposition raisonnable quand on sait que, parmi tous ses maux chroniques, Lucius souffrait aussi de troubles digestifs, qu'il tentait de soulager avec une solution d'essence de fenouil. Ce ne fut que plus tard, alors que je mettais de l'ordre dans la chambre, que je frottai ces feuilles très dentées avec mon pouce et détectai l'odeur repoussante de moisi et de souris morte mêlés caractéristique de la ciguë. Je savais que Lucius était las de cette vie, aussi, pour une raison ou pour une autre – le désespoir devant tant d'injustice, la fatigue de la maladie –, avait-il choisi de mourir comme son héros, Socrate. J'avais dans l'idée de partager cette information avec Cicéron, ou Quintus, mais, dans la tristesse des jours qui suivirent, je ne pus m'y résoudre, et ensuite, le temps de la révélation me sembla dépassé et il me parut plus approprié de les laisser croire qu'il était mort sans l'avoir voulu.

Je me rappelle aussi que Cicéron dépensa de telles sommes en fleurs et en encens qu'après que Lucius eut été lavé, oint et allongé sur son lit de mort dans sa plus belle toge, ses pieds maigres pointés vers la porte, il donnait l'impression, malgré ce morne mois de novembre, de se trouver dans un jardin élyséen de pétales et parfums odorants. Je me souviens du nombre étonnant, pour un homme aussi solitaire, d'amis et voisins venus lui rendre un dernier hommage, et de la procession funéraire qui eut lieu au crépuscule jusqu'au champ Esquilin, avec le jeune Frugi qui pleurait si fort qu'il avait du mal à respirer. Je me souviens de la musique et des chants funèbres, ainsi que des regards respectueux des citoyens que nous croisions, car c'était bien un Cicéron que l'on emmenait retrouver ses ancêtres, et ce nom représentait maintenant quelque chose à Rome. Le corps fut ensuite déposé sur le bûcher, dans le champ gelé, sous les étoiles, et le grand orateur s'efforça de prononcer un bref éloge funèbre. Mais les mots refusèrent cette fois de se prêter à l'exercice, et il dut y renoncer. Il ne put même se ressaisir suffisamment pour enflammer le bois à l'aide de la torche et dut confier cette tâche à Quintus. Dès que les flammes s'élevèrent dans le ciel, les personnes présentes jetèrent leurs dons de parfums et d'épices dans le feu, et la fumée odorante constellée d'étincelles orangées tournoya vers la Voie lactée. Cette nuit-là, je restai auprès du sénateur dans son bureau pour qu'il me dicte unc lettrc à Atticus. Il faut sans doute voir un hommage à l'affection que Lucius inspirait également à cette âme noble dans le fait que, parmi les centaines de lettres que Cicéron lui envoya, celle-ci fut la première qu'Atticus choisit de conserver.

« Me connaissant comme tu me connais, tu sauras mieux que la plupart à quel point la mort de mon cousin Lucius me chagrine et quelle perte cela représente pour moi, tant dans ma vie privée que publique. Tout le plaisir que le charme et la bonté d'un être humain peuvent procurer à un autre, il me le donnait. »

Bien qu'il vécût à Rome depuis bien des années, Lucius avait toujours dit qu'il voulait que ses cendres soient enterrées dans le caveau familial d'Arpinum. Ainsi, dès le lendemain de la crémation, après avoir fait prévenir leur père de ce qui s'était passé, les deux frères Cicéron accompagnés de leurs épouses partirent pour un voyage de trois jours en direction de l'est. Naturellement, je fus du voyage, car même en période de deuil, la correspondance juridique et politique ne pouvait être négligée. Cependant, pour la première – et, je crois, la seule – fois de toutes nos années ensemble, Cicéron ne traita aucune affaire officielle sur la route, et se contenta de rester assis, le menton dans la main, à regarder défiler le paysage. Terentia et lui se trouvaient dans une voiture, Quintus et Pomponia dans une autre, se querellant sans cesse – à tel point que je vis Cicéron prendre son frère à part et le supplier, au moins pour Atticus, de faire en sorte que son mariage fonctionne.

— Eh bien, répliqua Quintus avec une certaine pertinence, si la bonne opinion d'Atticus compte tellement pour toi, pourquoi n'épouses-tu pas Pomponia toi-même ?

Nous passâmes la première nuit dans la villa de Tusculum, et atteignions Ferentium, sur la voie Latine, quand un messager arriva d'Arpinus pour informer les frères que leur père s'était effondré, mort, pas plus tard que la veille.

Etant donné qu'il avait dépassé la soixantaine et qu'il était malade depuis de nombreuses années, cette mort les prit moins par surprise que celle de Lucius (dont la nouvelle se révéla avoir visiblement porté le coup fatal à la santé déjà défaillante du vieil homme). Mais laisser une maison ornée des rameaux de cyprès et de pin propres au deuil pour séjourner dans une autre maison aux décorations semblables constitua le summum de la mélancolie, aggravée encore par le fait que, comble de malchance, nous arrivâmes à Arpinum le 29 novembre, date dédiée à Proserpine, reine des Enfers, qui met en application les malédictions des hommes sur les âmes des morts. La villa des Cicéron se trouvait à trois milles de la ville, au bout d'une route empierrée et sinueuse, dans une vallée cernée de hautes montagnes. Il faisait froid à cette altitude, et les cimes avaient déjà revêtu leur voile de vestales qu'elles ne quitteraient plus avant le mois de mai. Il y avait dix ans que je n'étais pas retourné là-bas, et de tout retrouver tel que je l'avais laissé éveilla en moi des sentiments étranges. Contrairement à Cicéron, j'avais toujours préféré la campagne à la ville. J'étais né ici ; ma mère et mon père y avaient tous deux vécu et y étaient morts ; pendant le premier quart de siècle de ma vie, ces prairies luxuriantes et cours d'eau cristallins, avec leurs peupliers élancés et rives verdoyantes, avaient constitué les limites de mon monde. En voyant combien j'étais affecté et sachant à quel point j'avais été dévoué au vieux maître, Cicéron m'invita à les accompagner, Quintus et lui, auprès du mort pour lui faire mes adieux. D'une certaine façon, je devais à leur père presque autant qu'eux car il s'était entiché de moi quand j'étais encore tout gosse, m'avait instruit afin que je puisse l'aider avec ses livres, puis m'avait donné la chance de voyager avec son fils. Alors que je me baissais pour baiser la main glacée, j'eus la sensation très forte d'être rentré chez moi, et l'idée me vint que je devrais peut-être rester ici pour devenir simple serviteur, épouser une fille de même statut et avoir un enfant. Mes parents, bien qu'ils eussent été esclaves de maison et non fermiers, étaient tous les deux morts dès le début de la quarantaine ; je ne pouvais donc compter, au mieux, que sur une dizaine d'années de vie encore. (Comme nous sommes ignorants de ce que l'avenir nous réserve !) Il me répugnait de penser que je puisse disparaître sans laisser de descendance, et je résolus d'aborder la question avec Cicéron dès que l'occasion s'en présenterait.

C'est ainsi que j'en vins à avoir une conversation assez intime avec lui. Le lendemain de notre arrivée, le vieux maître fut enterré dans le caveau familial, et les cendres de Lucius, dans leur vase d'albâtre, furent placées à côté avant qu'on sacrifie un mouton afin de conserver au lieu son caractère sacré. Le lendemain matin, Cicéron fit le tour du domaine dont il était l'héritier, et je l'accompagnai pour le cas où il aurait eu besoin de me dicter des notes : l'endroit (tellement hypothéqué qu'il ne valait virtuellement plus grand-chose) était en effet dans un triste état, et il convenait de procéder à de nombreux travaux. Cicéron souligna que c'était au départ sa mère qui avait géré la propriété ; son père avait toujours été trop rêveur pour s'occuper des régisseurs et autres fournisseurs agricoles ; après la mort de sa femme, il avait tout laissé partir lentement à vau-l'eau. C'était, me semble-t-il, la première fois que j'entendais Cicéron mentionner sa mère en plus de dix ans passés à son service. Elle s'appelait Helvia et avait rendu l'âme vingt ans plus tôt, quand il était encore adolescent et étudiait déjà à Rome. Moi-même, je n'avais pratiquement aucun souvenir d'elle sinon qu'elle avait la réputation d'être terriblement stricte et avare – le genre de maîtresse qui marque les jarres pour s'assurer que les esclaves ne volent rien, et qui prenait grand plaisir à les fouetter au moindre soupçon.

— Jamais une parole de louange de sa part, Tiron, me dit-il, ni pour moi, ni pour mon frère. Et pourtant, j'ai tellement essayé de lui plaire.

Il s'interrompit et contempla les champs jusqu'à la rivière aux courants rapides et glacés – le Fibrenus – au milieu de laquelle se trouvait une île agrémentée d'un bosquet et d'un petit pavillon à moitié écroulé.

— C'était là que j'allais me réfugier quand j'étais enfant, dit-il d'un ton rêveur. Les heures que j'ai pu passer là ! Je me voyais déjà devenir un nouvel Achille, mais dans les tribunaux comme champs de bataille. Pour reprendre Homère : « D'être le meilleur toujours, de surpasser tous les autres [1] ! »

---

1. Vers tiré de l'*Iliade*, XI, 784, Les Belles Lettres, 1937, traduction de Paul Mazon. *(N.d.T.)*

Il demeura un instant silencieux, et je me dis que c'était l'occasion de me lancer. Je lui présentai donc mon projet – ou plutôt je le bafouillai, me montrant assez inepte, je le crains, pour lui proposer de rester ici et de remettre la ferme en état – tandis qu'il continuait de fixer du regard l'île de son enfance.

— Je comprends exactement ce que tu veux dire, me répondit-il avec un soupir lorsque j'eus terminé. C'est ce que je ressens aussi. Ma vraie patrie et celle de mon frère sont ici puisque nous descendons d'une très ancienne famille de la région. C'est ici que se pratiquent nos cultes ancestraux, ici qu'est notre race, ici que se dressent tant de monuments à la mémoire de nos aïeux. Qu'ai-je besoin d'ajouter ?

Il se tourna vers moi pour me regarder et je remarquai combien ses yeux étaient bleus et clairs malgré toutes les larmes qu'il avait si récemment versées.

— Mais pense à ce que nous avons vu cette semaine – aux enveloppes vides et insensibles de ceux que nous avons aimés – et imagine à quels bilans la Mort soumet les hommes. Ah ! s'exclama-t-il avant de secouer vigoureusement la tête, comme pour chasser un mauvais rêve, puis de reporter son attention sur le paysage. Eh bien, je vais te dire, reprit-il d'une voix très différente, je ne vais pas pour ma part arriver à la fin de ma vie sans avoir dépensé jusqu'à la dernière once de talent disponible, sans avoir parcouru le dernier mille d'énergie contenue dans mes jambes. Et ton destin, mon cher ami, est de suivre ce chemin avec moi. Allons, Tiron, fit-il en me donnant un petit coup de coude dans les côtes. Un secrétaire capable de prendre mes phrases en notes presque aussi vite que je les prononce ? On ne peut se permettre de laisser un tel prodige compter les moutons à Arpinum. Ne parlons plus de ces absurdités.

Ce fut donc la fin de mon rêve pastoral. Nous retournâmes à la maison et, plus tard dans l'après-midi – à moins que ce ne fût le lendemain car la mémoire nous joue parfois des tours étranges –, nous entendîmes un cheval remonter au grand galop la route qui venait de la ville. Il s'était mis à pleuvoir, de cela je me souviens, et tout le monde était cloîtré avec humeur à l'intérieur. Cicéron lisait, Terentia cousait, Quintus s'entraînait à l'épée et Pomponia s'était allongée avec la migraine. (Elle soutenait toujours que la politique était « ennuyeuse », ce qui plongeait Cicéron dans une muette fureur. « Quelle stupidité ! me confia-t-il un jour. La politique ? Ennuyeuse ? La politique, c'est l'histoire en plein vol ! Quelle autre sphère de l'activité humaine fait appel à ce qu'il y a de plus noble dans l'âme humaine, et à ce qu'il y a de plus vil ? Ou procure une telle excitation ? Ou révèle avec plus d'acuité nos forces et nos faiblesses ? Ennuyeuse ? Autant dire que la vie elle-même est ennuyeuse ! ») Quoi qu'il en soit, en entendant les sabots s'arrêter, je sortis pour accueillir le cavalier et lui pris une lettre portant le sceau de Pompée le Grand. Cicéron la décacheta et laissa échapper une exclamation de surprise.

— On a attaqué Rome ! annonça-t-il, faisant même se redresser brièvement Pomponia de la banquette où elle était couchée.

Il poursuivit rapidement sa lecture. On avait mis le feu à la flotte de guerre consulaire à Ostie, où elle mouillait pour l'hiver. Deux préteurs, Sextilius et Bellinus, avaient été enlevés avec leurs licteurs et équipes au complet. C'était là l'œuvre de pirates qui cherchaient purement et simplement à répandre la terreur. La panique gagnait la capitale, et le peuple réclamait des mesures.

— Pompée me veut tout de suite auprès de lui, dit Cicéron. Il convoque après-demain un conseil de guerre dans sa propriété de campagne.

XI

Laissant les autres derrière nous et voyageant sans relâche en voiture à deux roues (Cicéron ne montait à cheval que lorsqu'il ne pouvait faire autrement), nous parcourûmes le chemin en sens inverse et arrivâmes à la villa de Tusculum le lendemain, à la tombée de la nuit. La propriété de Pompée se trouvait de l'autre côté des monts Albains, à seulement cinq milles au sud. Le retour précipité de leur maître surprit les esclaves de maison en pleine paresse, et ils durent se bousculer pour remettre tout en ordre. Cicéron prit un bain et se mit directement au lit, mais je ne crois pas qu'il dormit très bien : il me sembla l'entendre au milieu de la nuit remuer dans la bibliothèque, et je trouvai le lendemain matin un exemplaire de l'*Ethique à Nicomaque* d'Aristote à demi déroulé sur son bureau. Mais les hommes politiques sont des créatures résistantes. Lorsque j'entrai dans sa chambre, il était déjà habillé et impatient de découvrir ce que Pompée avait en tête. Nous nous mîmes en route dès qu'il fit jour. Notre chemin nous fit contourner le grand lac d'Albe et, dès que le soleil projeta ses lueurs roses sur les cimes enneigées, nous vîmes des silhouettes de pêcheurs tirer leurs filets des eaux rutilantes.

— Y a-t-il au monde un pays plus beau que l'Italie ? murmura Cicéron en inspirant profondément.

Bien qu'il ne le dît pas, je sus ce qu'il pensait parce que c'est ce que j'éprouvais aussi : c'était un soulagement d'avoir échappé à la tristesse pénétrante d'Aprinum, et il n'y a rien de tel que la mort pour se sentir en vie.

Nous finîmes par quitter la route pour franchir une grille imposante sur une longue allée de gravier blanc bordée de cyprès. Les jardins symétriques qui s'étendaient de part et d'autre étaient peuplés de statues de marbre, sans doute acquises par le général lors de ses campagnes. Des jardiniers ratissaient les feuilles mortes et taillaient les bordures de buis. Il se dégageait de l'endroit une impression d'opulence tranquille et assurée. Juste avant de franchir l'entrée de la grande demeure, Cicéron me chuchota de rester à proximité, et je me glissai discrètement derrière lui, porteur d'un coffret à documents. (D'ailleurs, mon conseil pour quiconque voudrait passer inaperçu est de toujours transporter des documents ; ils projettent comme un manteau d'invisibilité sur celui qui les porte tout aussi efficace que ce qu'on trouve dans les légendes grecques.) Pompée recevait ses hôtes dans l'atrium, jouant les grands seigneurs campagnards avec, à ses côtés, sa troisième épouse, Mucia, son fils, Gnaeus – qui devait avoir à peu près onze ans à l'époque –, et sa petite dernière, Pompéia, qui venait d'apprendre à marcher. Mucia était une belle matrone sculpturale de la *gens* Metellus, qui n'avait pas encore trente ans et attendait visiblement un nouvel enfant. Je découvris par la suite qu'une des particularités de Pompée était d'aimer sa femme, qui qu'elle fût à l'époque. Mucia riait à une remarque qu'on venait de lui faire et, lorsque l'auteur de la plaisanterie se retourna, je vis qu'il s'agissait de Jules César. Cela m'étonna, et ne manqua pas de surprendre également Cicéron dans la mesure où, jusqu'à présent, nous n'avions jamais vu dans l'entourage de Pompée que le trio de Picenum : Palicanus, Afranius et Gabinius. De plus, César venait de passer un an en Espagne, à accomplir sa questure. Mais il était là, souple et bien bâti, doté d'un long visage intelligent, d'yeux bruns amusés et de cheveux noirs dont il rabattait soigneusement les mèches rares sur son crâne buriné. (Mais pourquoi chercher à le décrire ? Le monde entier sait quelle tête il avait !)

En tout, huit sénateurs se réunirent ce matin-là : Pompée, Cicéron et César ; les trois fidèles de Picenum ci-dessus mentionnés ; Varron, l'intellectuel attaché à la personne de Pompée et qui atteignait les cinquante ans ; et Caius Cornelius, qui avait servi comme questeur sous les ordres de Pompée en Espagne, et qui était à présent, avec Gabinius, tribun désigné. Je me faisais un tout petit peu moins remarquer que je ne l'avais craint, étant donné que la plupart des personnes présentes avaient amené avec eux un secrétaire ou un porteur ; nous nous tenions tous respectueusement sur le côté. Lorsque des rafraîchissements eurent été servis, que les nourrices eurent emmené les enfants, et que dame Mucia eut gracieusement salué chacun des invités de son époux – s'attardant, me sembla-t-il, un peu plus auprès de César –, les esclaves allèrent chercher des sièges afin que tous pussent s'asseoir. J'allais sortir avec les autres accompagnateurs quand Cicéron suggéra à Pompée que puisque j'étais célèbre dans tout Rome pour avoir inventé un merveilleux système d'écriture abrégée – ce sont ses mots –, je pourrais rester afin de prendre en notes ce qui serait dit. Le compliment me fit rougir. Pompée me dévisagea d'un air soupçonneux et je crus qu'il n'allait pas me permettre de rester, mais alors il haussa les épaules et déclara :

— Très bien. Ce pourrait être utile. Mais il n'y aura pas de copie et je conserverai l'original. Tout le monde est d'accord ?

Il y eut un assentiment général, après quoi on m'apporta un tabouret et je me retrouvai assis dans un coin avec mes tablettes, agrippant mon style d'une main moite.

Les chaises furent disposées en demi-cercle et, une fois tous ses hôtes assis, Pompée se leva. Il n'était, comme je l'ai déjà signalé, pas doué pour les discours en public. Mais ici, sur son propre terrain, parmi ceux qu'il considérait comme ses lieutenants, il irradiait le pouvoir et l'autorité. Bien que ma transcription littérale m'ait été retirée, je me rappelle encore la majeure partie de ce qu'il a dit parce que j'ai dû réécrire ses propos à partir de mes notes et que cela a toujours fixé les choses dans ma mémoire. Il commença par donner les derniers détails de l'attaque pirate lancée contre Ostie : dix-neuf trirèmes consulaires de guerre détruites, environ deux cents hommes tués, des entrepôts à grain incendiés, deux préteurs – dont l'un inspectait les greniers et l'autre la flotte – enlevés dans leur tenue officielle avec leur escorte et leurs faisceaux de verges ceignant la hache symbolique. Une demande de rançon était arrivée à Rome la veille.

— Pour ma part, dit Pompée, je ne pense pas que nous devrions négocier avec des gens pareils, ou nous ne ferions que les encourager dans leurs actes criminels.

Tout le monde acquiesça d'un signe de tête. Ce raid sur Ostie, poursuivit-il, marquait un tournant dans l'histoire romaine. Il ne s'agissait pas d'un incident isolé, mais simplement de l'acte le plus audacieux d'une longue suite d'outrages du même type, y compris l'enlèvement de la noble dame Antonia dans sa villa de Misène – Antonia, dont le propre père avait mené campagne contre les pirates ! –, le vol des trésors du temple de Crotone et les attaques surprises sur Brindes et Caiéta. Quelle serait la prochaine cible ? Rome se trouvait cette fois confrontée à une menace très différente de celle posée par un ennemi conventionnel. Ces pirates représentaient un nouveau type d'adversaires sans foi ni loi, sans gouvernement pour les représenter ni traités pour les contenir. Ils ne partaient pas forcément d'un seul Etat. Ils n'avaient pas de système de commandement unifié. C'était une véritable plaie mondiale, un parasite qu'il convenait d'éradiquer, faute de quoi Rome – malgré sa supériorité militaire écrasante – ne connaîtrait plus ni paix ni sécurité. Le système de défense nationale existant, qui conférait aux hommes de rang consulaire un commandement unique de durée limitée dans un théâtre individuel, était de toute évidence peu approprié.

— Depuis bien avant les événements d'Ostie, je me consacre à l'étude de ce problème, déclara Pompée, et je crois que cet ennemi unique réclame une réaction unique. L'occasion est aujourd'hui arrivée.

Il frappa dans ses mains et deux esclaves apportèrent une grande carte de la Méditerranée, qu'ils installèrent sur un support, près de lui. Son auditoire se pencha en avant pour mieux voir – tous distinguaient des lignes mystérieuses tracées verticalement sur la mer comme sur la terre.

— A partir de maintenant, la base de notre stratégie doit être de combiner les sphères politique et militaire, exposa Pompée. Il faut frapper avec tous les moyens dont nous disposons. Je propose, dit-il en prenant une baguette pour en marteler le panneau peint, que nous divisions la Méditerranée en quinze zones allant des colonnes d'Hercule, ici, à l'ouest, jusqu'aux eaux égyptiennes et syriennes à l'est, chaque zone devant disposer de son propre légat, qui sera chargé de nettoyer sa région des pirates et de conclure des traités avec les dirigeants locaux pour s'assurer que les vaisseaux des brigands ne puissent jamais revenir à leur base. Tout pirate capturé devra être remis à une juridiction romaine. Tout dirigeant qui refusera de coopérer sera considéré comme un ennemi de Rome. Ceux qui ne seront pas avec nous seront contre nous. Ces quinze légats s'en remettront à un commandant suprême qui aura autorité absolue sur l'ensemble du continent sur une distance de cinquante milles à l'intérieur des terres. Je serai ce commandant.

Il y eut un long silence. Ce fut Cicéron qui prit la parole :

— Ton plan est des plus audacieux, Pompée, quoique l'on puisse considérer que ce soit une réponse disproportionnée à la perte de dix-neuf trirèmes. Tu as conscience qu'une telle concentration des pouvoirs entre les mains d'un seul homme n'a jamais été proposée dans toute l'histoire de la République ?

— En fait, je m'en rends parfaitement compte, rétorqua Pompée.

Il s'efforçait de conserver un visage grave mais ne put s'empêcher d'afficher un grand sourire. Bientôt, tout le monde riait, sauf Cicéron, qui donnait l'impression que son monde venait de s'écrouler – ce qui, d'une certaine façon, était le cas puisque, comme il le déclara plus tard, il s'agissait bel et bien d'un plan visant à confier la domination du monde à un seul homme, et il n'avait guère de doute sur la suite des événements.

— Peut-être aurais-je dû m'en aller sur-le-champ, me confia-t-il ensuite, sur le chemin du retour. C'est ce que ce pauvre Lucius si honnête m'aurait pressé de faire. Mais avec ou sans moi, cela n'empêcherait pas Pompée d'agir, et je n'aurais réussi qu'à me le mettre à dos, ce qui aurait compromis mes chances d'obtenir la préture. Tout ce que j'entreprends maintenant doit être considéré à travers le prisme de cette élection.

Alors, bien sûr, il était resté tandis que la discussion s'éternisait pendant des heures, passant de la grande stratégie aux petits détails politiques. Le plan était que Gabinius devait déposer un projet de loi devant le peuple romain dès qu'il aurait pris ses fonctions, soit dans une semaine, pour préparer les pleins pouvoirs et ordonner qu'ils soient remis à Pompée ; Cornelius et lui défieraient alors les autres tribuns de s'y opposer. (Il faut se souvenir qu'au temps de la République, seule une assemblée populaire avait le droit de promulguer les lois ; la voix du Sénat avait une influence mais n'était en aucun cas décisive ; la tâche des sénateurs se limitait à faire appliquer la volonté du peuple.)

— Qu'en dis-tu, Cicéron ? demanda Pompée. Tu es bien silencieux.

— J'en dis que Rome a beaucoup de chance de pouvoir faire appel à un homme d'une telle expérience et capable de voir aussi loin que toi en cette période de grand danger, répondit prudemment Cicéron. Mais nous devons être réalistes. Il y aura une grande résistance à cette proposition de la part du Sénat. Les aristocrates en particulier diront qu'il n'y a rien de plus derrière cette manœuvre qu'une prise du pouvoir déguisée en nécessité patriotique.

— Je proteste, assura Pompée.

— Eh bien, tu peux protester autant que tu veux, mais il faudra tout de même faire la preuve que ce n'est pas le cas, rétorqua Cicéron, conscient que le plus sûr moyen de s'attirer la confiance d'un grand homme est souvent, curieusement, de lui parler sans détour, ce qui laisse imaginer une certaine candeur désintéressée. Ils prétendront aussi que cette commission chargée de s'occuper des pirates n'est qu'un tremplin pour te rapprocher de tes vrais objectifs, à savoir remplacer Lucullus à la tête des légions de l'Est.

A cela, le grand homme ne put répondre que par un grognement – il n'y avait pas d'autre réponse puisque tel était effectivement son objectif.

— Et puis ils finiront par trouver un tribun ou deux à eux pour contrer la proposition de Gabinius.

— J'ai l'impression que tu ne devrais pas être ici, Cicéron, se gaussa Gabinius, personnage élégant qui lissait son épaisse chevelure ondulée en arrière pour imiter son chef. Pour atteindre notre but, il nous faudra des cœurs intrépides, et peut-être même des poings solides, pas des ergotages d'avocats malins.

— Tu auras besoin de cœurs intrépides, de poings, *et* d'avocats pour arriver à tes fins, Gabinius, crois-moi. A l'instant où tu perdras l'immunité juridique conférée par ton tribunat, les aristocrates te feront passer devant une cour de justice où tu devras sauver ta peau. Il te faudra un bon avocat, tu peux y compter, et toi aussi Cornelius.

— Avançons, intervint Pompée. Tels sont donc les problèmes. As-tu des solutions à offrir ?

— En fait, oui, répondit Cicéron. Avant tout, je recommande fortement de ne pas faire apparaître ton nom dans le projet de loi réclamant le commandement suprême.

— Mais c'était mon idée à moi, protesta Pompée, exactement comme un enfant qui se fait prendre son jeu par ses camarades.

— C'est vrai, mais je persiste à penser qu'il serait prudent de ne pas spécifier dès le début le nom de celui qui prendra les pleins pouvoirs. Tu serais le point de mire de toutes les jalousies et frustrations du Sénat. Même les plus raisonnables, sur lesquels nous pouvons généralement compter, ne manqueront pas de se dérober. Tu dois absolument placer devant tout le reste l'élimination des pirates, et non le destin de Pompée le Grand. Tout le monde saura que le poste est conçu pour toi. Inutile de le spécifier.

— Mais qu'est-ce qu'il faudra que je dise, quand je présenterai le projet de loi ? demanda Gabinius. Que n'importe quel imbécile pris dans la rue peut occuper ce poste ?

— Non, bien évidemment, répondit Cicéron en faisant un gros effort de patience. Je rayerais le nom de Pompée et le remplacerais par l'expression « sénateur de rang consulaire ». Cela limiterait déjà le choix à une quinzaine, voire une vingtaine d'anciens consuls encore en vie.

— Qui seraient les candidats rivaux ? s'enquit Africanus.

— Crassus, répondit aussitôt Pompée, toujours préoccupé par son vieil ennemi. Catulus, peut-être ; et puis il y a Metellus Pius – vieux mais encore solide. Hortensius a des partisans ; Isauricus. Gellius. Cotta. Curion. Et même les frères Metellus.

— Eh bien, je suppose que si tu es vraiment inquiet, dit Cicéron, nous pourrons toujours spécifier que le commandant suprême devra être un ancien consul dont le nom commence par un P.

Pendant un instant, personne ne réagit et j'étais certain qu'il était allé trop loin. Mais alors, César rejeta la tête en arrière et se mit à rire, puis les autres – voyant que Pompée affichait un pauvre sourire – résolurent de s'esclaffer aussi.

— Crois-moi, Pompée, continua Cicéron sur un ton

rassurant, la plupart de ceux-là sont bien trop vieux et désœuvrés pour constituer une menace. Crassus sera ton rival le plus dangereux, ne serait-ce que parce qu'il est riche et jaloux. Mais si l'on en vient au vote, tu l'emporteras haut la main, je te le promets.

— Je suis d'accord avec Cicéron, intervint César. Dégageons les obstacles un par un. D'abord, occupons-nous des principes du commandement suprême ; puis viendra le nom du commandant suprême.

Je fus frappé par l'autorité qui émanait de lui quand il parlait, alors qu'il était le plus jeune de l'assemblée.

— Fort bien, dit Pompée en hochant judicieusement la tête. Voilà qui est réglé. La question principale doit être l'élimination des pirates, pas le destin de Pompée le Grand.

Et sur cette remarque, la conférence fut ajournée pour le déjeuner.

S'ensuivit alors un incident sordide dont le souvenir me gêne encore, mais que je dois, me semble-il, relater dans l'intérêt de l'Histoire. Profitant des quelques heures durant lesquelles les sénateurs déjeunèrent puis se promenèrent dans le jardin, je travaillai aussi vite que je pus à transcrire mes notes abrégées en un compte rendu lisible que je pourrais présenter à Pompée. Lorsque j'eus terminé, il me vint à l'esprit de faire vérifier par Cicéron ce que j'avais écrit au cas où il n'aurait pas été d'accord avec tel ou tel détail. La salle où s'était tenue la réunion était vide, l'atrium aussi, mais j'entendais la voix reconnaissable du sénateur et partis, mon rouleau de papyrus à la main, dans la direction d'où elle me paraissait venir. Je traversai une cour à colonnades au milieu desquelles coulait une fontaine, puis suivis le portique jusqu'à un autre jardin intérieur. Je ne percevais plus la voix de Cicéron, aussi m'arrêtai-je pour tendre l'oreille. Il n'y avait que des chants d'oiseaux et le bruit de l'eau. Soudain, tout proche et assez fort pour me faire sursauter, j'entendis une femme gémir, comme dans d'atroces souffrances. Bêtement, je me retournai et fis quelques pas, et là, par une porte ouverte, je me retrouvai en face de César en compagnie de la femme de Pompée. La dame Mucia ne me vit pas. La tête baissée entre ses avant-bras et ses robes remontées à la taille, elle se tenait penchée au-dessus d'une table dont elle agrippait le bord avec tant de force qu'elle en avait les jointures blanches. César, lui, me vit parfaitement : il faisait face à la porte et prenait la dame par-derrière, sa main droite soutenant son ventre rond, la gauche posée négligemment sur sa propre hanche, pareil à un dandy attendant à un coin de rue. Pendant combien de temps nous sommes-nous dévisagés ainsi, je ne saurais le dire, mais son regard me transperce encore – ses yeux sombres et insondables qui semblent me fixer à travers la fumée et le chaos de toutes les années qui allaient suivre – et je revois son expression amusée, provocatrice, résolument éhontée. Je m'enfuis.

La plupart des sénateurs avaient regagné la salle de conférence. Cicéron discutait philosophie avec Varron, le plus grand érudit de Rome, dont les travaux sur la philologie et l'antiquité m'impressionnaient grandement. En toute autre occasion, j'aurais été très honoré de lui être présenté, mais j'étais encore trop ébranlé par la scène dont je venais d'être témoin, et je ne me rappelle pas ce qu'il a pu dire. Je remis le compte rendu à Cicéron, qui le parcourut rapidement et me prit de quoi écrire pour effectuer une petite correction tout en continuant de s'entretenir avec Varron. Pompée dut remarquer ce qu'il faisait, car il vint vers nous, sa grande figure éclairée d'un large sourire, puis, feignant d'être fâché, il prit le compte rendu des mains de Cicéron et l'accusa de vouloir insérer des promesses qu'il n'avait pas faites.

— ... Même si je pense que tu peux compter sur ma voix pour la préture, dit-il en lui donnant une claque dans le dos.

Jusque-là, j'avais considéré Pompée comme une sorte de Dieu parmi les hommes – un héros de guerre glorieux et sûr de lui –, à présent, sachant ce que je savais, je le trouvai triste aussi.

— C'est tout à fait remarquable, me dit-il en faisant courir son gigantesque pouce sur les colonnes de mots. Tu as parfaitement saisi mon ton. Combien en demandes-tu, Cicéron ?

— J'ai déjà décliné une offre colossale que m'a faite Crassus, répliqua Cicéron.

— Eh bien, s'il y a des enchères, n'oubliez pas de me faire participer, intervint César de sa voix rauque en surgissant derrière eux. J'adorerais mettre la main sur Tiron.

Il dit cela d'une façon si amicale, et avec un clin d'œil si complice, que personne ne perçut la menace contenue dans ses mots alors que je faillis m'évanouir de terreur.

— Je ne me séparerai de Tiron, dit Cicéron, de façon qui se révéla par la suite prophétique, que le jour où je quitterai la vie publique.

— Alors je suis doublement déterminé à l'acheter, dit César, et Cicéron se joignit à l'hilarité générale.

Après s'être mis d'accord pour garder le contenu de leur conversation secret et pour se réunir à Rome quelques jours plus tard, le groupe se sépara. A peine eûmes-nous franchi le portail et regagné la route de Tusculum que Cicéron poussa un cri d'énervement longtemps contenu et frappa le flanc de la voiture de la paume de la main.

— C'est une conspiration criminelle ! s'écria-t-il en secouant la tête avec désespoir. Pis encore, c'est une conspiration criminelle *stupide*. C'est tout le problème, Tiron, quand les soldats se mêlent de politique. Ils s'imaginent qu'il leur suffit de donner un ordre et que tout le monde va obéir. Ils ne se rendent jamais compte que ce qui a d'abord séduit chez eux – qu'ils soient censés être de grands patriotes, au-dessus des luttes sordides de la politique – s'avère causer leur perte au bout du compte, parce que soit ils restent vraiment au-dessus de la politique, auquel cas ils ne vont nulle part, soit ils se salissent les mains avec nous, et se montrent alors aussi vénaux que n'importe qui.

Il posa le regard sur le lac, qui s'assombrissait déjà dans la lumière hivernale.

— Qu'est-ce que tu penses de César ? me demanda-t-il soudainement, à quoi je répondis sans trop m'avancer qu'il paraissait très ambitieux. C'est le moins qu'on puisse dire. Il y a même eu des moments aujourd'hui où il m'est venu à l'esprit que tout ce plan fantastique n'était pas en fait l'œuvre de Pompée mais celle de César. Ce qui expliquerait sa présence.

Je fis remarquer que Pompée en avait parlé comme de son idée.

— Et Pompée en est très certainement persuadé. Mais c'est dans la nature du personnage. Tu lui adresses une remarque, et il te la renvoie peu après comme si elle était de lui. « La question principale doit être l'élimination des pirates, pas le destin de Pompée le Grand. » C'est très typique. Certaines fois, juste pour m'amuser, j'ai défendu le contraire de mon assertion de départ, et j'ai attendu de voir au bout de combien de temps la réfutation allait me revenir elle aussi. Je sais que j'ai raison, dit-il en fronçant les sourcils tout en hochant la tête. César est assez intelligent pour avoir semé la graine et l'avoir laissée germer toute seule. Je me demande combien de temps il a passé avec Pompée. Il a l'air très bien introduit.

Je mourais d'envie de lui confier ce que j'avais vu, mais un mélange de peur de César, de timidité et la crainte de déchoir dans l'opinion de Cicéron pour avoir espionné – comme si je pouvais être en quelque sorte contaminé par la description d'une scène aussi sordide – me firent ravaler mes paroles. Ce ne fut que bien des années plus tard – après la mort de César, en fait, alors qu'il ne pouvait plus me nuire et que j'avais pris de l'assurance – que je lui livrai mon histoire. Cicéron, alors assez âgé, demeura un long moment silencieux.

— Je comprends ta discrétion, me dit-il enfin, et, par bien des côtés, je t'en félicite. Mais je dois dire, mon cher ami, que je regrette que tu ne m'en aies pas parlé. Les choses auraient peut-être tourné autrement. Au moins me serais-je aperçu plus tôt du genre d'homme terriblement irresponsable à qui nous avions affaire. Mais lorsque j'ai compris le personnage, il était trop tard.

La Rome que nous retrouvâmes quelques jours plus tard était fébrile et pleine de rumeurs. L'incendie d'Ostie s'était vu de toute la ville comme un rougeoiement à l'ouest du ciel nocturne. Une telle attaque était sans précédent sur la capitale, et quand Gabinius et Cornelius prirent leur charge de tribuns, le 10 décembre, ils s'empressèrent de souffler sur les braises de l'inquiétude populaire pour attiser les flammes de la panique. Ils firent poster des sentinelles supplémentaires aux portes de la ville. On arrêtait et on fouillait au hasard les voitures et piétons qui entraient dans Rome pour y chercher des armes. On patrouillait jour et nuit sur les quais et dans les entrepôts qui longeaient le fleuve, et l'on décréta des peines sévères pour qui était accusé de stocker du grain. Comme on pouvait s'y attendre, les trois grands marchés de la ville – l'Emporium, le Marcellum et le forum Boarium – furent instantanément pris d'assaut et vidés. Les nouveaux tribuns énergiques traînèrent également le consul sortant, le malheureux Marcius Rex, devant une assemblée, et le soumirent à un interrogatoire impitoyable concernant les manquements à la sécurité qui avaient conduit à la catastrophe d'Ostie. On trouva d'autres témoins pour certifier qu'il y avait bien une menace pirate, et cette menace se renforça à chaque témoignage. Ils disposaient d'un millier de bateaux ! Ce n'étaient pas des navires solitaires mais une conspiration organisée. Ils avaient des escadrons, des amiraux et des armes redoutables constituées de flèches à l'extrémité enduite de poison et de feux grégeois ! Personne au Sénat n'osa objecter quoi que ce soit par crainte de sembler minimiser le danger – pas même lorsqu'on fit construire une chaîne de fanaux le long de la route conduisant à la mer, à allumer si des bateaux pirates étaient repérés à l'embouchure du Tibre.

— C'est absurde, me dit Cicéron le matin où nous allâmes inspecter ces symboles les plus visibles du péril national. Comme si n'importe quel pirate sain d'esprit oserait s'engager sur vingt milles à l'intérieur d'un fleuve à découvert dans le but d'attaquer une ville bien défendue !

Il secoua la tête avec consternation en songeant avec quelle facilité des politiciens peu scrupuleux manipulaient une population timorée. Mais qu'y pouvait-il ? Son attachement à Pompée le réduisait au silence.

Le 17 décembre, les fêtes de Saturne commencèrent et durèrent une semaine. Pour des raisons évidentes, les festivités ne furent pas des plus réjouissantes et, bien que la famille Cicéron se prêtât aux rites habituels d'échanges de cadeaux et nous donnât même, à nous, esclaves, une journée de congé tout en nous invitant à partager leur repas, personne n'était d'humeur à s'amuser. Lucius avait toujours été le cœur et l'âme de ce genre de festivités, et il n'était plus là. Terentia avait, je pense, espéré être enceinte, mais venait de s'apercevoir qu'elle ne l'était pas et commençait à s'inquiéter sérieusement sur ses possibilités d'avoir un fils. Pomponia ne cessait de harceler Quintus en répétant qu'il faisait dans l'ensemble un mari lamentable. La petite Tullia elle-même n'arrivait pas à égayer l'atmosphère.

Quant à Cicéron, il passa la majeure partie des saturnales dans son bureau, à ruminer les ambitions démesurées de Pompée et les implications qu'elles risquaient d'avoir pour le pays et ses propres perspectives politiques. L'élection à la préture n'était plus qu'à huit mois de là, et il avait établi avec Quintus une liste de candidats possibles. Parmi ceux qui seraient effectivement élus, il pouvait s'attendre à trouver ses futurs rivaux pour le consulat. Les deux frères passèrent beaucoup de temps à discuter des permutations, et j'eus l'impression, même si je gardai cela pour moi, que la sagesse de leur cousin leur faisait cruellement défaut. En effet, même si Cicéron plaisantait autrefois en disant que, quand il voulait savoir ce qui était le plus avisé d'un point de vue politique, il demandait son avis à Lucius pour faire exactement le contraire, son cousin était comme une étoile fixe sur laquelle s'orienter. Sans lui, les Cicéron ne pouvaient plus compter que l'un sur l'autre et, malgré leur dévouement mutuel, ce n'était pas forcément la plus sage des relations.

C'est dans cette atmosphère, vers le 8 ou le 9 janvier, une fois les fêtes latines terminées et la vie politique relancée, que Gabinius finit par monter aux rostres pour réclamer un nouveau commandant suprême. Je parle ici, il faut le signaler, de l'ancienne tribune républicaine, qui était très différente du tabouret d'ornement minable que nous connaissons aujourd'hui. Cette ancienne structure, à présent détruite, représentait le cœur de la démocratie romaine : longue plate-forme incurvée d'une douzaine de pieds de haut, couverte de statues des héros de l'Antiquité, d'où les tribuns et les consuls s'adressaient au peuple. Elle était adossée au Sénat et faisait crânement face au plus grand espace libre du forum, avec, jaillissant de la lourde maçonnerie, ses six éperons de navire – ces rostres de bateaux carthaginois pris à l'ennemi trois siècles plus tôt et qui donnaient son nom à la plate-forme. Le fond était entièrement constitué d'un escalier, si vous arrivez à vous représenter ce que je vous décris, de sorte qu'un magistrat pouvait quitter le Sénat ou le collège des tribuns, faire cinquante pas, monter les marches et se retrouver à la tribune, devant des milliers de personnes, les façades en gradin des deux grandes basiliques de chaque côté de lui et le temple de Castor juste en face. C'est là que Gabinius monta en cette matinée de janvier pour déclarer, de sa voix douce et assurée, que Rome avait besoin d'un homme fort pour prendre la direction de la guerre contre les pirates.

Cicéron, malgré ses réticences, avait fait de son mieux, avec l'aide de Quintus, pour rassembler une foule importante, et l'on pouvait toujours compter sur les anciens de Picenum pour rameuter deux bonnes centaines de vétérans. Ajoutez à cela les habitués de la basilique Porcia et les citoyens qui vaquaient à leurs affaires dans le forum, et je dirais qu'il y avait près d'un millier de personnes présentes pour entendre

Gabinius énoncer les mesures nécessaires si l'on voulait vaincre les pirates : un commandant suprême de rang consulaire doté de l'*imperium* pour une durée de trois ans sur tout le territoire jusqu'à cinquante milles à l'intérieur des terres, quinze légats de rang prétorien pour l'assister, un libre accès aux caisses de Rome, cinq cents navires de guerre et le droit de lever jusqu'à cent vingt mille fantassins et cinq mille cavaliers. De tels chiffres paraissaient ahurissants, et la déclaration fit sensation. Lorsque Gabinius eut terminé la première lecture de sa proposition et l'eut remise à un clerc afin qu'il l'affiche devant la basilique Porcia, Catulus et Hortensius arrivaient tous les deux au forum pour voir ce qui se passait. Inutile de dire que Pompée restait invisible, et les autres membres du groupe des sept (comme les sénateurs qui suivaient Pompée s'appelaient eux-mêmes) faisaient attention à rester éloignés les uns des autres, afin d'éviter toute suggestion de collusion. Mais les aristocrates ne furent pas dupes.

— Si c'est de ton fait, lança Catulus à Cicéron d'une voix hargneuse, tu pourras dire à ton maître qu'il sera coupable des affrontements futurs.

Leurs réactions se révélèrent plus violentes encore que ce que Cicéron avait prédit. Après première lecture d'une proposition de loi, il fallait attendre trois jours de marché hebdomadaire avant que le peuple puisse s'exprimer par voie de vote (cela pour permettre aux habitants des campagnes de venir en ville et d'étudier ce qui leur était proposé). Les aristocrates avaient donc jusqu'à début février pour s'organiser, et ils ne perdirent pas un instant. Deux jours plus tard, le Sénat était convoqué pour débattre de la *lex Gabinia*, comme on l'appelait à présent, et, malgré le conseil de Cicéron de rester à l'écart, Pompée eut le sentiment qu'il serait plus digne d'être présent et d'assumer la responsabilité de l'affaire. Il voulait avoir une bonne escorte pour descendre au Sénat et, comme le secret ne semblait plus de mise, les sept sénateurs formèrent une haie d'honneur autour de lui. Quintus se joignit à eux, dans sa toute nouvelle toge sénatoriale : ce n'était que la troisième ou quatrième fois qu'il se rendait à la Chambre. Comme d'habitude, je restai près de Cicéron.

— Nous aurions dû savoir que nous aurions des problèmes, en voyant qu'aucun autre sénateur ne se présentait, se lamenta-t-il ensuite.

Le trajet du mont Esquilin au forum se déroula sans encombre. Les rcsponsables de quartier avaient bien fait leur travail et les rues débordaient d'enthousiasme, certains pressant Pompée de les délivrer de la menace des pirates. Il les saluait du bras comme un seigneur parmi ses métayers. Mais à l'instant où le groupe pénétra dans le Sénat, il fut accueilli par des sifflets de tous côtés, et un morceau de fruit pourri vola à travers la salle pour s'écraser sur l'épaule de Pompée, y laissant une grosse tache brune. Une telle chose n'était jamais arrivée au grand général auparavant. Il s'immobilisa et regarda autour de lui avec stupéfaction. Afranius, Palicanus et Gabinius s'empressèrent de resserrer les rangs pour le protéger, comme de retour sur le champ de bataille, et je vis Cicéron tendre les bras pour les pousser tous les quatre vers leurs places, se faisant sans doute la réflexion que, plus tôt ils seraient assis, plus vite les manifestations hostiles s'interrompraient. Je me tenais à l'entrée de la Chambre, retenu avec le reste du public par le cordon familier fixé entre les deux montants de porte. Evidemment, nous étions tous partisans de Pompée, aussi, plus les sénateurs à l'intérieur le fustigeaient, plus nous proclamions notre soutien à l'extérieur, et il fallut un long moment au consul présidant la séance pour ramener le calme dans la curie.

Cette année-là, les nouveaux consuls étaient Glabrio, le vieil ami de Pompée, et l'aristocrate Calpurnius Pison (à ne pas confondre avec l'autre sénateur du même nom qui apparaîtra plus tard dans ce récit si les dieux me donnent la force de le terminer). Plutôt que d'afficher ouvertement son désaccord avec l'homme qui lui avait rendu son fils, Glabrio avait préféré s'absenter – signe incontestable entre tous que la situation de Pompée au Sénat semblait désespérée. C'était donc Pison qui présidait. Je voyais Hortensius, Catulus, Isauricus, Marcus Lucullus – frère du commandant des légions de l'Est – et tout le reste de la faction patricienne prêts à attaquer. Seuls manquaient à l'appel de l'opposition les trois frères Metellus : Quintus était à l'étranger, nommé gouverneur de Crète, et ses deux plus jeunes frères, comme pour illustrer l'indifférence du destin aux ambitions mesquines des hommes, avaient tous deux succombé à une fièvre peu après le procès Verrès. Mais le plus troublant était que les *pedarii* – cette foule de sénateurs laborieux, modestes et patients que Cicéron s'était tant appliqué à cultiver – eux-mêmes se montraient hostiles, ou tout au mieux d'une indifférence butée envers la mégalomanie de Pompée. Quant à Crassus, vautré sur le premier banc consulaire juste en face, il gardait les bras croisés et les jambes négligemment étendues devant lui, dévisageant Pompée avec une expression de calme menaçant. La raison d'un tel sang-froid semblait évidente : assis juste derrière lui, placés là telle une paire de trophées de chasse tout juste achetés aux enchères, se trouvaient deux des tribuns de l'année, Roscius et Trebellius. C'était une façon pour Crassus de déclarer ouvertement qu'il s'était servi de sa fortune pour acheter non seulement un mais deux veto, et que donc, quoi que Pompée et Cicéron décident de faire, la *lex Gabinia* ne pourrait pas passer.

Pison exerça son privilège de pouvoir prendre la parole en premier. « Un orateur du type immobile, ou muet », comme Cicéron le décrivit avec condescendance bien des années plus tard, mais il fut loin de se montrer muet ou immobile ce matin-là.

— Nous savons ce que tu fais ! cria-t-il à Pompée en arrivant à la fin de sa harangue. Tu défies tes collègues au Sénat et tu te prends pour un nouveau Romulus – tuant ton frère afin de pouvoir régner seul ! Mais tu ferais mieux de te rappeler le destin de Romulus, qui a été à son tour assassiné par ses propres sénateurs, lesquels ont découpé son corps et rapporté les morceaux chez eux !

Les aristocrates se levèrent aussitôt et je ne pus voir que le profil massif de Pompée, figé, les yeux fixés droit devant lui, n'arrivant visiblement pas à croire à ce qui se passait.

Catulus prit ensuite la parole. Mais le pire fut Hortensius. Pendant près d'un an, depuis la fin de son consulat, on ne l'avait guère vu au forum. Son beau-fils, Cépion, le frère aîné tant aimé de Caton, venait de mourir en servant sur le front oriental, laissant la fille d'Hortensius veuve, et la rumeur voulait que le Maître de Danse n'eût plus vraiment les jambes assez solides pour continuer la lutte. Mais il semblait que les ambitions démesurées de Pompée lui avaient redonné des forces pour revenir dans l'arène. On se souvenait en l'écoutant à quel point il pouvait être formidable dans ce genre d'occasions préparées. Loin de divaguer ou de s'abaisser à la vulgarité, il se servit de son éloquence pour réaffirmer les vieux principes républicains, à savoir que le pouvoir devait toujours être divisé, balisé par des limites et renouvelé par des votes annuels, et que, bien qu'il n'eût rien personnellement contre Pompée – il pensait même que Pompée était de loin le plus digne de recevoir les pleins pouvoirs –, la *lex Gabinia* instituerait un précédent dangereux et antiromain, et il ne fallait pas balayer d'un revers de manche les anciennes libertés pour un simple regain d'effroi dû aux pirates. Cicéron se balançait d'un pied sur l'autre, et je ne pus m'empêcher de me dire que c'était exactement le discours qu'il aurait tenu s'il avait pu parler librement.

Hortensius arrivait à sa péroraison lorsque la silhouette de César émergea de cette zone d'ombre, près de la porte au fond de la salle, qu'avait autrefois occupée Cicéron, et demanda à Hortensius de céder la parole. Le silence respectueux qui avait régné pendant le discours du grand avocat vola en éclats, et il convient de reconnaître qu'il était courageux de la part de César de le défier dans une telle atmosphère. César tint bon jusqu'à ce qu'il puisse se faire entendre. Il s'exprima alors de sa façon claire, impérieuse, implacable. Il n'y avait rien d'antiromain, protesta-t-il, dans le fait de chercher à se débarrasser des pirates, qui constituaient la lie de la mer ; ce qui était antiromain était de vouloir en finir avec une calamité, mais sans s'en donner les moyens. Si la République fonctionnait aussi parfaitement qu'Hortensius le prétendait, pourquoi cette menace avait-elle pris une telle ampleur ? Et maintenant qu'elle avait atteint des proportions si monstrueuses, comment la vaincre ? Lui-même avait été capturé par des pirates quelques années plus tôt alors qu'il se rendait à Rhodes, et avait été retenu en otage. Lorsqu'il avait enfin été libéré, il était retourné là-bas pour traquer chacun de ses ravisseurs et avait tenu la promesse qu'il leur avait faite pendant sa détention, à savoir qu'il veillerait à ce que chacun de ces brigands fût crucifié !

— Voilà, Hortensius, comme les Romains doivent

traiter avec les pirates, et c'est ce que la *lex Gabinia* nous permettra de faire !

Il termina dans un concert de sifflets et de huées, et, alors qu'il regagnait sa place en affichant un superbe dédain, une sorte de bagarre éclata à l'autre bout de la Chambre. Je crois qu'un sénateur avait assené un coup de poing à Gabinius, qui s'était retourné et avait riposté. Mais très vite, il s'était retrouvé en difficulté, submergé par la masse. Il y eut un cri et un fracas lorsqu'un banc se renversa. Je perdis Cicéron de vue. Une voix dans la foule derrière moi cria qu'on assassinait Gabinius, et la pression fut telle à l'entrée de la Chambre que la corde fut arrachée de ses supports, nous projetant à l'intérieur. J'eus la chance de pouvoir me faufiler sur un côté tandis que plusieurs centaines des partisans plébéiens de Pompée (qui n'avaient pas l'air très raffiné, je dois l'admettre) faisaient irruption dans l'allée centrale, fonçaient vers l'estrade consulaire et tiraient Pison de sa chaise curule. Une brute le prit par le cou et, pendant quelques instants, on crut bien ne pouvoir échapper à un meurtre. Mais alors, Gabinius parvint à se dégager et à se hisser sur un banc pour montrer que, quoique malmené, il était encore bien vivant. Il somma les manifestants de lâcher Pison et, après un bref échange, le consul fut libéré à contrecœur. Se frottant la gorge, Pison déclara d'une voix rauque que la séance était ajournée sans vote, et donc, avec une très courte marge et pour le moment du moins, la communauté échappa à l'anarchie.

Il y avait plus de quatorze ans qu'on n'avait pas assisté à des scènes d'une telle violence en plein cœur du quartier de l'administration romaine, et cela marqua profondément Cicéron, même s'il parvint de son côté à se sortir de la mêlée sans un pli sur sa toge immaculée.

Gabinius saignait du nez et de la lèvre, et Cicéron dut l'aider à quitter la curie. Ils sortirent peu après Pompée, qui marchait devant, le regard fixe, du pas mesuré d'un homme à un enterrement. Ce dont je me souviens le plus, c'est du silence de la foule de sénateurs et de plébéiens mêlés qui s'écartait pour le laisser passer. On aurait dit que les deux factions, s'étant aperçues au tout dernier moment qu'elles se battaient au bord d'une falaise, étaient revenues à la raison et avaient reculé. Nous avons débouché dans le forum sans que Pompée ne prononce un mot et, lorsqu'il tourna dans l'Argilète pour rentrer chez lui, tous ses partisans lui emboîtèrent le pas, ne fût-ce que parce qu'ils n'avaient rien d'autre à faire. Afranius, qui se tenait près de Pompée, fit circuler la consigne que le général voulait convoquer une réunion. Je demandai à Cicéron s'il désirait quelque chose, et il me répondit, avec un sourire amer :

— Oui, cette vie tranquille à Arpinum !

Quintus s'approcha et dit d'une voix pressante :

— Pompée doit démissionner, ou ce sera l'humiliation !

— Il a déjà subi l'humiliation, rétorqua Cicéron, et nous avec lui. Ces soldats ! me confia-t-il avec dégoût. Qu'est-ce que je te disais ? Il ne me viendrait pas à l'idée de leur donner des ordres sur un champ de bataille. Pourquoi faut-il qu'ils se croient plus forts que moi en politique ?

Nous gravîmes la côte jusqu'à la maison de Pompée et y entrâmes les uns derrière les autres, laissant la foule muette dans la rue. Depuis leur toute première conférence, j'étais le préposé aux minutes de ces réunions et, lorsque je pris ma place habituelle dans un coin de la pièce, personne ne fit attention à moi. Les sénateurs s'installèrent autour de la grande table, Pompée la présidant. L'orgueil avait complètement disparu de sa silhouette imposante. Effondré dans son fauteuil pareil à un trône, il me rappelait ces grands animaux capturés et enchaînés, déroutés et tourmentés dans l'arène par des créatures plus petites qu'eux. Il se montra complètement défaitiste et ne cessa de répéter que tout était terminé – le Sénat n'accepterait jamais sa désignation, il n'avait le soutien que de la populace et, de toute façon, les tribuns à la solde de Crassus s'opposeraient à la proposition de loi. Il ne lui restait donc plus que l'exil ou la mort. César prit le contre-pied : Pompée restait l'homme le plus populaire de la République ; il devait parcourir l'Italie et lever les légions dont il avait besoin, ses vétérans fourniraient l'ossature de sa nouvelle armée ; le Sénat capitulerait dès que son armée le rendrait assez puissant.

— Quand on perd sur un coup de dés, il ne reste plus qu'une chose à faire : doubler la mise et relancer. Passe outre les aristocrates et, si c'est nécessaire, gouverne en t'appuyant sur le peuple et l'armée.

Je voyais que Cicéron se préparait à parler, et j'étais certain qu'il ne soutiendrait aucun de ces deux extrêmes. Mais il faut autant de talent pour manipuler un groupe de dix personnes que pour emporter l'adhésion des foules. Il attendit que chacun se fût exprimé et que la discussion se trouvât dans une impasse avant d'entrer en lice.

— Comme tu le sais, Pompée, commença-t-il, j'ai eu dès le début des réticences concernant cette entreprise. Mais après avoir assisté à la débâcle d'aujourd'hui au Sénat, je dois te dire qu'elles se sont complètement envolées. Il ne nous reste plus aujourd'hui qu'à gagner cette bataille – pour toi, pour Rome ainsi que pour l'autorité et la dignité de tous ceux qui t'ont soutenu. Il ne saurait être question de capituler. Tu es célèbre pour être un lion sur le champ de bataille ; tu ne peux pas devenir une souris à Rome.

— Prends garde à ce que tu dis, avocat, menaça Afranius en agitant son doigt, mais Cicéron ne lui prêta aucune attention.

— Imagines-tu ce qui se passerait si tu abandonnais maintenant ? Le projet de loi a été rendu public. Le peuple réclame des mesures contre les pirates. Si tu n'assumes pas cette mission, quelqu'un d'autre le fera, et je peux déjà t'annoncer qui ce sera : Crassus. Tu as dit toi-même qu'il avait deux tribuns à sa solde. Il fera en sorte que cette loi soit votée, seulement avec son nom dessus à la place du tien. Et comment pourras-tu l'arrêter, Gabinius ? En t'opposant à ta propre proposition ? Impossible ! Vous voyez ? Nous ne pouvons pas abandonner le combat maintenant !

C'était un argument bien inspiré, car s'il y avait une chose qui pouvait pousser Pompée à se battre, c'était la perspective que Crassus lui vole la gloire. Il se redressa donc, serra la mâchoire et foudroya l'assemblée du regard. Je remarquai que Palicanus et Afranius lui adressaient tous deux de petits signes d'encouragement.

— Nous avons des éclaireurs dans la légion, Cicéron, dit Pompée, des types merveilleux qui arrivent à trouver des chemins dans les terrains les plus difficiles – les marécages, les chaînes de montagnes, les forêts qu'aucun homme n'a jamais explorées. Mais la politique constitue le pire obstacle auquel j'aie jamais été confronté. Si tu arrives à me sortir de ce mauvais pas, tu n'auras pas d'ami plus sincère que moi.

— T'en remettras-tu entièrement à moi ?

— Tu es mon éclaireur.

— Très bien, fit Cicéron. Gabinius, demain, tu dois convoquer Pompée aux rostres, pour lui demander de prendre les pleins pouvoirs.

— Parfait, commenta Pompée d'un air conquérant en serrant son poing massif. Et je vais accepter.

— Non, non, protesta Cicéron. Tu dois absolument refuser. Tu diras que tu en as assez fait pour Rome, que tu n'as plus guère d'ambition pour la vie publique et que tu te retires sur tes terres, à la campagne.

Pompée se décomposa.

— Ne t'inquiète pas. Je t'écrirai ce que tu devras dire. Tu quitteras la ville demain après-midi, et tu ne reviendras pas. Plus tu auras l'air réticent, plus les gens seront pressés de te voir revenir. Tu seras notre Cincinnatus, qu'on est allé rechercher dans sa ferme pour sauver le pays du désastre. C'est l'un des mythes les plus convaincants de la politique, crois-moi.

Certains des participants à la réunion s'opposèrent à une tactique aussi spectaculaire, la jugeant trop risquée. Mais l'idée de paraître modeste séduisait la vanité de Pompée. N'est-ce pas là en effet le rêve de tout homme orgueilleux et ambitieux : au lieu de descendre dans l'arène et de se battre pour le pouvoir, laisser le peuple venir à lui en rampant pour le supplier d'accepter ce pouvoir comme un don ? Plus Pompée y réfléchissait, plus cette idée lui plaisait. Sa dignité et son autorité n'auraient pas à souffrir, il disposerait de plusieurs semaines pour se préparer confortablement et, si les choses tournaient mal, la faute en incomberait à quelqu'un d'autre.

— Tout cela paraît très intelligent, commenta Gabinius qui tamponnait sa lèvre fendue. Mais tu parais oublier que ce n'est pas le peuple qui est le problème, c'est le Sénat.

— Le Sénat suivra quand il s'apercevra des implications du départ de Pompée. Les sénateurs seront confrontés à cette alternative : soit ne rien faire concernant les pirates, soit accorder les pleins pouvoirs à Crassus. Et, pour la majorité, aucune des deux solutions n'est acceptable. Il suffira d'y mettre un peu d'huile, et ils glisseront tous de notre côté.

— C'est très intelligent, déclara Pompée d'un ton admiratif. N'est-il pas intelligent, messieurs ? Ne vous avais-je pas dit qu'il était intelligent ?

— Ces quinze postes de légats, reprit Cicéron, je propose que tu en utilises au moins la moitié pour gagner des soutiens au sein du Sénat.

Palicanus et Afranius, voyant leurs commissions lucratives en péril, émirent aussitôt les plus vives objections. Mais Pompée leur intima le silence.

— Tu es un héros national, continua Cicéron, un patriote au-dessus des ergotages et intrigues politiques mesquines. Au lieu d'utiliser ton pouvoir d'attribution pour récompenser tes amis, tu devrais t'en servir pour diviser tes ennemis. Rien ne déchirera plus sûrement l'aristocratie que de persuader certains de s'engager sous tes ordres. Ils vont s'étriper.

– Je suis d'accord, intervint César avec un hochement de tête décidé. Le plan de Cicéron est meilleur que le mien. Sois patient, Afranius. Ce n'est que la première étape. Nous aurons notre récompense plus tard.

– Et il va sans dire que la défaite des ennemis de Rome devrait être pour nous une récompense suffisante, intervint Pompée sur un ton moralisateur.

Je me rendis compte qu'il se voyait déjà derrière sa charrue.

Plus tard, alors que nous rentrions chez nous, Quintus glissa à son frère :

– J'espère que tu sais ce que tu fais.

– Moi aussi, j'espère que je sais ce que je fais, répondit Cicéron.

– Le nœud du problème, c'est sans doute Crassus et ses deux tribuns, avec cette possibilité de s'opposer au projet de loi. Comment vas-tu contourner ça ?

– Je n'en ai aucune idée. Espérons qu'une solution va se présenter. C'est généralement le cas.

Je pris alors conscience que Cicéron s'appuyait énormément sur son vieux principe, selon lequel il faut parfois commencer un combat pour trouver comment le gagner. Il souhaita bonne nuit à Quintus et s'éloigna, tête baissée, plongé dans ses pensées. Lui qui n'avait participé qu'à contrecœur au grand dessein de Pompée en apparaissait maintenant comme le principal organisateur, et il savait que cela risquait de le mettre en position délicate, ne fût-ce qu'avec sa propre épouse. D'après mon expérience, les femmes sont nettement moins enclines que les hommes à oublier les affronts passés, et Terentia trouvait inexplicable que son mari puisse encore être aux petits soins pour « le Prince de Picenum », comme elle l'appelait ironiquement, surtout après les scènes de la matinée au Sénat qui alimentaient toutes les conversations. Elle attendait Cicéron dans le tablinum lorsque nous arrivâmes, prête à l'attaque et à la bataille. Elle se jeta immédiatement sur lui.

– Je ne peux pas croire que les choses en soient arrivées là ! Il y a le Sénat d'un côté et la populace de l'autre – et où pensez-vous que se trouve mon mari ? Comme d'habitude, avec la populace ! J'espère que toi-même, tu vas couper tout lien avec cet homme maintenant ?

— Il va annoncer son départ dès demain, la rassura Cicéron.

— Quoi ?

— C'est la vérité. Je m'en vais de ce pas rédiger sa déclaration ; ce qui signifie que je devrai dîner dans mon bureau, je le crains, alors, si tu veux bien m'excuser…

Il passa devant elle et, une fois que nous fûmes à l'écart, me demanda :

— Tu crois qu'elle m'a cru ?

— Non, répondis-je.

— Moi non plus, dit-il avec un petit rire. Il y trop longtemps qu'elle vit avec moi.

Il était à présent assez riche pour divorcer s'il l'avait voulu, et il aurait pu se trouver un bien meilleur parti, beaucoup plus beau en tout cas. Il était déçu qu'elle n'ait pas pu lui donner de fils. Et pourtant, malgré leurs disputes interminables, il restait avec elle. Ce n'était pas à proprement parler de l'amour – du moins pas au sens où l'entendent les poètes. Un lien plus fort et plus étrange les unissait. Elle l'empêchait de s'émousser, c'était en partie cela : elle était la pierre à aiguiser et lui la lame. Quoi qu'il en soit, elle ne nous dérangea pas de la soirée et Cicéron put me dicter les mots qu'il voulait mettre dans la bouche de Pompée. Il n'avait jamais écrit de discours pour quelqu'un d'autre, et ce fut une expérience très particulière. De nos jours, bien sûr, la plupart des sénateurs emploient un esclave ou deux à la rédaction de leurs discours. J'ai même entendu dire que certains n'ont aucune idée de ce qu'ils vont dire avant de voir le texte posé devant eux ; que ces hommes puissent prétendre au titre d'hommes d'Etat me désespère. Cicéron se découvrit un vrai goût pour composer des textes pour les autres. Cela l'amusait d'inventer les phrases qu'auraient dû prononcer les grands hommes si seulement ils en avaient eu l'intelligence, et il sut par la suite utiliser cette technique pour son plus grand avantage dans ses livres. Il conçut même la formule prononcée par Gabinius et qui finit par devenir célèbre : « Pompée le Grand n'est pas né pour lui seul, mais pour Rome ! »

L'allocution resta délibérément courte, et nous eûmes terminé bien avant minuit, aussi, tôt, le lendemain matin, dès que Cicéron eut fait ses exercices et reçu ses visiteurs les plus importants, nous rendîmes-nous chez Pompée pour lui remettre son discours. La nuit lui avait apporté sa dose de doutes et il se rongeait à présent les sangs en se demandant si son départ était une si bonne idée que ça. Cicéron mit ce revirement en grande partie sur le compte de la nervosité d'avoir à monter aux rostres, et, une fois que Pompée eut son texte préparé entre les mains, il commença à se calmer. Cicéron donna ensuite quelques notes à Gabinius, qui était présent également, mais le tribun n'apprécia guère qu'on lui remît son texte comme à un acteur et insista pour savoir s'il devait vraiment dire que Pompée était « né pour Rome ».

— Pourquoi ? plaisanta Cicéron. Tu n'en es pas persuadé ?

Sur quoi Pompée ordonna d'un ton bourru à Gabinius de cesser de se plaindre et de dire les mots tels qu'ils étaient écrits. Gabinius se tut, mais il foudroya Cicéron du regard, et je crois que c'est à partir de cet instant qu'il devint son ennemi secret – illustrant parfaitement le mal que le sénateur pouvait ainsi causer avec ses reparties cinglantes.

Une gigantesque foule s'était rassemblée dans le forum, impatiente d'assister à la suite des événements de la veille. Nous entendîmes le bruit en descendant la colline depuis le domicile de Pompée – ce son impressionnant et caractéristique que produit toujours la multitude excitée et me rappelle immanquablement une vague énorme se brisant contre la grève lointaine. Je sentis mon pouls s'accélérer. Les sénateurs étaient presque tous là, et les aristocrates avaient amené avec eux plusieurs centaines de partisans, en partie pour se protéger, et en partie pour huer Pompée lorsqu'il réclamerait, comme ils s'y attendaient, le commandement suprême. Le grand homme pénétra rapidement dans le forum, escorté, comme précédemment, par Cicéron et ses alliés sénatoriaux, mais il resta à la lisière et se dirigea directement vers le fond des rostres, où il fit les cent pas, bâilla, souffla sur ses mains glacées et montra dans l'ensemble tous les signes de la nervosité tandis que les clameurs de la foule s'amplifiaient. Cicéron lui souhaita bonne chance, puis partit vers le devant des rostres rejoindre les autres sénateurs, car il tenait absolument à voir leurs réactions. Les dix tribuns montèrent à la tribune et prirent place sur leur banc, puis Gabinius s'avança et annonça d'une voix de stentor :

— J'appelle devant le peuple Pompée le Grand !

Comme l'apparence est importante en politique, et comme Pompée avait été superbement façonné par la nature pour imposer une idée de grandeur ! Alors que cette silhouette familière imposante gravissait les marches et surgissait à la tribune, ses partisans lui firent la plus superbe des ovations. Il se tint là, aussi solide qu'un taureau, sa grande tête légèrement rejetée en arrière sur ses épaules massives, les yeux baissés sur les visages levés vers lui, les narines palpitantes, comme s'il respirait les applaudissements. En général, le public n'aimait pas qu'on lui lise un discours et préférait la spontanéité apparente. Mais, cette fois, il y avait quelque chose dans la façon dont Pompée déroula son court texte et le tint devant lui qui renforçait encore l'impression que ces mots étaient aussi importants que celui qui les prononçait – un homme au-dessus des techniques d'orateur bien huilées du droit et de la politique.

— Peuple de Rome, déclama-t-il dans un silence complet, à dix-sept ans, j'ai combattu dans l'armée de mon père, Gnaeus Pompeius Strabo, pour ramener l'unité de l'Etat. Quand j'en ai eu vingt-trois, j'ai levé une armée de quinze mille hommes et vaincu les armées rebelles combinées de Brutus, Caelius et Carrinas, et j'ai été sacré imperator sur le champ de bataille. Lorsque j'ai eu vingt-quatre ans, j'ai conquis la Sicile. A vingt-cinq ans, j'ai conquis l'Afrique. Le jour de mes vingt-six ans, j'ai reçu mon triomphe. A trente ans et alors que je n'étais même pas encore sénateur, j'ai pris le commandement de nos troupes en Espagne avec l'autorité proconsulaire, j'ai combattu les rebelles pendant six années, et j'ai gagné. A l'âge de trente-six ans, je suis rentré en Italie et j'ai éliminé ce qui restait des troupes d'esclaves rebelles de Spartacus. A trente-sept ans, j'ai été élu consul et j'ai reçu mon deuxième triomphe. En tant que consul, je vous ai rendu les droits ancestraux des tribuns et j'ai organisé des jeux. Chaque fois qu'un danger a menacé l'unité nationale, je me suis engagé. Ma vie tout entière n'a été qu'un long service commandé. Aujourd'hui, un nouveau danger sans précédent menace l'unité nationale, et pour y faire face, un nouveau commandement doté de pouvoirs exceptionnels a été judicieusement proposé. Celui que vous choisirez pour porter ce fardeau devra avoir le soutien de tous les rangs et de toutes les classes car il faut une grande confiance pour accorder tant de pouvoirs à un seul homme. Il me paraît évident, après la séance au Sénat d'hier, que je ne bénéficie pas de la confiance des sénateurs, aussi voudrais-je vous dire que, bien que l'on m'en ait prié, je n'accepterai pas d'être nommé à ce poste. Et, si j'étais nommé, je refuserais de servir. Pompée le Grand a eu son content de service commandé. Je renonce aujourd'hui à toute ambition à la tête de l'Etat et me retire de la cité pour aller labourer la terre de mes ancêtres.

Après un moment de choc, un formidable grondement de déception monta de la foule, et Gabinius s'empressa de regagner le devant de la scène, où Pompée se tenait, impassible.

— Mais c'est impossible ! Pompée le Grand n'est pas né pour lui seul, mais pour Rome !

Evidemment, la formule suscita une gigantesque démonstration de soutien, et les cris de « Pompée ! Pompée ! Rome ! Rome ! » résonnèrent contre les murs des basiliques et des temples au point de faire mal aux oreilles. Il fallut un certain temps avant que Pompée puisse se faire entendre.

— Votre bonté me touche, mes chers concitoyens, mais mon séjour prolongé dans la cité ne pourrait qu'entraver vos délibérations. Fais un choix avisé, ô peuple de Rome, parmi les nombreux anciens consuls qui ont montré leurs capacités au Sénat ! Et souviens-toi que, même si je quitte maintenant Rome, mon cœur restera pour toujours parmi tes foyers et tes temples. Adieu !

Il leva son rouleau de papyrus comme si c'était un bâton de maréchal, salua la foule en délire, se retourna et marcha d'un pas lourd et implacable vers le fond de l'estrade, ignorant toutes les supplications. Puis il descendit les marches sous les yeux ébahis des tribuns, ses jambes disparaissant d'abord, puis son torse et enfin sa noble tête coiffée d'un casque de cheveux. Certaines personnes près de moi commencèrent à pleurer et à s'arracher cheveux et vêtements, et j'avais beau savoir que l'opération n'était qu'une ruse, j'eus toutes les peines du monde à ne pas éclater moi-même en sanglots. Les sénateurs assemblés paraissaient avoir reçu un projectile en leur sein – quelques-uns étaient prêts à relever le défi mais ils étaient dans l'ensemble ébranlés, et la majorité semblait paralysée par la stupéfaction. De presque aussi loin qu'on pût se souvenir, Pompée avait été le plus grand homme d'Etat qu'ait connu Rome, et maintenant, il était… parti. Le visage de Crassus, en particulier, reflétait une palette d'émotions contradictoires qu'aucun peintre vivant ne pourrait espérer capturer. Une partie de lui-même se disait qu'il serait enfin, après tant d'années passées dans l'ombre de Pompée, le favori pour recevoir les pleins pouvoirs ; mais l'autre partie, plus rusée, savait qu'il devait s'agir d'un subterfuge et que sa position n'en était que plus menacée par un péril imprévisible.

Cicéron resta juste assez pour juger des réactions que son plan avait suscitées, puis se dépêcha de rejoindre l'arrière des rostres. Les fidèles de Picenum étaient là, ainsi que le groupe des parasites habituels. Les serviteurs de Pompée avaient amené une litière fermée de brocart bleu et or pour le conduire à la porte Capène, et le général s'apprêtait à y monter. Il était comme beaucoup d'hommes que j'ai vu juste après qu'ils ont prononcé un discours important, tout à la fois euphorique jusqu'à l'arrogance et cherchant à tout prix à être rassuré.

— Ça s'est extrêmement bien passé, dit-il. Tu as trouvé ça comment ?

— Superbe, répondit Cicéron. L'expression de Crassus est au-delà de toute description.

— Tu as aimé le passage disant que mon cœur restera pour toujours parmi les foyers et les temples de Rome ?

— C'était un vrai trait de génie.

Pompée poussa un grognement satisfait et s'installa parmi les coussins de sa litière. Il baissa le rideau puis l'écarta aussitôt.

— Tu es sûr que ça va marcher ?

— Tes adversaires sont dans le désarroi. C'est un début.

Le rideau retomba, puis s'écarta de nouveau.

— La loi sera votée dans combien de temps ?

— Dans quinze jours.

— Tiens-moi au courant. Chaque jour au moins.

Cicéron recula et la chaise fut hissée sur l'épaule de

ses porteurs. Ces jeunes gens devaient être assez costauds car Pompée pesait son poids ; pourtant, ils partirent au pas de course, passèrent devant le Sénat et quittèrent le forum – le corps céleste de Pompée le Grand traînant derrière lui sa queue de comète de clients et admirateurs.

— Si j'ai aimé le passage sur les foyers et les temples ? répéta Cicéron, qui secoua la tête en le regardant s'éloigner. Mais évidemment, grand nigaud, c'est moi qui l'ai écrit !

J'imagine que cela devait être dur pour lui de consacrer tant d'énergie à un chef qu'il n'admirait pas et pour une cause qu'il jugeait fondamentalement spécieuse. Mais l'ascension vers les sommets politiques vous contraint souvent de voyager avec des compagnons qui ne vous plaisent guère, et vous font découvrir de bien étranges paysages. Et il savait qu'il n'était plus question de faire machine arrière.

XII

Pendant les deux semaines suivantes, on ne parla plus à Rome que d'un seul sujet : les pirates. Gabinius et Cornelius « vivaient sur les rostres », comme on disait à l'époque – c'est-à-dire qu'ils portaient chaque jour la question de la menace des pirates à l'attention du peuple en prononçant de nouvelles dénonciations et convoquant toujours plus de témoins. Les histoires horribles étaient devenues leur spécialité. Par exemple, on rapportait que, si un prisonnier des pirates déclarait qu'il était citoyen romain, ses ravisseurs feignaient la terreur et le suppliaient de leur pardonner. Ils lui apportaient même une toge et des souliers et s'inclinaient devant lui. Ce jeu pouvait durer longtemps, jusqu'au moment où, alors qu'ils se trouvaient en pleine mer, ils déroulaient une échelle et lui disaient qu'il était libre de partir. Si leur victime refusait de descendre, ils le jetaient par-dessus bord. De tels récit mettaient le public du forum en fureur : pour lui, « je suis un citoyen romain » était une incantation magique qui devait assurer le respect dans le monde entier.

Cicéron ne s'exprima pas lui-même du haut des rostres. Curieusement, il ne l'avait encore jamais fait, ayant décidé dès le début qu'il attendrait pour cela une étape de sa carrière où il pourrait produire le maximum d'impact. Il était naturellement tenté de faire de ce problème l'occasion de rompre le silence : c'était là le bâton populaire idéal pour battre les aristocrates, et il avait beaucoup à dire. Mais il finit par y renoncer en réfléchissant que la mesure bénéficiait déjà du soutien écrasant de la rue et qu'il serait mieux employé derrière la scène, à mettre au point des stratégies et tenter de rallier les sénateurs les plus hésitants. Pour changer, il joua donc les modérés, arpentant le senaculum de sa manière habituelle, en écoutant les plaintes des *pedarii*, promettant de transmettre des messages de sympathie et de prière à Pompée et faisant miroiter – très occasionnellement – des demi-promesses, de préférence à des personnages influents. Chaque jour, un messager arrivait de la propriété de Pompée, dans les monts Albains, avec une dépêche contenant de nouvelles récriminations, de nouvelles questions ou instructions (« Notre nouveau Cincinnatus ne semble pas passer beaucoup de temps à labourer », commentait Cicéron avec un sourire ironique), et chaque jour, le sénateur me dictait une réponse apaisante où il glissait souvent le nom de personnes avec lesquelles Pompée aurait intérêt à s'entretenir. Il s'agissait là d'une tâche délicate puisqu'il était important de continuer à prétendre que Pompée ne prenait plus part à la vie politique. Mais un mélange de cupidité, de flatterie, d'ambition, la prise de conscience qu'une forme de commandement suprême devenait inévitable et la crainte que celui-ci n'échût à Crassus finirent par ramener une demi-douzaine de sénateurs clés dans le camp de Pompée, le plus emblématique d'entre eux étant Lucius Manlius Torquatus, qui revenait tout juste de sa préture et était certain de se présenter à l'élection au consulat l'année suivante.

Crassus restait, comme toujours, la plus grande menace des projets de Cicéron et, bien entendu, lui non plus ne gardait pas les bras croisés. Il mena campagne en promettant les commissions les plus lucratives, gagnant ainsi de nouveaux partisans. Pour les amateurs de politique, il était fascinant d'observer ces éternels rivaux, Crassus et Pompée, toujours au coude à coude. Ils avaient chacun deux tribuns à leur solde, ce qui leur donnait la possibilité de s'opposer au projet de loi, et ils avaient tous deux une liste d'alliés secrets au Sénat. Crassus avait l'avantage de bénéficier du soutien de la plupart des aristocrates, qui redoutaient Pompée plus que n'importe qui dans la République ; ce dernier jouissait quant à lui d'une immense popularité dans la rue.

— Ils sont comme deux scorpions qui se tournent autour, commenta un matin Cicéron, confortablement installé dans son fauteuil après m'avoir dicté son dernier message à Pompée. Aucun d'eux ne peut gagner directement, mais chacun peut tuer l'autre.

— Comment la victoire finira-t-elle par s'imposer, alors ?

Il me regarda, puis se redressa brusquement pour frapper son bureau de la paume de la main avec une soudaineté qui me fit sursauter.

— Elle ira à celui qui frappera l'autre par surprise.

A l'époque où il fit cette remarque, il ne restait plus que quatre jours avant que la *lex Gabinia* ne fût votée par le peuple. Cicéron n'avait toujours pas trouvé le moyen de circonvenir le veto de Crassus. Il était las et découragé, et se remit à évoquer une éventuelle installation à Athènes pour étudier la philosophie. Ce jour passa, puis le suivant, et encore le suivant sans qu'aucune solution ne se présentât. Le dernier jour avant le vote, je me levai comme d'habitude à l'aube et ouvris la porte à la clientèle de Cicéron. Maintenant qu'on le savait si proche de Pompée, ces réceptions matinales avaient doublé de volume, et la maison regorgeait de demandeurs et sympathisants divers, pour le plus grand déplaisir de Terentia. Certains portaient des noms célèbres. Ainsi, ce matin-là, il y avait Antonius Hybrida, deuxième fils du grand orateur et consul Marcus Antonius, qui venait de servir un temps comme tribun ; c'était un imbécile et un ivrogne, mais il devait être reçu en premier. Il faisait gris et il pleuvait dehors, aussi les visiteurs apportaient-ils avec eux une odeur de chien mouillé qui émanait de leurs vêtements sales et humides et de leurs cheveux trempés. Comme le carrelage noir et blanc était maculé de traces de boue, je m'apprêtais à appeler un esclave de maison pour qu'il lave par terre quand la porte se rouvrit sur Marcus Licinius Crassus en personne. Je fus tellement surpris que j'en oubliai d'être inquiet et l'accueillis d'un salut aussi naturel que s'il avait été n'importe qui venu requérir une lettre d'introduction.

— Et très bonne journée à toi, Tiron, rétorqua-t-il.

Il ne m'avait rencontré qu'une fois et se souvenait encore de mon nom, ce qui m'alarma.

— Serait-il possible de s'entretenir un instant avec ton maître ?

Crassus n'était pas seul, mais flanqué de Quintus Arrius, un sénateur qui le suivait comme une ombre et dont le discours ridiculement affecté – il ajoutait systématiquement un *h* aspiré aux voyelles et prononçait ainsi son nom « Harrius » – devait être si mémorablement parodié par Catullus, le plus cruel des poètes. Je courus au bureau de Cicéron et le trouvai, comme de coutume, occupé à dicter une lettre à Sositheus tout en signant des documents aussi vite que Laurea pouvait les lui présenter.

– Tu ne devineras jamais qui est ici ! m'écriai-je.
– Crassus, répondit-il sans même lever la tête.
– Cela ne te surprend pas ? m'étonnai-je, complètement déconcerté.
– Non, dit Cicéron en signant une autre lettre. Il est venu me faire une offre magnanime qui ne sera en vérité pas magnanime du tout mais le présentera sous une meilleure lumière lorsque notre refus sera devenu public. Il a toutes les raisons de trouver un compromis alors que nous n'en avons aucune. Mais tu ferais mieux de le faire entrer avant qu'il ne soudoie tous mes clients pour qu'ils me laissent tomber. Et puis reste là pour prendre des notes, au cas où il essaierait de me prêter des propos que je n'ai pas tenus.

J'allai donc chercher Crassus – qui faisait effectivement le tour du tablinum de Cicéron en serrant des mains avec effusion, à la stupéfaction craintive de toutes les personnes concernées – et le conduisis dans le bureau. Les secrétaires sortirent et nous restâmes tous les quatre – Crassus, Arrius et Cicéron assis, moi debout dans un coin, à prendre des notes.

– Tu as une très jolie maison, commenta Crassus, toujours très amical. Petite, mais charmante. Il faudra que tu me préviennes si tu penses à la vendre.
– Si jamais elle prend feu, répliqua Cicéron, tu seras le premier à le savoir.
– Très amusant, fit Crassus, qui frappa dans ses mains et rit avec bonne humeur. Mais je suis tout à fait sérieux. Un homme aussi important que toi devrait avoir une plus grande propriété, dans un meilleur voisinage. Le Palatin, bien sûr. Je peux arranger ça. Non, je t'en prie, ajouta-t-il en voyant Cicéron secouer la tête, ne repousse pas mon offre. Nous avons eu nos différends, et j'aimerais pouvoir faire un geste de réconciliation.

– Eh bien, c'est très généreux de ta part, dit Cicéron. Hélas, je crains que les intérêts d'un certain monsieur ne se dressent encore entre nous.

– Il ne faut pas. J'observe la progression de ta carrière avec admiration, Cicéron. Tu mérites la place que tu occupes maintenant à Rome. Je suis sûr que tu obtiendras la préture cet été et le consulat deux ans après cela. Voilà… je l'ai dit. Tu peux compter sur mon soutien. Et maintenant, qu'est-ce que tu réponds à cela ?

C'était effectivement une proposition incroyable, et je compris en cet instant une chose importante sur le fonctionnement des hommes d'affaires les plus brillants, à savoir que ce n'est pas toujours une pingrerie opiniâtre qui leur vaut la réussite, mais plutôt la capacité, lorsque c'est nécessaire, de faire preuve d'une générosité inattendue, voire extravagante. Cicéron fut complètement déconcerté. On lui offrait carrément le consulat, le rêve de sa vie, sur un plateau – une ambition qu'il n'avait même jamais osé formuler devant Pompée, de crainte d'éveiller la jalousie du grand homme.

— Tu me plonges dans la plus grande confusion, Crassus, dit-il, d'une voix tellement altérée par l'émotion qu'il dut s'éclaircir la gorge avant de poursuivre. Mais le destin nous a une fois de plus conduits sur des chemins différents.

— Ce n'est pas obligatoire. A la veille du vote populaire, le moment n'est-il pas venu de trouver un compromis ? J'accepte la conception de Pompée des pleins pouvoirs. Nous n'avons qu'à les partager.

— Des pleins pouvoirs partagés, c'est un oxymore.

— Nous avons bien partagé le consulat.

— Oui, mais le consulat est un mandat conjoint, fondé sur le principe que le pouvoir doit être partagé.

Mener une guerre est une tout autre affaire, comme tu es beaucoup mieux placé que moi pour le savoir. Dans une guerre, la moindre allusion de division au sommet est fatale.

— Mais ce commandement est tellement énorme qu'il peut largement y avoir place pour deux, non ? dit Crassus avec désinvolture. Pompée n'a qu'à prendre l'Est, et moi l'Ouest. Ou Pompée la mer et moi la terre. Ou vice versa. Cela m'est égal. A nous deux, nous pourrions diriger le monde, avec toi comme pont entre nous.

Je suis certain que Cicéron s'était attendu à un Crassus agressif et menaçant, tactique qu'une longue carrière dans les tribunaux lui avait appris depuis longtemps à gérer. Mais cette approche aussi généreuse qu'inattendue l'ébranlait profondément, d'autant que la suggestion de Crassus apparaissait à la fois raisonnable et patriotique. Cette situation aurait en outre été idéale pour Cicéron, lui permettant de gagner l'amitié des deux bords.

— Je ne manquerai pas de lui faire part de ton offre, promit Cicéron. Il l'aura entre les mains avant la fin du jour.

— Ce n'est pas ce qu'il me faut, rejeta Crassus. S'il ne s'agissait que de faire une proposition, j'aurais pu envoyer Arrius dans les monts Albains directement avec une lettre, n'est-ce pas, Arrius ?

— Heffectivement.

— Non, Cicéron, ce qu'il me faut, c'est que tu mettes ça en place tout de suite.

Il se pencha tout près et s'humecta les lèvres ; il y avait quelque chose de presque lascif dans la façon dont Crassus parlait du pouvoir.

— Je vais être franc avec toi. J'ai décidé de reprendre la carrière militaire. J'ai toute la richesse qu'un homme peut espérer, mais cela ne saurait être qu'un moyen, pas une fin en soi. Peux-tu me citer quelle nation a jamais édifié une statue à un homme parce qu'il était riche ? Lequel parmi les nombreux peuples de la terre mêle à ses prières le nom d'un millionnaire mort depuis longtemps simplement à cause du nombre de maisons qu'il possédait ? Les seules gloires qui durent sont celles de la page écrite – et je ne suis pas poète – ou celles du champ de bataille. Tu vois, tu dois vraiment me donner l'accord de Pompée pour que notre marché tienne.

— Ce n'est pas une mule qu'on mène au marché, objecta Cicéron, qui, je le voyais, commençait déjà à reculer devant la grossièreté de son vieil ennemi. Tu sais comment il est.

— Je le sais. Trop bien même ! Mais tu es l'homme le plus persuasif au monde. Tu lui as fait quitter Rome… ne le nie pas ! Maintenant, tu pourrais sûrement le convaincre de revenir ?

— Il reviendra en tant que commandant suprême, ou il ne reviendra pas du tout, telle est sa position.

— Alors Rome ne le reverra plus, coupa Crassus, dont l'attitude amicale commençait à s'écailler comme une mince couche de peinture de mauvaise qualité sur l'une de ses propriétés les moins salubres. Tu sais parfaitement ce qui va se passer demain. C'est aussi prévisible qu'une farce de théâtre. Gabinius va proposer votre loi et Trebellius s'y opposera pour moi. Puis Roscius, toujours sur mes instructions, proposera un amendement qui établira un commandement suprême conjoint, et aucun tribun n'osera opposer son veto à *ça*. Si Pompée refuse cette proposition, il passera pour un enfant trop goinfre prêt à gâcher le gâteau plutôt que de le partager.

— Je ne suis pas d'accord. La plèbe l'aime.

— La plèbe aimait Tiberius Gracchus, mais qu'est-ce que ça lui a rapporté au bout du compte ? Il a connu un destin horrible pour un patriote romain, et tu ferais bien de t'en souvenir, dit Crassus en se levant. Pense à tes propres intérêts, Cicéron. Tu te rends certainement compte que Pompée ne peut te mener qu'à l'impasse politique ? Personne n'a jamais réussi à être consul en ayant l'aristocratie unie contre lui.

Cicéron se leva aussi et prit avec lassitude la main tendue de Crassus dans la sienne. Ce dernier la serra avec force et l'attira contre lui.

— Par deux fois, lui souffla-t-il d'une voix très douce, je t'ai tendu la main de l'amitié, Marcus Tullius Cicéron. Il n'y aura pas de troisième fois.

Là-dessus, il sortit de la maison, et ce à une telle vitesse que je n'eus même pas le temps de passer devant lui afin de lui ouvrir la porte. Je revins dans le bureau et trouvai Cicéron au même endroit et dans la même position que je l'avais laissé, en train de contempler sa main l'air soucieux.

— J'ai eu l'impression de toucher la peau d'un serpent, commenta-t-il. Dis-moi, j'ai mal entendu ou a-t-il suggéré que Pompée et moi pourrions subir le même destin que Tiberius Gracchus ?

— C'est bien ça : « un destin horrible pour un patriote romain », répondis-je d'après mes notes. Quel a été le destin de Tiberius Gracchus ?

— Fait comme un rat dans un temple et assassiné par les nobles alors qu'il était encore tribun, et donc censément inattaquable. Ça doit remonter à une soixantaine d'années, au moins. Tiberius Gracchus ! répéta-t-il en serrant le poing. Tu sais, Tiron, pendant un instant, j'ai failli le croire, mais je peux te jurer que je préférerais encore n'être jamais consul plutôt que d'avoir l'impression de devoir mon élection à Crassus.

— Je te crois, sénateur. Pompée vaut dix fois mieux que lui.

— Cent fois plutôt… malgré sa sottise.

Je m'occupai à quelques tâches – ranger le bureau, aller chercher la liste des visiteurs de la matinée dans le tablinum – tandis que Cicéron restait debout, immobile, dans son bureau. Lorsque je revins du tablinum, son visage avait pris une expression étrange. Je lui remis la liste et lui rappelai qu'il avait une salle pleine de clients à recevoir, parmi lesquels un sénateur. Il choisit distraitement deux noms, dont celui d'Hybrida, mais déclara soudain :

— Laisse cela à Sositheus. J'ai un autre travail pour toi. Va aux Archives nationales et consulte les Annales de l'année consulaire de Mucius Scaevola et Calpurnius Pison Frugi. Copie tout ce que tu trouveras sur le tribunat de Tiberius Gracchus et sa loi agraire. Ne parle à personne de ce que tu fais. Si quelqu'un t'interroge, invente quelque chose. Bon, eh bien, qu'est-ce que tu fais ?

Il sourit pour la première fois depuis une semaine et fit mine de me chasser en me poussant du bout des doigts.

— Vas-y, mon garçon, vas-y !

Après tant d'années passées à son service, je m'étais habitué à ces ordres péremptoires et déconcertants, et, dès que j'eus pris de quoi me protéger du froid et de la pluie, je me mis en route. Jamais je n'avais vu la ville aussi sinistre et miséreuse – en plein cœur de l'hiver, sous un ciel bas, pétrie de froid, soumise à la disette, avec des mendiants à tous les coins de rue et parfois même, dans le caniveau, le cadavre d'un malheureux mort pendant la nuit. Je descendis rapidement les allées désolées, traversai le forum et gravis les marches des Archives. C'était là que j'avais retrouvé le dossier officiel indigent de Gaius Verrès et où j'avais depuis effectué bien des missions, surtout à l'époque où Cicéron était édile, aussi les employés connaissaient-ils mon visage. Ils me remirent le volume dont j'avais besoin sans me poser de questions. Je le portai à une table de lecture située près de la fenêtre et le déroulai de mes mains protégées par des mitaines. La lumière matinale n'éclairait pas grand-chose, il y avait plein de courants d'air et je ne savais pas vraiment ce que je cherchais. Les Annales, du moins à cette époque, c'est-à-dire avant que César ne mette la main dessus, donnaient un compte rendu clair et complet des événements de chaque année : le nom des magistrats, les lois promulguées, les guerres menées, les famines endurées, les éclipses et autres phénomènes naturels observés. Elles étaient tirées du registre officiel rédigé chaque année par le grand pontife, et affichées sur le panneau blanc qui se dressait devant le siège du collège des pontifes.

L'histoire m'a toujours fasciné. Comme l'a écrit un jour Cicéron : « Etre ignorant de ce qui s'est passé avant sa naissance revient à rester toujours un enfant. Quelle est la valeur de la vie humaine en effet si elle n'est pas intégrée à la vie de nos ancêtres par les registres de l'histoire ? » J'oubliai bien vite le froid et aurais volontiers passé toute la journée à dérouler ce rouleau pour étudier des événements vieux de plus de soixante ans. Je découvris alors qu'en cette année précise, la six cent vingt et unième année de Rome, le roi Attale III de Pergame était mort en léguant son pays à Rome ; que Scipion le second Africain avait détruit la cité espagnole de Numance, massacrant la totalité de ses cinq mille habitants mis à part les cinquante qu'il garda enchaînés pour les faire parader lors de son triomphe ; et que Tiberius Gracchus, le célèbre tribun radical, avait fait passer une loi redistribuant les terres publiques aux fermiers pauvres qui, comme toujours, souffraient alors de mille maux. Rien ne change jamais, me dis-je. La proposition de loi de Gracchus avait plongé dans la fureur les aristocrates du Sénat, qui y virent une menace pour leurs biens, aussi avaient-ils persuadé, ou soudoyé, un tribun du nom de Marcus Octavius pour qu'il oppose son veto. Mais comme le peuple était unanime dans son soutien à la loi, Gracchus avait protesté du haut des rostres qu'Octavius manquait à son devoir sacré qui était de veiller à l'intérêt du peuple. Il avait donc appelé la plèbe à voter le départ d'Octavius, tribu par tribu, ce qu'elle s'était empressée de faire. Lorsque les dix-sept premières tribus (sur trente-cinq) eurent voté massivement la destitution d'Octavius, Gracchus avait suspendu le vote et proposé à Octavius de retirer son veto. Celui-ci avait refusé, aussi Gracchus en avait-il « appelé aux dieux d'être témoins qu'il ne cherchait pas volontairement à destituer son collègue ». Il avait alors fait voter la dix-huitième tribu, avait atteint une majorité, et Octavius avait été déchu de son tribunat (« réduit au rang de simple citoyen, il partit sans être vu »). La loi agraire avait donc pu être promulguée. Mais les nobles, comme Crassus l'avait rappelé à Cicéron, avaient exercé leur vengeance quelques mois plus tard. Gracchus avait été encerclé dans le temple de Fides, battu à mort à coups de bâtons et de gourdins, et son corps avait été jeté dans le Tibre.

Je détachai le polyptique de mon poignet et pris mon style. Je me souviens d'avoir regardé autour de moi pour vérifier que j'étais seul avant de l'ouvrir et de me mettre à copier tous les passages intéressants des Annales – je comprenais à présent pourquoi Cicéron avait tant insisté pour que tout cela restât secret. J'avais les doigts gelés et la cire était dure : mon écriture était atroce. A un moment, Catulus lui-même, le directeur des Archives, apparut dans l'embrasure de la porte et me regarda directement, et j'eus l'impression que mon cœur allait fracasser les os de ma cage thoracique. Mais le vieil homme était myope et, de toute façon, je doute qu'il eût su qui j'étais ; il n'était pas de ces politiciens-là. Après s'être entretenu un instant avec l'un de ses affranchis, il était parti. Je terminai ma transcription et quittai l'édifice presque en courant, dévalai les marches gelées et retraversai le forum jusqu'à la maison de Cicéron, serrant mes tablettes de cire contre moi avec l'impression que, de toute ma vie, je n'avais jamais rien fait d'aussi lourd de sens.

Lorsque j'arrivai à la maison, Cicéron était encore engagé avec Antonius Hybrida, mais dès qu'il m'aperçut attendant près de la porte, il mit rapidement fin à la conversation. Hybrida était un de ces hommes à l'ossature fine et de bonne éducation qui avait perdu fortune et santé à force de boire. Je sentais son haleine de là où je me tenais : on aurait dit un fruit pourrissant dans un caniveau. Il avait été expulsé du Sénat quelques années plus tôt pour cause de faillite et de mœurs dissolues – à savoir corruption, ivrognerie, et pour avoir acheté une belle esclave aux enchères puis l'avoir prise ouvertement comme maîtresse. Cependant, curieusement, les gens l'aimaient bien pour ses manières canailles, et maintenant qu'il venait d'effectuer une année de tribunat, il retrouvait sa place au Sénat. J'attendis qu'il fût parti pour donner mes notes à Cicéron.

— Qu'est-ce qu'il voulait ? demandai-je.

— Mon soutien pour l'élection à la préture.

— Il a du culot !

— Je suppose, oui. Mais j'ai promis de le soutenir, dit Cicéron avec insouciance.

Puis, voyant ma surprise, il expliqua :

— Au moins, s'il est préteur, ça me fera un rival de moins pour le consulat.

Il posa mon polyptyque sur son bureau et lut attentivement. Puis il cala ses coudes de chaque côté, appuya son menton sur ses paumes et se pencha en avant pour le relire. Je me représentais ses pensées qui filaient telle l'eau s'infiltrant dans les joints d'un carrelage – d'abord en avant, puis se répandant de part et d'autre, bloquée d'un côté, avançant de l'autre, s'élargissant et se ramifiant, les moindres éventualités, implications et probabilités combinées en un mouvement fluide et miroitant. Il finit par dire, tant pour lui-même que pour moi :

— Personne n'avait jamais essayé pareille tactique avant Gracchus, et personne ne l'a plus jamais essayée depuis. On comprend pourquoi. C'est une arme à ne pas mettre entre les mains de n'importe qui ! Que nous gagnions ou que nous perdions, nous devrons vivre avec les conséquences d'un tel acte pendant des années. Je ne sais pas trop, Tiron, dit-il en levant les yeux vers moi. Peut-être vaudrait-il mieux que tu effaces tout ça.

Mais à peine eus-je esquissé un mouvement en direction du carnet qu'il ajouta vivement :

— Mais peut-être pas.

Et il m'envoya chercher Laurea et deux autres esclaves pour qu'ils se rendent chez tous les sénateurs du petit groupe de Pompée afin de les convoquer à une réunion après la fermeture des bureaux, ce même après-midi.

— Pas ici, s'empressa-t-il de préciser, mais chez Pompée.

Puis il s'assit et entreprit d'écrire de sa propre main un message au général qui fut envoyé par coursier, lequel avait pour instruction d'attendre et de revenir avec la réponse.

— Si Crassus veut invoquer le fantôme de Gracchus, eh bien, il va l'avoir ! fit-il sombrement une fois que la lettre fut partie.

Inutile de dire que tous se montrèrent impatients de savoir pourquoi Cicéron les avait fait appeler et, dès que les bureaux et tribunaux fermèrent, ils se précipitèrent à la demeure de Pompée, occupant tous les sièges autour de la table sauf le grand trône du propriétaire absent, laissé vide en témoignage de respect. Il peut paraître étrange que des hommes aussi intelligents et érudits que César et Varron pussent ignorer la tactique précise dont Gracchus avait usée en tant que tribun, mais il faut se souvenir qu'il était déjà mort depuis soixante-trois ans, que des événements considérables étaient intervenus entre-temps et que l'engouement pour l'histoire contemporaine qui devait se développer durant les décennies à venir ne s'était pas encore manifesté. Cicéron lui-même avait oublié l'affaire jusqu'à ce que la menace de Crassus réveille un souvenir lointain de l'époque où il étudiait le droit. Il régna un profond silence pendant qu'il lisait les extraits des Annales, puis, lorsqu'il eut terminé, un brouhaha excité monta de l'assistance. Seul Varron qui, avec ses cheveux blancs, était l'homme le plus âgé de l'assemblée se souvenait d'avoir entendu son père parler du chaos du tribunat de Gracchus et émit des réserves.

— Tu vas créer un précédent, assura-t-il, qui permettra à n'importe quel démagogue de convoquer le peuple et de menacer de se débarrasser de n'importe quel collègue dès qu'il sentira qu'il peut emporter une majorité parmi les tribus. De fait, pourquoi s'arrêter au tribunat ? Pourquoi ne pas faire partir un préteur ou un consul ?

— Nous ne créerions pas de précédent, fit remarquer César avec impatience. Gracchus l'a déjà fait pour nous.

— Exactement, intervint Cicéron. Bien que les nobles l'aient assassiné, ils n'ont pas déclaré sa législation illégale. Je comprends ce que veut dire Varron et, dans une certaine mesure, je partage son malaise. Mais nous menons une lutte sans merci et cela nous oblige à prendre des risques.

Il y eut un murmure d'assentiment ; à la fin, les voix les plus décisives en faveur du projet furent celles de Gabinius et de Cornelius, soit ceux qui devraient effectivement se dresser devant le peuple pour faire voter la législation, et qui seraient en conséquence les premiers à subir les représailles tant physiques que légales des nobles.

— La plèbe veut ce commandement suprême à une majorité écrasante, et ils veulent que ce soit Pompée qui en soit investi, déclara Gabinius. Le fait que la bourse de Crassus soit assez garnie pour acheter deux tribuns ne devrait pas permettre de frustrer leur volonté.

Afranius voulut savoir si Pompée avait émis une opinion.

— Voici le message que je lui ai fait porter ce matin, dit Cicéron en brandissant le rouleau. Et là, au bas de la lettre, figure sa réponse, qui m'est parvenue ici, au moment même de votre arrivée.

Tout le monde put voir que Pompée avait tracé, de sa grande écriture manuscrite, un seul mot en travers du papyrus : *D'accord.* Cela réglait la question. Cicéron me demanda par la suite de brûler la lettre.

Le lendemain de la réunion, un froid mordant était tombé sur la ville, et un vent glacial s'enroulait autour des colonnades et des temples du forum. Mais cela n'empêcha pas une vaste foule de venir. Les grands jours de vote, les tribuns se déplaçaient des rostres au temple de Castor, où il y avait davantage d'espace pour conduire le scrutin, aussi les ouvriers avaient-ils travaillé toute la nuit pour dresser les ponts de bois sur lesquels les citoyens se rangeraient en files pour voter. Cicéron arriva tôt et dans la plus grande discrétion, avec seulement Quintus et moi pour l'assister car, comme il nous le dit en descendant la colline, il n'était que le metteur en scène de cette pièce, et nullement l'un de ses principaux acteurs. Il passa un petit moment à s'entretenir avec un groupe de représentants des tribus, puis s'éloigna avec moi vers le portique de la basilique Aemilia, d'où il aurait une bonne vue des opérations et pourrait donner des instructions si nécessaire.

C'était un spectacle impressionnant, et je suppose que je dois être l'un des derniers hommes encore en vie à y avoir assisté – les dix tribuns alignés sur leur banc et parmi eux, tels des gladiateurs engagés pour l'occasion, les deux paires de force égale formées par Gabinius et Cornelius (pour Pompée) contre Trebellius et Roscius (pour Crassus) ; les prêtres et les augures qui se tenaient tout en haut des marches du temple ; le feu orangé sur l'autel, qui dessinait une tache de couleur vacillante au milieu de la grisaille ; et, répandue par tout le forum, la foule des votants qui, le visage rougi par le froid, piétinaient autour de l'étendard de dix pieds de haut de leur tribu respective. Chaque étendard portait fièrement le nom de sa tribu en grandes lettres – AEMILIA, CAMILIA, FABIA, etc. –, de sorte que, s'ils s'éloignaient, ses membres puissent retrouver facilement l'endroit où ils étaient censés être. On plaisantait et on discutait ferme entre les groupes, jusqu'au moment où la trompe du héraut les rappela à l'ordre. Puis le crieur public donna la deuxième lecture du projet de loi d'une voix pénétrante avant que Gabinius s'avance pour prononcer une brève allocution. Il avait de bonnes nouvelles, annonça-t-il, de celles que le peuple de Rome appelait de ses prières. Pompée le Grand, profondément ému par les souffrances de la nation, voulait bien reconsidérer sa position et accepter le commandement suprême – seulement si c'était là le désir unanime de tous.

— Est-ce bien votre désir ? demanda Gabinius.

Une gigantesque démonstration d'enthousiasme lui répondit. Cela dura un certain temps, grâce aux officiers des tribus. En fait, dès que le volume sonore semblait faiblir, Cicéron adressait un signal discret à deux de ces officiers, qui le relayaient à travers tout le forum. Les étendards des tribus se remettaient à vibrer de plus belle, relançant les applaudissements. Gabinius finit par leur intimer le silence.

— Soumettons donc la question au vote !

Lentement – et l'on ne put qu'admirer son courage de se lever devant une telle multitude –, Trebellius quitta sa place sur le banc des tribuns et s'avança, la main levée pour indiquer son désir d'intervenir. Gabinius le contempla avec mépris, puis rugit à l'adresse de la foule :

— Eh bien, citoyens, devons-nous le laisser parler ?

— Non ! hurla la multitude.

Là-dessus, Trebellius, d'une voix que la nervosité rendait perçante, cria :

— Alors je m'oppose à ce projet de loi !

A n'importe quelle autre époque au cours des quatre siècles que nous venions de vivre, à l'exception de l'année où Tiberius Gracchus avait été tribun, cela aurait marqué la fin du vote de la loi. Mais en ce matin fatidique, Gabinius fit signe à la foule de se taire.

— Trebellius parle-t-il en votre nom à tous ?

— Non ! clamèrent-ils. Non ! Non !

— Parle-t-il pour quelqu'un d'autre ici ?

La seule réponse fut celle du vent : même les sénateurs qui soutenaient Trebellius n'osèrent pas élever la voix car ils n'étaient pas sous la protection de leurs tribus et se seraient fait écharper par la foule.

— Alors, suivant le précédent établi par Tiberius Gracchus, je propose que Trebellius, n'ayant pas respecté le serment de sa charge de représenter le peuple, soit destitué de son tribunat, et que cela soit voté immédiatement !

— Et maintenant, le spectacle commence, me glissa Cicéron en se tournant vers moi.

Pendant un instant, les citoyens se contentèrent de s'entre-regarder, puis ils se mirent à hocher la tête, et il émana de la foule un murmure de prise de conscience – c'est en tout cas ainsi que je me le représente maintenant, installé dans mon petit bureau, les yeux fermés pour essayer de mieux me souvenir –, la prise de conscience qu'une telle chose était à leur portée et que tous ces grands hommes du Sénat ne pourraient pas les en empêcher. Catulus, Hortensius et Crassus, affolés, s'efforcèrent d'avancer vers le devant de l'assemblée pour demander une audience, mais Gabinius avait pris soin de poster quelques-uns des guerriers de Pompée en bas des marches, et ils ne furent pas autorisés à passer. Crassus, en particulier, avait perdu son contrôle habituel sur lui-même. Son visage était rouge et déformé par la fureur alors qu'il essayait de pénétrer de force dans la tribune, mais il fut repoussé. Il remarqua que Cicéron l'observait et tendit le bras vers lui en vociférant quelque chose, mais nous étions trop loin et il y avait trop de bruit pour que nous puissions l'entendre. Cicéron lui sourit avec bonhomie. Le crieur lut la motion de Gabinius – « Que le peuple ne veut plus de Trebellius comme tribun » –, et les employés électoraux se dispersèrent à leurs postes respectifs. Comme d'habitude, les Suburana furent les premiers à voter, avançant en rangs par deux sur la passerelle qui permettait de déposer son bulletin puis descendant l'escalier de pierre sur le côté du temple pour regagner le forum. Vinrent ensuite les tribus citadines. L'ensemble prit plusieurs heures et, pendant tout ce temps, Trebellius, gris d'inquiétude, s'entretint régulièrement avec son compagnon, Roscius. A un moment, il disparut de la tribune. Je ne pus voir où il se rendait, mais je suppose qu'il alla supplier Crassus de le délivrer de ses obligations. Dans tout le forum, de petits groupes de sénateurs se rassemblaient pendant que leurs tribus finissaient de voter, et je remarquai Catulus et Hortensius qui, le visage sombre, allaient d'un groupe à l'autre. Cicéron lui aussi partit faire sa tournée, me laissant en arrière pendant qu'il circulait parmi les sénateurs et échangeait quelques mots avec certains de ceux qui, tels Torquatus et son vieil allié Marcellinus, s'étaient secrètement laissé convaincre par lui de passer dans le camp de Pompée.

Enfin, lorsque dix-sept tribus eurent voté sur l'éviction de Trebellius, Gabinius décréta une pause. Il convoqua Trebellius à l'avant de la tribune et lui demanda s'il était maintenant prêt à se soumettre à la volonté du peuple, et à conserver ainsi son tribunat, ou s'il était nécessaire d'ouvrir le scrutin à la dix-huitième tribu qui l'exclurait de sa charge. Trebellius se voyait offrir l'opportunité d'entrer dans l'histoire comme héros de sa cause, et je me suis souvent demandé si, vieillissant, il avait repensé à sa décision avec regret. Mais j'imagine qu'il avait encore l'espoir de poursuivre une carrière politique. Après une courte hésitation, il signala son assentiment, et son veto fut annulé. Inutile d'ajouter qu'il fut par la suite méprisé par les deux partis et sombra dans l'oubli.

Tous les yeux se tournèrent alors vers Roscius, le second tribun de Crassus, et c'est vers ce moment-là, au début de l'après-midi, que Catulus refit son apparition au pied des marches du temple, et mit ses mains en porte-voix pour hurler à Gabinius de lui accorder une audience. Comme je l'ai déjà mentionné, le patriotisme de Catulus lui valait le respect de la plèbe. Il paraissait donc difficile pour Gabinius de refuser de l'écouter, ne fût-ce que parce qu'il était premier ex-consul du Sénat. Gabinius fit donc signe aux vétérans de le laisser passer, et Catulus, malgré son âge, grimpa l'escalier avec l'agilité d'un lézard.

— C'est une erreur, me murmura Cicéron.

Gabinius confia ensuite à Cicéron avoir pensé que les aristocrates, voyant qu'ils avaient perdu, seraient prêts à céder dans l'intérêt de l'unité nationale. Ce n'était absolument pas le cas. Catulus vitupéra la *lex Gabinia* et les pratiques illégales utilisées pour la promulguer. C'était de la folie, déclara-t-il, de confier la République aux mains d'un seul homme. La guerre, assura-t-il, était une affaire hasardeuse, surtout en mer. Qu'adviendrait-il à ce commandement suprême si Pompée était tué ? Qui le remplacerait ? Un cri s'éleva dans l'assistance : « Toi ! » Mais, aussi flatteuse qu'elle pût être, ce n'était pas la réponse qu'attendait Catulus. Il savait qu'il était bien trop vieux pour reprendre du service. Ce qu'il voulait vraiment, c'était un commandement conjoint – Crassus et Pompée – parce que, même s'il détestait Crassus personnellement, il estimait que l'homme le plus riche de Rome pourrait du moins représenter un contre-pouvoir à la puissance de Pompée. Gabinius commençait à comprendre qu'il avait commis une erreur en le laissant parler. Les journées d'hiver étaient courtes. Il lui fallait terminer le vote avant le coucher du soleil. Il interrompit brusquement l'ancien consul et lui signifia qu'il avait dit ce qu'il avait à dire. Il était temps de soumettre la question au vote. Roscius bondit alors pour essayer de proposer officiellement de scinder le commandement suprême en deux, mais le peuple commençait à être exaspéré et refusa de l'entendre. En fait, les clameurs étaient si assourdissantes que le bruit tua, paraît-il, un corbeau en plein vol et le fit tomber comme une pierre. Tout ce que Roscius put faire contre le tumulte fut de lever deux doigts pour s'opposer au texte de loi et indiquer qu'il voulait deux hommes à la tête de l'Etat. Gabinius savait que, s'il en appelait à un nouveau vote pour éliminer le tribun, il perdrait l'avantage du jour et donc l'occasion d'instituer les pleins pouvoirs avant la nuit. Et comment savoir à quelles extrémités les aristocrates étaient prêts à recourir s'ils avaient une chance de se regrouper pendant la nuit ? Il réagit donc en tournant le dos à Roscius et en ordonnant que le texte soit soumis au vote comme si de rien n'était.

— Ça y est, me glissa Cicéron alors que les employés électoraux bondissaient vers leur poste. C'est fait. Cours chez Pompée et dis-leur d'envoyer immédiatement un message au général. Ecris-le : « La loi est passée. Le commandement est à toi. Tu dois venir à Rome tout de suite. Arrive dès ce soir. Ta présence est indispensable pour assurer la situation. Signé Cicéron. »

Je vérifiai que j'avais bien tout noté et me dépêchai de partir pendant que Cicéron retournait dans le forum bondé pour pratiquer son art – cajoler, flatter, compatir et même, parfois, menacer – car il n'y avait rien, si l'on en croyait sa philosophie, qui ne pût être fait, défait ou réparé par les mots.

C'est ainsi que fut votée, à l'unanimité de toutes les tribus, la *lex Gabinia*, une mesure qui aurait des conséquences considérables pour tous ceux qui étaient personnellement impliqués, pour Rome et pour le monde tout entier.

A mesure que la nuit tombait, le forum se vidait et les combattants se retiraient vers leurs quartiers respectifs – les aristocrates purs et durs chez Catulus, au sommet du Palatin ; les partisans de Crassus, chez lui, dans sa maison plus modeste un peu plus bas sur cette même colline ; et les pompéiens victorieux dans la demeure de leur chef, sur le mont Esquilin. Le succès avait produit sa magie habituelle, et je pense qu'il y avait au moins une vingtaine de sénateurs qui se pressaient dans le tablinum de Pompée, à boire son vin en attendant le retour du vainqueur. Il régnait dans la salle brillamment éclairée par des candélabres cette atmosphère chargée d'alcool, de sueur et du vacarme des conversations masculines qui suit souvent le relâchement de la tension. César, Afranius, Palicanus, Varron, Gabinius et Cornelius étaient tous là, mais les nouveaux venus les dépassaient en nombre. Certains noms m'échappent aujourd'hui. Lucius Torquatus et son cousin Aulus étaient présents ainsi qu'une autre jeune paire de notables au sang bleu, Metellus Nepos et Lentullus Marcellinus. Cornelius Sisenna (qui avait compté parmi les plus fervents partisans de Verrès) paraissait parfaitement à l'aise et mettait les pieds sur les meubles, comme les deux anciens consuls, Lentulus Clodianus et Gellius Publicola (le même Gellius qui avait fait les frais de la plaisanterie de Cicéron sur la conférence des écoles de philosophie). Quant à Cicéron, il s'était isolé dans une pièce adjacente et rédigeait le discours que prononcerait Pompée le lendemain. A l'époque, je ne comprenais pas son calme étrange, mais avec le recul, je crois qu'il devait avoir l'intuition que quelque chose venait de se fissurer dans l'unité nationale qu'il serait difficile, même avec ses mots, de réparer. De temps en temps, il m'envoyait dans le vestibule pour savoir si l'on avait des nouvelles de Pompée.

Peu après minuit, un messager arriva pour annoncer que Pompée approchait de la ville par la via Latina. Une vingtaine de ses soldats avaient été postés à la porte Capène pour l'escorter jusqu'à chez lui à la lumière de torches, au cas où ses ennemis auraient décidé de recourir à des mesures désespérées, mais Quintus – qui avait passé une partie de la nuit à arpenter la ville avec les chefs de quartier – assura son frère que les rues étaient calmes. Des acclamations au-dehors annoncèrent enfin l'arrivée du grand homme puis, soudain, il était parmi nous, plus imposant que jamais, souriant, serrant des mains, assenant des claques dans le dos ; moi-même, je fus gratifié d'une bourrade amicale dans l'épaule. Les sénateurs réclamèrent à grands cris un discours de Pompée, mais Cicéron fit remarquer, un brin trop fort :

— Il ne peut pas parler ; je n'ai pas encore écrit ce qu'il doit dire.

Pendant un bref instant, je vis une ombre passer sur les traits de Pompée mais, une fois encore, César vint au secours de Cicéron en éclatant de rire. Pompée se mit alors à sourire et agita le doigt pour faire mine de le gronder, et l'atmosphère se détendit aussitôt, prenant un côté blagueur de mess d'officiers où le général triomphant ne pouvait s'offusquer d'être mis en boîte.

Chaque fois que je pense au mot *imperium*, c'est toujours Pompée qui me vient à l'esprit – le Pompée de cette nuit-là, penché au-dessus de sa carte de la Méditerranée, distribuant les dominations sur terre et sur mer aussi naturellement qu'il dispensait son vin (« Marcellinus, tu auras la mer de Libye, et toi, Torquatus, tu peux avoir l'Espagne orientale... »), et le Pompée du lendemain matin, lorsqu'il descendit au forum pour réclamer son trophée. Les chroniqueurs estimeront par la suite que vingt mille personnes se pressaient dans le centre de Rome pour le voir sacré commandant du monde. La foule était telle que même Catulus et Hortensius n'osèrent pas risquer un dernier acte de résistance, quoique je ne doute pas qu'ils en eussent très envie, et furent contraints de se tenir avec les autres sénateurs en montrant la meilleure figure possible ; Crassus, comme d'habitude, ne parvint même pas à cela et resta invisible. Pompée ne parla pas beaucoup, exprimant son humble gratitude par quelques phrases conçues par Cicéron, et il en appela à l'unité nationale. Mais il n'avait pas besoin d'en dire plus : la confiance qu'il inspirait était telle que sa présence seule avait fait baisser de moitié le prix du grain sur les marchés. Et il termina sur la plus merveilleuse image théâtrale qu'on pût imaginer, et qui ne pouvait venir que de Cicéron :

— Je vais maintenant revêtir à nouveau cet uniforme autrefois si cher à mon cœur et si familier, le manteau rouge sacré d'un général romain en campagne, et je ne le retirerai que lorsque la victoire sera acquise – ou bien je ne survivrai pas à l'issue de cette guerre !

Puis il leva la main pour saluer la foule et quitta l'estrade, ou il serait plus juste de dire qu'il fut emporté de l'estrade par une tempête d'acclamations. Les applaudissements faisaient toujours rage quand, soudain, il réapparut derrière les rostres, gravissant d'un pas posé les marches du Capitole, portant à présent le *paludamentum*, ce manteau pourpre qui est la marque de tout proconsul romain en service actif. Alors que le public devenait hystérique d'enthousiasme, je jetai un regard en direction de Cicéron, qui se tenait à côté de César. Cicéron affichait une sorte de dégoût amusé, alors que César paraissait transporté, comme s'il entrevoyait déjà son propre avenir. Pompée pénétra dans l'enceinte de la Triade capitoline, où il sacrifia un taureau à Jupiter, puis il quitta la ville juste après, sans même dire au revoir à Cicéron ou à qui que ce fût. Il ne devait pas revenir avant six ans.

XIII

Aux élections annuelles pour la préture, cet été-là, Cicéron remporta la majorité des suffrages. Ce fut une campagne méprisable et confuse, menée dans le sillage de la lutte autour de la *lex Gabinia*, à un moment où la confiance entre les factions politiques n'existait plus. J'ai devant moi la lettre que Cicéron écrivit à Atticus cet été-là, où il exprimait son dégoût pour toutes les choses de la vie publique. « C'est incroyable comme, en si peu de temps, tu vas trouver les choses bien pires qu'à ton départ. » Par deux fois, le scrutin dut être abandonné à la moitié pour cause de bagarres qui éclatèrent sur le Champ de Mars. Cicéron soupçonna Crassus d'avoir engagé des gros bras pour perturber les votes, mais il ne put le prouver. Quoi qu'il en soit, il fallut attendre septembre pour que les huit préteurs désignés pussent enfin se rassembler au Sénat pour déterminer quel tribunal chacun présiderait pendant l'année à venir. La sélection devait, comme d'habitude, se faire par tirage au sort.

La charge la plus convoitée était celle du préteur urbain, qui à l'époque dirigeait le système judiciaire et occupait la troisième position de l'Etat, juste derrière les deux consuls ; il avait également la responsabilité d'organiser les jeux en l'honneur d'Apollon. En revanche, le poste à éviter à tout prix était la cour des détournements de fonds car cela représentait un travail absolument assommant.

— Bien sûr, j'aimerais avoir la préture urbaine, me confia Cicéron alors que nous nous rendions au Sénat ce matin-là. Et, franchement, je me pendrais plutôt que de tirer les détournements de fonds pour toute une année. Mais je me contenterais volontiers de n'importe quel poste entre les deux.

Il était d'humeur enjouée. Les élections étaient enfin terminées et il avait obtenu la majorité des voix. Pompée avait non seulement quitté Rome, mais quitté l'Italie, aussi n'avait-il pas le grand homme sans cesse sur le dos. Et il se rapprochait fortement du consulat, maintenant – il s'en rapprochait tellement qu'il pouvait presque le toucher.

La Chambre était quasiment toujours pleine pour ces cérémonies de tirage au sort et, lorsque nous arrivâmes, la majorité des sénateurs étaient déjà entrés dans la curie. Cicéron eut droit à une réception bruyante, avec des acclamations de la part de ses vieux partisans parmi les *pedarii*, et des cris d'injure de la part des aristocrates. Crassus, étendu comme d'habitude sur le premier banc consulaire, le regarda à travers ses paupière mi-closes, comme un gros chat feignant d'être endormi pendant qu'un petit oiseau sautille à côté. Les élections s'étaient déroulées à peu près conformément à ce que Cicéron avait imaginé, et si je vous donne ici le nom des autres préteurs désignés, vous aurez, je crois, une assez bonne vision du tableau politique de l'époque. Cicéron mis à part, il n'y avait que deux hommes ayant de réelles aptitudes qui attendaient tranquillement le tirage au sort. Le plus talentueux était sans conteste Aquilus Gallus, dont certains prétendent qu'il était même meilleur juriste que Cicéron, et qui se présentait déjà comme un juge respecté. En fait, cet homme passait pour un vrai modèle – brillant, modeste, équitable, bienveillant, c'était aussi quelqu'un d'un goût extrême, qui possédait une magnifique demeure sur le mont Viminal ; Cicéron avait dans l'idée d'approcher le vieil homme dans le but de se présenter avec lui au consulat. Proche de Gallus, du moins par la gravité, il y avait Sulpicius Galba, d'une famille aristocratique distinguée qui affichait tant de masques consulaires dans son atrium qu'il paraissait inconcevable qu'il ne soit pas l'un des rivaux de Cicéron dans la course au consulat. Mais s'il semblait capable et honnête, il était aussi dur et arrogant, et cela risquait de lui nuire dans un scrutin serré. Quatrième par le talent, me semble-t-il, même s'il arrivait à Cicéron d'éclater de rire devant ses absurdités, venait Quintus Cornificius, riche fondamentaliste religieux qui parlait interminablement de la nécessité de raviver la morale déclinante de Rome – « le candidat des dieux », comme l'appelait Cicéron. Après cela, je le crains, on assistait à une terrible chute en matière de capacités : curieusement, les quatre autres préteurs désignés avaient tous été antérieurement exclus du Sénat, pour carences financières ou morales. Le plus âgé d'entre eux, Varinius Glaber, faisait partie de ces personnages intelligents et amers qui s'attendent à réussir forcément dans la vie et n'en reviennent pas d'avoir pu échouer – déjà préteur sept ans plus tôt, il s'était vu confier une armée par le Sénat pour mater la révolte de Spartacus ; mais ses légions n'étaient pas assez fortes, il avait sans cesse été battu par les esclaves rebelles et avait fini par se retirer de la vie publique dans l'humiliation. Puis il y avait Caius Orchivius – « rien que de l'esbroufe et aucun talent », comme le caractérisait Cicéron – qui avait le soutien d'une grosse corporation de vote. A la septième place par ordre d'intelligence, Cicéron plaçait Cassius Longinus – « cette barrique de graisse » – que l'on surnommait parfois l'homme le plus gros de Rome. Ce qui laissait, en huitième position, nul autre qu'Antonius Hybrida, l'ivrogne qui avait ouvertement pris son esclave pour maîtresse et que Cicéron avait accepté de soutenir parce qu'il y aurait au moins là un préteur dont il n'aurait pas à craindre les ambitions.

— Sais-tu pourquoi on l'appelle « Hybrida » ? me demanda un jour Cicéron. C'est parce qu'il est à moitié homme, à moitié imbécile. Personnellement, je ne lui accorderais pas la première partie.

Cependant, ces dieux auxquels Cornificius était si fidèle ont une façon bien à eux de punir les orgueilleux, et ils ne manquèrent pas de corriger Cicéron ce jour-là. Les noms des charges furent placés dans une urne très ancienne utilisée à cet effet depuis des siècles, et le consul en exercice, Glabrio, appela les candidats par ordre alphabétique, ce qui signifie qu'Antonius Hybrida passa le premier. Il plongea sa main tremblante dans l'urne pour prendre un jeton, puis le remit à Glabrio, qui leva un sourcil et lut :

— Préteur urbain.

Il y eut un moment de silence, puis la Chambre résonna d'un tel éclat de rire que les pigeons perchés sous le toit s'envolèrent dans une explosion de plumes et de fientes. Hortensius et quelques autres aristocrates, sachant que Cicéron avait soutenu Hybrida, désignèrent l'orateur en se frappant les flancs. L'hilarité faillit faire tomber Crassus de son banc tandis qu'Hybrida – qui allait donc devenir le troisième homme de l'Etat – regardait autour de lui, rayonnant de fierté, prenant sans doute les moqueries pour des signes de réjouissance à sa bonne fortune.

Je ne voyais pas le visage de Cicéron, mais je devinais sans peine ce qu'il devait penser : sa malchance allait sans doute être complète et il allait tirer les détournements de fonds. Ce fut au tour de Gallus, qui emporta la cour chargée d'administrer le droit électoral ; à Longinus, le gros homme, échurent les crimes de trahison ; et quand le candidat des dieux, Cornificius, reçut la cour chargée de traiter les meurtres, le sort se présentait décidément très mal – si mal même que j'étais sûr que le pire allait arriver. Mais, heureusement, ce fut le personnage suivant, Orchivius, qui tira les détournements de fonds. Lorsque Galba reçut la responsabilité de la cour s'occupant des crimes de violence contre l'Etat, cela impliqua qu'il ne restait plus que deux possibilités pour Cicéron, soit son bon vieux terrain d'élection des crimes d'extorsion, soit le poste de préteur pérégrin qui aurait fait de lui le subalterne effectif d'Hybrida : triste destin pour l'homme le plus intelligent de la cité. Alors qu'il s'avançait en direction de l'estrade pour tirer au sort, il eut un mouvement de tête contrit – le geste semblait dire : vous pouvez manigancer tout ce que vous voulez en politique, au bout du compte, ce n'est qu'une question de chance. Il plongea résolument la main dans l'urne, et en sortit… les crimes d'extortion. Il y avait une symétrie assez satisfaisante dans le fait que ce fût Glabrio, ancien président de cette même cour qui avait permis à Cicéron de se faire un nom, qui proclamât le résultat du tirage. Cela laissait donc la préture pérégrine à Varinius, victime de Spartacus. Les cours étaient formées pour l'année à venir, et se profilait déjà le paysage électoral de la course au consulat.

Avec la précipitation de tous ces événements politiques, j'ai oublié de vous signaler que Pomponia était tombée enceinte au printemps – preuve, comme l'écrivit triomphalement Cicéron à Atticus pour lui annoncer la nouvelle, que son mariage avec Quintus fonctionnait tout de même un peu. Peu après les élections prétoriennes, un beau garçon vint au monde. L'une de mes grandes fiertés, qui marque également la promotion de ma position au sein de la famille, est d'avoir été invité à la lustration de l'enfant, neuf jours après sa naissance. La cérémonie eut lieu au temple de Tellus, près de la maison familiale, et je doute qu'un neveu puisse un jour espérer avoir un oncle plus aimant que Cicéron, qui insista pour lui offrir, lorsque l'enfant reçut son nom, une splendide amulette commandée à un orfèvre. Ce n'est que quand bébé Quintus eut été aspergé d'eau lustrale par le prêtre et que Cicéron l'eut pris dans ses bras que je m'aperçus à quel point il aurait voulu avoir un petit garçon. L'une des plus grandes motivations qui puisse pousser un homme à briguer le consulat doit être que son fils, son petit-fils et les fils de ses fils jusqu'à l'infini puissent exercer le *ius imaginum* et exposer après sa mort son portrait dans l'atrium familial. A quoi bon fonder un nom de famille glorieux si la lignée s'éteint avant même d'avoir commencé ? Au temple, alors qu'elle regardait attentivement son mari caresser la joue du bébé avec le dos de son auriculaire, Terentia se disait visiblement la même chose.

La venue d'un enfant déclenche souvent un sérieux réexamen de l'avenir, et je suis certain que c'est ce qui poussa Cicéron, peu après la naissance de son neveu, à faire en sorte que Tullia puisse être fiancée. Elle avait à présent dix ans et était plus que jamais la prunelle des yeux de son père. Rares étaient les jours, malgré son travail politique et juridique, où il ne se ménageait pas un petit moment pour lui lire quelque chose ou jouer à un jeu avec elle. Et, ce qui était typique du mélange de tendresse et de finesse qui le caractérisait, c'est avec elle et non avec Terentia qu'il aborda cette question pour la première fois.

— Est-ce que ça te plairait, lui demanda-t-il un matin, alors que nous nous trouvions tous les trois dans son bureau, de te marier un jour ?

Comme elle lui assura que cela lui plairait beaucoup, il lui demanda qui, entre tout le monde, elle aimerait le plus avoir pour mari.

— Tiron ! s'écria-t-elle en jetant ses bras autour de ma taille.

— Je crois qu'il est beaucoup trop occupé à m'aider pour avoir le temps de se marier, répondit-il très sérieusement. Qui d'autre ?

Le cercle des connaissances adultes mâles de Tullia était assez restreint, aussi n'eûmes-nous pas à attendre longtemps avant qu'elle évoque le nom de Frugi, qui avait passé tellement de temps avec Cicéron depuis l'affaire Verrès qu'il faisait presque partie de la famille.

— Frugi ! s'exclama Cicéron, comme si l'idée ne l'avait jamais effleuré. Comme c'est merveilleusement trouvé ! Tu es bien sûre que c'est lui que tu veux ? Vraiment ? Alors allons sur-le-champ en parler à ta maman.

De cette façon, Terentia se retrouva battue par son mari sur son propre terrain aussi adroitement que si elle avait été un malheureux aristocrate au Sénat. Non qu'elle eût quoi que ce fût contre la personne de Frugi, qui représentait un assez bon parti, même selon ses critères à elle – un jeune homme diligent et doux qui avait maintenant vingt et un ans et venait d'une famille distinguée. Mais elle était bien trop rusée pour ne pas voir que Cicéron, en trouvant un remplaçant qu'il pourrait former et amener vers une carrière publique, faisait ce qu'il pouvait pour se créer un fils. Cette prise de conscience fut pour elle comme une menace, et Terentia réagissait toujours violemment aux menaces. La cérémonie de fiançailles, qui eut lieu au mois de novembre, se déroula cependant assez bien, et Frugi – qui, soit dit en passant, aimait beaucoup sa petite fiancée – lui glissa timidement un anneau au doigt sous le regard approbateur des deux familles et de leurs maisonnées ; le mariage proprement dit était fixé à cinq ans plus tard, quand Tullia serait pubère. Mais ce soir-là, Terentia et Cicéron connurent l'une de leurs pires scènes de ménage. Elle éclata dans le tablinum avant que j'eusse eu le temps de sortir. Cicéron venait de faire une remarque anodine sur le fait que les Frugi s'étaient montrés très accueillants à l'égard de Tullia. Terentia, qui avait observé jusque-là un silence qui n'augurait rien de bon, répondit que c'était en effet très généreux de leur part, *étant donné la situation*.

– Etant donné quelle situation ? s'enquit Cicéron avec lassitude.

Il s'était de toute évidence résigné à ce qu'une dispute avec Terentia fût ce soir-là aussi inévitable que de vomir après avoir mangé une huître avariée, et que mieux valait s'en débarrasser au plus vite.

— Etant donné la situation dans laquelle ils s'engagent, répliqua-t-elle avant d'enfourcher son cheval de bataille favori : la cour éhontée que Cicéron faisait à Pompée et sa coterie de provinciaux, qui avait plongé sa famille dans l'opprobre de toutes les personnes les plus honorables de l'Etat, et la promulgation illégale de la *lex Gabinia* qui avait permis la montée du règne de la plèbe.

Je n'ai pas tout retenu et, de toute façon, quelle importance ? Comme dans beaucoup de scènes conjugales, le sujet évoqué n'était le plus souvent qu'un prétexte et le fond du problème portait sur tout autre chose, en l'occurrence qu'elle n'ait pas pu lui donner de fils et que Cicéron se soit par conséquent attaché presque comme un père à Frugi. Je me rappelle néanmoins Cicéron lui rétorquant que, quels que fussent les défauts de Pompée, personne ne niait que c'était un grand soldat et qu'à peine investi des pleins pouvoirs, il avait levé des troupes, pris la mer et balayé la menace pirate en quarante-neuf jours seulement. La remarque cinglante de Terentia me revient encore : si les pirates avaient réellement été éradiqués des mers en sept semaines, c'est peut-être qu'ils ne constituaicnt pas une menace aussi terrible que ce que Cicéron et ses amis avaient laissé entendre ! C'est alors que je parvins à m'éclipser pour me réfugier dans ma petite alcôve, aussi le reste de la dispute m'échappa-t-il. Mais, durant les jours qui suivirent, l'atmosphère de la maison resta aussi cassante quc du verre de Neapolis.

— Tu vois quelle pression je dois subir ? se plaignit Cicéron le lendemain matin en se frottant les tempes du bout des doigts. Je n'ai de répit nulle part, ni au travail ni pendant mes loisirs.

Quant à Terentia, elle était de plus en plus obsédée par son infécondité et se mit à aller prier chaque jour au temple de la Bonne Déesse, sur le mont Aventin, dans l'enceinte duquel des serpents inoffensifs rampaient librement afin de stimuler la fertilité et sur le sanctuaire duquel aucun homme n'était autorisé à poser les yeux. J'appris également par sa servante qu'elle avait dressé une sorte de petit autel à Junon dans sa chambre.

Secrètement, je pense que Cicéron partageait l'opinion de Terentia sur Pompée. Il y avait quelque chose de douteux tout autant que de glorieux dans la célérité de sa victoire (« Organisée à la fin de l'hiver, lancée au début du printemps et achevée au milieu de l'été », selon la formule de Cicéron), qui poussait à se demander si toute l'entreprise n'aurait pas pu être parfaitement maîtrisée par un général désigné de façon normale. Son succès demeurait ccpendant indéniable. Les pirates avaient été roulés comme un tapis, chassés des eaux siciliennes et africaines vers l'est, en passant par la mer Illyrienne et l'Achaïe avant d'être boutés hors de Grèce. Pour finir, ils avaient été acculés par Pompée lui-même dans leur dernière place forte, Coracesium, en Cilicie, et, lors d'une gigantesque bataille sur terre et sur mer, dix mille d'entre eux avaient été tués et quatre cents vaisseaux détruits. Vingt mille hommes avaient été faits prisonniers. Plutôt que de les faire crucifier, comme Crassus l'aurait sans doute ordonné, Pompée avait choisi de déporter les pirates avec femmes et enfants dans les villes dépeuplées de Grèce et d'Asie Mineure – avec toute la modestie qui le caractérisait, il rebaptisa l'une d'elles Pompéiopolis. Et il put agir ainsi sans même en référer au Sénat.

Cicéron suivit les progrès du grand homme avec des sentiments mêlés (« Pompéiopolis ! Par les dieux du ciel, quelle *vulgarité* ! »), ne fût-ce que parce qu'il savait que, plus la réussite ferait enfler Pompée, plus l'ombre qu'il projetterait sur sa propre carrière serait bénéfique. Une préparation méticuleuse et la supériorité numérique : telles étaient les tactiques préférées de Pompée, tant sur le champ de bataille qu'à Rome, et dès que la première phase de sa campagne – la destruction des pirates – fut terminée, la phase deux fut lancée au forum, quand Gabinius commença à manœuvrer pour que le commandement des légions orientales soit retiré à Lucullus pour être attribué à Pompée. Il eut recours au même subterfuge qu'auparavant et se servit de ses prérogatives de tribun pour convoquer des témoins aux rostres afin qu'ils donnent un compte rendu désolant de la guerre contre Mithridate. Certaines légions, impayées depuis des années, avaient tout simplement refusé de quitter leurs quartiers d'hiver. Gabinius opposa la pauvreté de ces soldats ordinaires à la richesse immense de leur aristocratique général, qui avait rapporté un tel butin de sa campagne qu'il avait pu acquérir toute une colline à la sortie de Rome et y faisait édifier un grand palais, dont chaque salle porterait le nom d'un dieu. Gabinius convoqua les architectes de Lucullus et les fit mener aux rostres, où il les contraignit de montrer à la foule tous leurs plans et maquettes. Le nom de Lucullus devint aussitôt synonyme de luxe éhonté, et les citoyens en colère brûlèrent son effigie sur le forum.

En décembre, Gabinius et Cornelius quittèrent leur fonction de tribuns, et une nouvelle marionnette à la solde de Pompée, le tribun désigné Caius Manilius, reprit la sauvegarde de ses intérêts au sein de l'assemblée populaire. Il proposa immédiatement une loi accordant à Pompée la poursuite de la guerre contre Mithridate ainsi que le gouvernement des provinces asiatiques de Cilicie et de Bithynie – ces deux dernières étant aux mains de Lucullus. Si Cicéron avait entretenu le moindre espoir qu'on l'oublie sur cette affaire, il dut déchanter lorsque Gabinius vint le voir avec un message de Pompée. Celui-ci lui faisait brièvement ses amitiés et lui annonçait qu'il comptait sur lui pour soutenir la *lex Manilia* « dans toutes ses dispositions », et non seulement dans les coulisses mais aussi sur le devant de la scène, du haut des rostres.

— « Dans toutes ses dispositions », répéta Gabinius avec un sourire narquois. Tu sais ce que ça veut dire.

— Je présume que cela fait référence à la clause qui te nomme à la tête des légions de l'Euphrate et te donne donc légalement l'immunité contre toute poursuite maintenant que ton mandat de tribun a expiré.

— Exactement, fit Gabinius avec un grand sourire avant de faire une imitation assez convaincante de Pompée en se redressant et gonflant les joues. « N'est-il pas intelligent, messieurs ? Ne vous avais-je pas dit qu'il était intelligent ? »

— Calme-toi, Gabinius, dit Cicéron avec lassitude. Je t'assure qu'il n'y a personne que je verrais partir pour l'Euphrate avec plus de plaisir.

Il est dangereux en politique de tenir le rôle du souffre-douleur d'un grand homme, c'était pourtant celui dans lequel Cicéron se retrouvait maintenant piégé. Ceux qui n'avaient jamais osé insulter ou critiquer directement Pompée pouvaient en revanche taper sur son représentant juridique en toute impunité, sachant que chacun comprendrait quelle était la cible réelle. Mais il n'y avait pas moyen d'échapper à un ordre du commandant en chef, aussi fut-ce l'occasion pour Cicéron de prononcer son premier discours aux rostres. Il se donna énormément de mal et commença à me le dicter plusieurs jours auparavant avant de le faire lire à Quintus et à Frugi pour solliciter leur avis. Il le garda prudemment à l'écart de Terentia car il savait qu'il devrait en envoyer un exemplaire à Pompée et n'y était pas allé de main morte avec la flatterie. (Je vois, par exemple, sur le manuscrit que « le génie surhumain de Pompée pour le commandement » s'est mué, sur la suggestion de Quintus, en « génie surhumain *et incroyable* de Pompée pour le commandement ».) Il trouva une formule brillante pour résumer la réussite de Pompée – « une loi, un homme, une année » – et passa des heures sur le reste du discours, conscient que, s'il échouait aux rostres, ce serait un frein à sa carrière politique et que ses ennemis en profiteraient pour laisser croire qu'il n'avait pas la fibre populaire susceptible d'émouvoir la plèbe de Rome. Le matin fatidique arriva, et Cicéron en fut malade de trac, vomissant de façon répétée dans les latrines tandis que je me tenais près de lui avec une serviette. Il avait les traits si tirés et était tellement pâle que je me demandais s'il aurait la force de marcher jusqu'au forum. Mais il pensait sincèrement qu'un grand orateur, quelle que soit son expérience, devait avoir peur avant de monter sur scène – « les nerfs doivent être aussi tendus que la corde d'un arc si l'on veut que les flèches partent » – et, lorsque nous arrivâmes au fond des rostres, il était prêt. Il va sans dire qu'il n'avait pas de notes. Nous entendîmes Manilius annoncer son nom, et les applaudissements commencèrent. C'était une belle matinée, claire et lumineuse. La foule était innombrable. Cicéron rajusta ses manches, se redressa de toute sa taille et monta lentement vers le tumulte et la lumière.

Catulus et Hortensius menaient une fois encore l'opposition contre Pompée, mais ils avaient développé de nouveaux arguments depuis la *lex Gabinia*, et Cicéron s'en amusa un instant.

— Que dit Hortensius ? plaisanta-t-il. Que si l'on doit attribuer les pleins pouvoirs à un seul homme, il faut que ce soit à Pompée, mais qu'il ne faut pas donner les pleins pouvoirs à un seul homme ? Ce raisonnement est périmé, et ce ne sont pas tant les mots que les faits qui le réfutent. C'était déjà toi, Hortensius, qui dénonçais le courageux Gabinius pour avoir proposé une loi nommant un seul commandant contre les pirates. Je te le demande maintenant au nom du Ciel, Hortensius : si, en cette occasion, le peuple romain avait davantage tenu compte de ton opinion plutôt que de sa sécurité et de ses intérêts personnels, pourrions-nous nous targuer d'une telle gloire et d'un empire mondial ?

Dans le même ordre d'idée, si Pompée voulait Gabinius pour commander certaines de ses légions, il fallait le lui envoyer, car nul n'avait fait davantage, excepté Pompée lui-même, pour vaincre les pirates.

— Parlant pour moi-même, conclut-il, quels que soient le dévouement, la sagesse, l'énergie ou le talent dont j'ai pu faire preuve, ce que je peux obtenir en vertu de la préture que vous m'avez confiée, je le consacrerai à la défense de cette loi. Et que les dieux m'en soient témoins – et plus précisément les gardiens de ce lieu saint, qui voient si clairement dans le cœur de tous ceux qui veulent entrer dans la vie publique –, je n'agis pas pour plaire à Pompée ni dans l'espoir d'obtenir une faveur de lui, mais uniquement pour le bien de mon pays.

Il quitta les rostres sous les applaudissements respectueux. La loi fut promulguée, Lucullus fut dessaisi de son commandement et Gabinius fut nommé légat. Quant à Cicéron, il avait franchi un nouvel obstacle sur la route qui menait au consulat, mais il était plus détesté que jamais par les aristocrates.

Plus tard, il reçut une lettre de Varron lui décrivant la réaction de Pompée lorsqu'il apprit qu'il avait le contrôle total des forces romaines sur le front Est. Alors que ses officiers se pressaient autour de lui dans son quartier général d'Ephèse pour le féliciter, il se rembrunit, se donna une claque sur la cuisse et déclara (d'une voix lasse, à en croire Varron) :

— Comme cela me rend triste, cette succession de missions. Je préférerais vraiment faire partie de ces gens dont personne n'a jamais entendu parler si je ne peux jamais me reposer du service militaire ni éviter de faire l'objet des convoitises, pour pouvoir vivre tranquillement avec ma femme à la campagne.

Une telle comédie était difficile à avaler, surtout quand le monde entier savait à quel point il avait désiré ce commandement.

La préture marqua une ascension dans la position sociale de Cicéron. Il disposait à présent de six licteurs pour l'escorter dès qu'il sortait de chez lui. Il ne les aimait pas beaucoup. C'étaient des brutes, engagées pour leur force physique et leur cruauté naturelle : quand un citoyen romain se voyait condamné à recevoir un châtiment, ils servaient également de bourreaux, et ils étaient devenus experts en coups de fouet et têtes tranchées. Comme leur poste était permanent, certains se trouvaient proches du pouvoir depuis des années et considéraient parfois, non sans un certain mépris, les magistrats qu'ils protégeaient comme de simples politiciens de passage, ici aujourd'hui, demain disparus. Cicéron détestait les voir écarter sans ménagement la foule de son chemin, ou ordonner aux passants de se découvrir ou de descendre de leur monture en présence d'un préteur – les personnes qu'ils humiliaient ainsi étaient ses électeurs. Il ordonna aux licteurs de faire preuve de davantage de civilité et, pendant quelque temps, ils s'exécutèrent, mais finirent bien vite par retomber dans leurs anciennes habitudes. Leur chef, le *proximus lictor*, censé ne pas quitter Cicéron d'une semelle, se montrait particulièrement odieux. J'ai oublié son nom maintenant, mais il rapportait sans cesse à Cicéron les derniers potins sur ce que préparaient les autres préteurs, glanés auprès de ses collègues licteurs, sans se rendre compte que cela le rendait extrêmement suspect aux yeux de Marcus Tullius, qui savait pertinemment que les potins sont un commerce et que son licteur livrait forcément des détails sur ses propres faits et gestes en échange.

— Ces gens, me confia un matin Cicéron, illustrent parfaitement ce qui se produit pour tout Etat doté d'un personnel de fonctionnaires permanents. Ils commencent par être à notre service, puis finissent par se prendre pour nos maîtres !

Mon propre statut évolua avec le sien. Je découvris qu'être notoirement le secrétaire particulier d'un préteur, même quand on est esclave, vous vaut une considération inaccoutumée de la part de ceux que vous rencontrez. Cicéron m'avait prévenu que l'on me proposerait de l'argent pour user de mon influence auprès de lui, et lorsque je protestai vivement en assurant que je n'accepterais jamais de pots-de-vin, Cicéron m'interrompit.

— Non, Tiron. Il faut que tu aies un peu d'argent personnel. Pourquoi pas ? Je te demande seulement de me dire qui te paie et d'être très clair avec ceux qui te font ce genre de propositions sur le fait que mes décisions ne sont pas à vendre et que je ne les prendrai qu'en fonction de leurs mérites. A part cela, je me fie à ton jugement.

Cette conversation eut une grande importance pour moi. J'avais toujours espéré qu'un jour Cicéron finirait par m'accorder ma liberté ; je voyais donc sa permission de commencer à économiser comme une préparation à ce jour. Les sommes que je touchai ainsi furent assez modestes – cinquante sesterces par-ci, cent par-là – et l'on attendait de moi, en échange, que j'attire l'attention du préteur sur un document, ou que je rédige une lettre d'introduction qu'il n'aurait plus qu'à signer. Je conservais l'argent dans une petite bourse, dissimulée derrière une brique descellée du mur de ma petite alcôve.

En tant que préteur, Cicéron était censé prendre de jeunes élèves de bonnes familles pour leur enseigner le droit, aussi, en mai, après la vacance du Sénat, un jeune interne de seize ans rejoignit-il le cabinet. Il s'agissait de Marcus Caelius Rufus, d'Interamnia, fils d'un riche banquier et membre important de l'organisation des élections de la tribu Velina. Cicéron accepta, principalement comme une faveur politique, de superviser la formation du garçon pendant deux ans, au bout desquels il était convenu qu'il irait compléter son apprentissage dans une autre maison – chez Crassus en l'occurrence, car Crassus était un associé du père de Caelius, et le banquier tenait absolument à ce que son héritier apprenne à gérer une fortune. Le père avait tout de l'horrible prêteur à gages, petit et furtif, et il paraissait considérer son fils comme un investissement qui ne semblait pas devoir rapporter autant que prévu.

— Il a besoin d'être fouetté régulièrement, annonça-t-il juste avant de le présenter à Cicéron. Il est plutôt intelligent, mais indiscipliné et dissolu. Tu as ma permission de le fouetter autant que tu le jugeras nécessaire.

N'ayant jamais fouetté quiconque de sa vie, Cicéron le regarda de travers, mais heureusement, il s'entendit très bien avec le jeune Caelius, aussi dissemblable de son père qu'il est possible de l'imaginer. Il était grand et beau, et avait pour l'argent et les affaires une indifférence détachée que Cicéron trouvait amusante. Moi, nettement moins, dans la mesure où il m'incombait le plus souvent de faire à sa place toutes les tâches ennuyeuses qu'il avait négligé d'accomplir. Mais je dois cependant concéder, avec le recul, qu'il avait du charme.

Je ne m'attarderai pas sur les détails de la préture de Cicéron. Il ne s'agit pas ici d'un ouvrage de droit et je sens bien votre impatience de me voir arriver à l'apogée de mon récit, à savoir l'élection au consulat. Qu'il suffise de dire que Cicéron fut considéré comme un juge honnête et équitable et que la charge entrait facilement dans le domaine de ses compétences. Lorsqu'il tombait sur un point de jurisprudence particulièrement délicat et avait besoin d'un autre avis, soit il consultait son vieil ami et condisciple de Molon, Servius Sulpicius, soit il allait voir le préteur distingué du tribunal des élections, Aquilius Gallus, dans sa demeure du mont Viminal. La plus grosse affaire qu'il eut à présider fut celle de Caius Licilius Macer, parent et partisan de Crassus, poursuivi pour ses actions en tant que gouverneur de Macédoine. Les audiences durèrent des semaines et, à la fin, Cicéron résuma parfaitement la situation, bien qu'il ne pût s'empêcher de faire une petite plaisanterie. L'essentiel des poursuites portait sur le fait que Macer avait empoché un demi-million de sesterces en paiements illégaux. Macer avait commencé par nier. Mais l'accusation avait fourni la preuve que cette somme exacte avait été versée à une société de prêt contrôlée par lui. Macer avait alors changé brusquement de version et assuré que, oui, il se souvenait des paiements, mais qu'il les avait crus parfaitement légaux.

— Oui, dit Cicéron au jury, qu'il guidait sur les détails des témoignages, il est possible que le défendeur croie cela.

Il observa un silence juste assez long pour que certains puissent commencer à rire, et afficha une expression de feinte gravité.

— Non, non, il a très bien pu y croire. Auquel cas – nouveau silence –, vous pourriez raisonnablement en conclure qu'il était décidément trop *stupide* pour être gouverneur romain.

J'avais assisté à suffisamment de procès pour savoir que le fou rire déclenché par Cicéron venait de condamner l'accusé aussi sûrement que s'il avait représenté l'accusation. Macer – qui n'était pas stupide du tout mais, au contraire, très intelligent, si intelligent qu'il prenait tous les autres pour des imbéciles – ne vit pas le danger et quitta même le tribunal pendant la délibération du jury pour rentrer chez lui, se changer et se faire couper les cheveux en prévision de la fête qu'il allait donner pour célébrer sa victoire le soir même. Le jury le condamna pendant son absence, et il sortait tout juste de chez lui quand Crassus l'intercepta sur le seuil de sa porte pour lui annoncer ce qui venait de se passer. Certains prétendent que le choc le fit tomber raide mort, d'autres qu'il rentra aussitôt chez lui et se tua pour épargner à son fils l'humiliation de l'exil. Quoi qu'il en soit, il mourut, et Crassus – comme s'il avait besoin de ça – trouva là une nouvelle raison de haïr Cicéron.

Les jeux d'Apollon, le 6 juillet, marquaient traditionnellement le début de la période électorale, même si, en vérité, on avait toujours l'impression d'être en période électorale en ce temps-là. A peine une campagne se terminait-elle que les candidats commençaient à anticiper le début de la suivante. Cicéron disait en plaisantant que l'administration des affaires de l'Etat n'existait que pour meubler le temps entre les jours de vote. Et peut-être s'agissait-il là d'une des choses qui ont tué la République : elle s'est asphyxiée à force d'élections. Cependant, la responsabilité d'honorer Apollon avec un programme de divertissements populaires incombait toujours au préteur urbain, qui, cette année, rappelons-le, n'était autre qu'Antonius Hybrida.

On ne s'attendait pas à grand-chose, ni même à quoi que ce fût, car Hybrida était connu pour avoir dilapidé tout son argent en buvant et au jeu. Il créa donc une immense surprise en organisant non seulement une série de pièces de théâtre formidables, mais aussi un spectacle renversant au Circus Maximus, avec un programme complet de douze courses de chars, des compétitions d'athlètes et une chasse aux bêtes sauvages impliquant des panthères et toutes sortes d'animaux exotiques. Je n'y assistai pas, mais Cicéron m'en fit un compte rendu complet le soir même en rentrant. En fait, il ne pouvait parler de rien d'autre. Il se jeta sur l'une des banquettes de la salle à manger déserte – Terentia était à la campagne avec Tullia – et me décrivit la parade d'entrée dans le cirque – les auriges et les athlètes presque nus (pugilistes, lutteurs, coureurs, lanceurs de javelot et discoboles), les joueurs de flûte et les joueurs de lyre, les danseurs costumés en bacchantes et satyres, les porteurs d'encens, les buffles, les chèvres et les génisses aux cornes dorées, parés pour le sacrifice, les cages des bêtes sauvages et les gladiateurs… il en était tout étourdi.

— Combien tout cela a-t-il pu coûter ? C'est ce que je ne cesse de me demander. Hybrida doit compter tout rembourser quand il sera de retour dans sa province. Tu aurais dû entendre les acclamations qu'il a reçues à son arrivée et à son départ. Eh bien, je ne vois pas comment c'est possible, Tiron. Mais, aussi incroyable que cela puisse paraître, il va falloir réviser la liste. Viens avec moi.

Nous nous rendîmes dans son bureau. J'ouvris le coffre-fort et y pris les papiers concernant la campagne de Cicéron pour le consulat. Il y avait de nombreuses listes secrètes dans ce coffre – des listes de partisans, de donateurs, de personnalités qu'il devait encore convaincre de le soutenir, de villes, de régions où il était en bonne position, et d'autres où il était mal placé. La liste clé, cependant, était celle de ceux qu'il avait identifiés comme des rivaux potentiels, ainsi qu'un récapitulatif de tout ce qu'il savait sur eux, que ce fût pour ou contre. Galba se trouvait en tête. Gallus venait juste après, puis Cornifinius et enfin Palicanus. Cicéron me prit alors mon style et, soigneusement, de sa petite écriture soignée, il ajouta un cinquième nom qu'il ne s'était jamais attendu à voir là : Antonius Hybrida.

Quelques jours plus tard, il se produisit un événement qui allait changer radicalement le sort de Cicéron et l'avenir de l'Etat tout entier, même s'il n'en eut pas conscience sur le moment. Cela me fait penser à ces petites taches qu'on peut, paraît-il, découvrir un matin sur sa peau sans y prêter attention, puis qui se développent au fil des mois en une tumeur épouvantable. Le petite tache se présenta alors sous forme d'un simple message, totalement inattendu, qui convoquait Cicéron auprès du grand pontife, Metellus Pius. Cicéron fut extrêmement intrigué, vu que Pius, qui était très âgé (au moins soixante-quatre ans) et éminent, n'avait jamais daigné jusque-là ne fût-ce que lui adresser la parole, sans parler de réclamer sa présence. Nous partîmes donc aussitôt, les licteurs nous dégageant la voie.

En ce temps-là, la résidence officielle du chef de la religion d'Etat se trouvait sur la Voie sacrée, à côté de la Maison des vierges vestales, et je me souviens que Cicéron était très content d'être vu entrant dans ces lieux, car il s'agissait véritablement du cœur sacré de Rome et rares étaient les hommes qui avaient la chance d'en franchir le seuil. On nous fit monter un escalier et suivre une galerie qui donnait sur le jardin de la résidence des vestales. J'espérais secrètement entrevoir l'une de ces six mystérieuses jeunes filles vêtues de blanc, mais le jardin était désert et il n'était pas possible de s'attarder alors que la silhouette aux jambes arquées de Pius nous attendait déjà avec impatience au bout de la galerie, tapant du pied, encadré par deux prêtres. Il avait été soldat toute sa vie, et sa peau présentait l'aspect craquelé et durci du vieux cuir laissé dehors pendant des années ct rentré depuis peu. Il n'y eut pas de poignée de main avec Cicéron, pas d'invitation à s'asseoir ni aucun préliminaire d'aucune sorte. Pius se contenta de dire aussitôt, de sa voix rauque :

— Préteur, il faut que je te parle de Sergius Catilina.

A la seule mention de ce nom, Cicéron se raidit, car c'était Catilina qui avait torturé son lointain cousin, le représentant du parti populaire Gratidianus, en lui brisant les membres puis en lui arrachant les yeux et la langue. Catilina souffrait de graves accès de folie furieuse, pareils à des éclairs qui lui vrillaient le cerveau. A un moment, il pouvait être charmant, cultivé, amical ; puis quelqu'un se permettait une remarque apparemment anodine, ou bien il interceptait un regard qui lui semblait impertinent, et il perdait toute retenue. Pendant les proscriptions de Sylla, quand les listes de condamnés étaient affichées au forum, Catilina avait été l'un des exécuteurs les plus efficaces au marteau et au couteau – *percussores* comme on les appelait – et avait tiré beaucoup d'argent des biens de ceux qu'il avait mis à mort. Son propre beau-frère faisait partie de ses victimes. Pourtant, il était doté d'un charisme indéniable, et pour chaque personne que sa sauvagerie répugnait, il s'en trouvait deux ou trois autres séduites par ses accès tout aussi débordants de générosité. Il était également connu pour ses mœurs licencieuses. Sept ans plus tôt, il avait été poursuivi pour avoir entretenu des relations sexuelles avec une vierge vestale – qui n'était autre, en fait, que la demi-sœur de Terentia, Fabia. C'était là un péché capital, non seulement pour lui, mais pour elle aussi, et si l'on avait pu prouver sa culpabilité, elle aurait enduré le châtiment traditionnel des vestales qui rompent leur vœu de chasteté – être enterrée vivante dans la petite chambre réservée à cet effet près de la porte Colline. Mais les aristocrates, conduits par Catulus, s'étaient ralliés autour de Catilina et avaient assuré son acquittement, lui permettant de poursuivre sa carrière politique comme si de rien n'était. Il avait été préteur deux ans plus tôt puis gouverneur de la province d'Afrique, et n'avait donc pu suivre le tumulte autour de la *lex Gabinia*. Il venait tout juste de rentrer.

— Les membres de ma famille, continua Pius, sont les protecteurs de l'Afrique depuis que mon père a gouverné cette province, il y a cinquante ans. Les gens de là-bas sont donc venus chercher protection auprès de moi, et je dois te dire, préteur, que je ne les ai jamais vus plus courroucés contre quiconque que contre Sergius Catilina. Il a pillé cette province de bout en bout, a écrasé ses habitants de taxes, les a massacrés, a vidé leurs temples et violé leurs femmes et leurs filles. Les Sergii ! s'exclama-t-il avec dégoût, avant de cracher une grosse glaire jaunâtre par terre. Descendants des Troyens, d'après ce qu'ils prétendent, et pas un pour rattraper l'autre en plus de deux cents ans ! Et voilà qu'on me dit que tu es le préteur chargé de faire rendre des comptes à des gens comme lui, dit-il en jaugeant Cicéron de haut en bas. Incroyable ! Je ne peux pas dire que je sache qui tu es, mais voilà. Alors, qu'est-ce que tu vas faire ?

Cicéron ne se départait jamais de son calme quand on essayait de l'insulter. Il se contenta de demander :

— Les Africains ont-ils préparé un dossier ?

— Oui. Ils ont déjà envoyé une délégation à Rome pour tenter de trouver un avocat compétent. Qui devraient-ils aller voir ?

— Ce n'est pas à moi de le dire. Je dois rester un président de cour impartial.

— Bla-bla-bla. Epargne-moi tes discours de juriste. En privé, d'homme à homme.

Pius fit signe à Cicéron de se rapprocher. Il avait laissé la plupart de ses dents derrière lui sur les champs de bataille, et son souffle produisait des sifflements lorsqu'il essayait de chuchoter :

— Tu connais les tribunaux mieux que moi, maintenant. Qui pourrait faire ça ?

— Franchement, ce ne sera pas tâche facile, répondit Cicéron. La réputation de Catilina le précède. Il faudra quelqu'un de très courageux pour se charger de l'accusation d'un tueur aussi endurci. Et il est probable qu'il se présentera à l'élection au consulat l'année prochaine. C'est un ennemi très puissant qui se profile.

— Consul ? s'exclama Pius en se frappant la poitrine avec une telle violence que le bruit fit sursauter les deux prêtres qui l'accompagnaient. Sergius Catilina ne sera pas consul – ni l'année prochaine ni jamais –, pas tant qu'il restera une parcelle de vie dans ce vieux corps. Il doit bien y avoir quelqu'un dans cette ville qui soit assez brave pour le traîner devant la justice. Et sinon… eh bien, je ne suis pas encore assez sénile pour avoir oublié comment on se bat à Rome. Fais simplement en sorte de garder assez de temps dans ton calendrier pour entendre l'affaire, préteur, conclut-il avant de s'éloigner en grommelant d'un pas traînant dans le couloir, poursuivi par ses saints assistants.

Cicéron fronça les sourcils et secoua la tête en le regardant s'éloigner. Malgré mes treize années passées à son service, je ne comprenais toujours pas la politique aussi bien que je l'aurais dû, et je ne voyais vraiment pas pourquoi il semblait trouver cette conversation si troublante. Néanmoins, il était visiblement ébranlé, et dès que nous fûmes à nouveau dans la Voie sacrée, il m'attira hors de portée des oreilles indiscrètes du *proximus lictor* et me confia :

— C'est très grave, Tiron. J'aurais dû le voir venir.

Comme je lui demandais pourquoi il lui importait tant que Catilina fût poursuivi ou non, il me répliqua sur un ton cinglant :

— Parce que, *tête de linotte,* il est illégal de se présenter à une élection quand on fait l'objet d'une accusation. Ce qui signifie que, si les Africains trouvent un champion, s'il y a des poursuites engagées contre Catilina et si l'affaire traîne jusqu'à l'été prochain, il n'aura pas le droit d'être candidat au consulat tant que l'affaire ne sera pas résolue. Ce qui implique que si, par le plus grand des hasards, il était acquitté, c'est moi qui devrais me battre contre lui l'année de mon élection.

Je doute qu'il y eut un autre sénateur à Rome capable de voir aussi loin dans l'avenir – d'empiler autant de « si » et de discerner au sommet des raisons de s'alarmer. Lorsqu'il expliqua ses inquiétudes à Quintus, celui-ci ne manqua pas de les écarter d'un rire :

— Et *si* tu étais frappé par un éclair, Marcus, et *si* Metellus Pius pouvait se rappeler quel jour de la semaine cela se passait…

Mais Cicéron continuait de se faire du souci, et il mena une enquête discrète pour savoir où en étaient les délégués africains dans leur recherche d'un avocat capable de les défendre. Cependant, comme il le soupçonnait déjà, les délégués rencontraient beaucoup de difficultés malgré la quantité considérable de preuves témoignant des méfaits de Catilina qu'ils avaient pu accumuler, et le fait que Pius avait soutenu une résolution au Sénat pour réprimander publiquement l'ancien gouverneur. Personne n'avait envie de s'attaquer à un adversaire aussi dangereux et de risquer de se retrouver flottant sur le ventre à la surface du Tibre en plein cœur de la nuit. Aussi, du moins pour le moment, les poursuites traînaient-elles, et Cicéron fit passer cette question à l'arrière-plan de ses préoccupations. Malheureusement, elle ne devait pas y rester longtemps.

XIV

A l'expiration de sa préture, Cicéron avait la possibilité de partir à l'étranger gouverner une province pendant une année. C'était la pratique normale dans la République. Cela permettait d'acquérir une expérience administrative et aussi de remplir ses coffres après les dépenses occasionnées par la campagne. L'ancien préteur rentrait alors à Rome, évaluait la situation politique et, si les choses se présentaient bien, se lançait dans la campagne au poste de consul pour l'été : Antonius Hybrida, par exemple, qui avait de toute évidence contracté d'énormes dettes pour financer ses jeux en l'honneur d'Apollon, partit en Cappadoce pour voir ce qu'il pourrait piller. Mais Cicéron ne suivit pas cette voie et renonça à ses droits sur une province. Tout d'abord, il ne voulait pas prêter le flanc à des accusations montées de toutes pièces, et se retrouver avec un enquêteur de la partie plaignante le suivant pas à pas pendant des mois. Ensuite, il était encore hanté par cette année qu'il avait passée comme magistrat en Sicile, et avait depuis lors détesté s'éloigner de Rome plus d'une semaine ou deux. Il ne saurait y avoir créature plus urbaine que Cicéron. C'était de l'agitation de la rue et des tribunaux, du Sénat et du forum qu'il tirait son énergie, et la perspective d'une année ennuyeuse dans la société provinciale, aussi lucrative qu'elle pût être, en Cilicie ou en Macédoine, lui était une abomination.

De plus, il s'était investi dans quantité de procès, à commencer par celui de Caius Cornelius, ancien tribun de Pompée, accusé de trahison par l'aristocratie. Pas moins de cinq sénateurs patriciens parmi les plus grands – Hortensius, Catulus, Lepidus, Marcus Lucullus et même le vieux Metellus Pius – s'étaient unis afin de poursuivre Cornelius pour le rôle qu'il avait joué dans la défense de la législation de Pompée, l'accusant d'avoir intentionnellement ignoré le veto d'un autre tribun. Devant une telle attaque, j'étais sûr qu'il serait envoyé en exil. Cornelius le pensait aussi et avait déjà fait ses bagages, se tenant prêt à partir. Mais la vue d'Hortensius et de Catulus en face de lui avait toujours inspiré Cicéron, et il sut se montrer à la hauteur de la situation, prononçant pour la défense un discours de clôture des plus efficaces.

— Allons-nous, demanda-t-il, recevoir des leçons sur les droits traditionnels des tribuns de la part de cinq messieurs qui, tous, ont en leur temps soutenu la législation de Sylla qui abolissait précisément ces droits ? Un seul de ces personnages illustres s'est-il avancé pour soutenir le valeureux Gnaeus Pompée quand, à peine élu consul, il a restauré le pouvoir de veto des tribuns ? Demandez-vous finalement ceci : est-ce vraiment un souci tout neuf pour les traditions des tribuns qui leur fait quitter leurs étangs à poissons et portiques privés pour venir devant ce tribunal ? Ou serait-ce plutôt le produit de quelque autre « tradition » plus chère à leur cœur – leur tradition d'intérêt personnel et leur désir traditionnel de vengeance ?

Il continua dans la même veine et, lorsqu'il eut terminé, les cinq plaideurs distingués (qui avaient commis l'erreur de s'asseoir en rangs) semblaient avoir rétréci de moitié, surtout Pius, qui avait visiblement du mal à suivre et gardait la main en cornet contre son oreille tout en se tortillant sur son siège tandis que son bourreau arpentait le tribunal. Ce fut l'une des dernières apparitions du vieux soldat en public avant que le long crépuscule de la maladie s'abatte sur lui. Après que le jury eut voté l'acquittement total de Cornelius, Pius quitta la cour sous les quolibets et les rires moqueurs avec une expression de confusion due au grand âge, que je ne reconnais malheureusement que trop bien sur mes propres traits.

— Bien, dit Cicéron avec une certaine satisfaction alors que nous nous préparions à rentrer, en tout cas, je crois qu'il sait qui je suis, maintenant.

Je ne mentionnerai pas toutes les affaires dont Cicéron s'occupa pendant cette période parce qu'il y en eut des dizaines, toutes entrant dans sa stratégie de rendre le plus de personnes influentes possible redevables pour qu'ils le soutiennent aux élections consulaires, et pour que son nom soit sans cesse présent à l'esprit des électeurs. Il sélectionnait ses clients avec le plus grand soin, et comptait parmi eux au moins quatre sénateurs : Fundanius, qui contrôlait une grosse corporation de vote ; Orchivius, qui avait été préteur en même temps que lui ; Gallius, qui projetait de se présenter à la préture ; et Mucius Orestinus, accusé de vol, qui espérait devenir tribun et dont l'affaire monopolisa le cabinet pendant de nombreux jours.

Je crois que, jamais auparavant, un candidat n'avait abordé le métier de la politique justement comme cela – comme un métier – et, chaque semaine, il y avait réunion dans le bureau de Cicéron pour évaluer les progrès de la campagne. Les participants apparaissaient épisodiquement, mais le noyau dur de la cellule était composé de cinq personnes : Cicéron lui-même, Quintus, Frugi, moi-même et l'élève de Cicéron, Caelius, qui, quoique très jeune (ou peut-être justement parce qu'il l'était), se plaisait à collecter les potins dans toute la ville. Quintus fut une fois de plus directeur de campagne et insista pour présider les séances. Il se plaisait à suggérer, par un sourire indulgent ou un haussement de sourcils occasionnel, que Cicéron, malgré tout son génie, pouvait parfois être un intellectuel farfelu qui avait besoin du bon sens un peu fruste de son frère pour lui remettre les pieds sur terre ; et Cicéron se prêtait à ce jeu d'assez bonne grâce.

Ce serait une étude intéressante, si seulement il me restait assez de vie devant moi pour l'écrire : l'histoire des fratries en politique. Il y eut les frères Gracchi, bien sûr, Tiberius et Caius, qui se consacrèrent à la redistribution des richesses des plus fortunés vers les pauvres, et qui le payèrent tous deux de leur vie. Puis, à mon époque, il y eut Marcus et Lucius Lucullus, consuls patriciens à un an d'intervalle, ainsi que tout un tas de frères des familles Metellus et Marcellus. Dans une sphère de l'activité humaine où les amitiés sont éphémères et les alliances contractées pour être rompues, savoir que le nom de l'autre est irrévocablement lié au vôtre quels que soient les tours du destin doit être une vraie source de force. La relation qui unissait les Cicéron, comme celle qui unit la plupart des frères, je suppose, consistait en un mélange complexe de tendresse et de ressentiment, de jalousie et de loyauté. Sans Cicéron, Quintus aurait été un officier morne et compétent dans l'armée, puis un propriétaire terrien morne et compétent à Arpinum, alors que, sans Quintus, Cicéron serait resté Cicéron. Sachant cela, et sachant que son frère le savait aussi, Cicéron faisait des efforts pour le contenter et l'enveloppait généreusement dans le manteau scintillant de sa notoriété.

Quintus passa beaucoup de temps, cet hiver-là, à rédiger un manuel du parfait candidat au consulat, sorte de concentré de ses conseils fraternels à Cicéron, qu'il aimait à citer autant que possible, à la façon de la *République* de Platon. Cela commençait ainsi : *Considérez la ville où vous vous trouvez, ce que vous recherchez et qui vous êtes. Chaque jour, lorsque vous vous rendez au forum, répétez-vous : « Je suis un homme nouveau. Je demande le consulat. Et c'est Rome. »* Je me rappelle encore certains des petits sermons qu'on pouvait y trouver : *Il n'y a partout que tromperies, pièges et traîtrises. Accrochez-vous au dicton d'Epicharme qui veut que le fondement même de la sagesse soit : « n'accordez pas votre confiance inconsidérément »... Veillez à faire étalage de la diversité et du nombre de vos amis... Je tiens absolument à ce que vous ayez toujours une petite foule autour de vous... Si l'on vous demande de faire quelque chose, ne refusez pas, même si vous ne pouvez pas le faire... Enfin, veillez que votre campagne soit brillante, resplendissante et populaire ; et aussi, si cela est possible, qu'il y soit question du scandale suscité par les crimes, les mœurs légères et la corruption de vos adversaires.*

Quintus était très fier de son manuel, et il le fit même publier des années plus tard, à la consternation de Cicéron, qui estimait que la gloire politique, comme le grand art, repose sur la capacité de dissimuler les astuces qui sous-tendent l'ensemble.

Au printemps, Terentia fêta son trentième anniversaire, et Cicéron organisa une petite fête en son honneur. Quintus et Pomponia furent conviés, ainsi que Frugi et ses parents, le pointilleux Servius Sulpicius et son épouse, Postumia, étonnamment jolie ; il devait y avoir d'autres invités, mais le flot du temps les a effacés de ma mémoire. La maisonnée fut rassemblée brièvement par Eros, l'intendant, pour présenter à Terentia tous nos vœux, et je me souviens d'avoir pensé, en la voyant apparaître, que je ne l'avais jamais vue si épanouie ni de meilleure humeur. Ses cheveux, courts et bouclés, étaient brillants, ses yeux pétillants, et sa silhouette habituellement osseuse semblait plus douce, plus généreuse. Je le mentionnai à sa servante une fois que le maître et la maîtresse eurent conduit leurs hôtes dans la salle à manger, et celle-ci jeta un regard autour d'elle pour vérifier que personne ne nous regardait avant de joindre les mains en faisant un mouvement circulaire devant son ventre. Je ne compris pas tout de suite, ce qui déclencha chez elle une crise de fou rire, et ce n'est que lorsqu'elle fut remontée en courant que je pris conscience de ma niaiserie, et pas seulement de la mienne, d'ailleurs. Un mari normal aurait sûrement remarqué les symptômes plus tôt, mais Cicéron se levait invariablement à l'aube et ne rentrait qu'à la nuit tombée, et il avait toujours un discours à rédiger ou une lettre à envoyer – le miracle est qu'il ait trouvé le temps d'accomplir son devoir conjugal. Quoi qu'il en soit, au milieu du dîner, un grand cri d'excitation suivi par des applaudissements confirma que Terentia avait saisi l'opportunité de la fête pour annoncer sa grossesse.

Plus tard, ce soir-là, Cicéron entra dans le bureau avec un grand sourire. Il accueillit mes félicitations avec une révérence.

— Elle est certaine que c'est un garçon. Apparemment, c'est la Bonne Déesse elle-même qui l'en a informée par des signes surnaturels que seules les femmes peuvent saisir.

Il se frotta vigoureusement les mains d'impatience ; il ne pouvait s'arrêter de sourire.

— C'est toujours un avantage formidable, en période d'élections, Tiron, un bébé – cela suggère un candidat viril, et un père de famille respectable. Vois avec Quintus pour les apparitions de l'enfant pendant la campagne, ajouta-t-il en me montrant mes tablettes de cire. Je plaisante, imbécile ! ajouta-t-il en voyant mon expression ahurie.

Il feignit de me donner une claque sur l'oreille. Mais je ne saurais dire de qui, de lui ou de moi, cette anecdote est la plus révélatrice, car je ne suis toujours pas convaincu qu'il plaisantait vraiment.

A partir de ce moment, Terentia devint beaucoup plus stricte dans son observation des rites religieux et, dès le lendemain de son anniversaire, elle pria Cicéron de l'accompagner au temple de Junon, sur le Capitole, où elle acheta un agneau de lait pour que le prêtre le sacrifie en remerciement de sa grossesse et de son mariage. Cicéron fut trop heureux de lui faire plaisir dans la mesure où il était véritablement enchanté par la perspective d'un nouvel enfant, et où il savait combien les électeurs se délectent de ces manifestations publiques de piété.

Je crains maintenant de devoir revenir à cette tumeur maligne qu'était Sergius Catilina.

Quelques semaines après la convocation de Cicéron auprès de Metellus Pius, eurent lieu les élections consulaires. Mais le vainqueur avait fait un usage tellement flagrant de la corruption électorale que le vote fut annulé et un nouveau scrutin organisé au mois d'octobre. En cette occasion, Catilina présenta sa candidature. Pius s'empressa d'y faire obstacle – je suppose que ce fut là le dernier combat victorieux du vieux soldat – et le Sénat décida que seuls ceux dont le nom figurait déjà au premier scrutin auraient le droit de se présenter. Cette décision plongea Catilina dans une de ses fureurs coutumières, et il se mit à hanter le forum avec une bande d'amis violents, proférant toutes sortes de menaces, qui furent prises suffisamment au sérieux par les sénateurs pour qu'ils votent une escorte de gardes du corps armés pour les consuls. Ce n'était pas étonnant, mais personne ne s'était montré assez courageux pour défendre le dossier des Africains devant la cour des extorsions. J'évoquai un jour la question avec Cicéron, me demandant si ce ne serait pas pour lui une cause populaire à défendre – n'avait-il pas vaincu Verrès, ce qui avait fait de lui l'avocat le plus célèbre du monde ? Mais Cicéron avait secoué la tête.

— Comparé à Catilina, Verrès paraissait doux comme un agneau. De plus, Verrès n'était pas très aimé, alors que Catilina a de toute évidence ses adeptes.

— Pourquoi est-il si apprécié ? demandai-je.

— Les hommes dangereux trouvent toujours des partisans, même si ce n'est pas ce qui m'inquiète le plus. Si ce n'était qu'une question de foule dans la rue, il ne constituerait pas une telle menace. C'est le fait qu'il bénéficie d'un tel soutien dans l'aristocratie qui me préoccupe – Catulus certainement, ce qui signifie probablement Hortensius aussi.

— Je l'aurais cru beaucoup trop grossier pour Hortensius.

— Oh, Hortensius sait comment utiliser un bagarreur quand la situation l'exige. Bien des maisons cultivées sont protégées par des chiens vicieux. Et Catilina est aussi un Sergius, ne l'oublie pas, aussi peuvent-ils l'approuver en sauvant les apparences. Les masses et l'aristocratie : ça donne toujours une combinaison puissante en politique. Espérons qu'il puisse être arrêté dans sa course au consulat cet été. Je suis soulagé que cette tâche ne semble pas devoir m'incomber.

Je me dis à l'époque que c'était précisément le genre de remarque qui prouve que les dieux existent, parce que, chaque fois que, du haut de leur orbite céleste, ils entendent de tels propos suffisants, ils trouvent très amusant de démontrer leur pouvoir. D'ailleurs, il n'y eut pas à attendre longtemps avant que Caelius Rufus ne rapporte à Cicéron des nouvelles alarmantes. Caelius avait alors dix-sept ans et était, selon les termes de son père, totalement ingouvernable. Il était grand, bien bâti, et pouvait facilement passer pour un homme d'une bonne vingtaine d'années, avec sa voix profonde et son petit bouc, en vogue parmi la jeunesse dorée de l'époque. Il se glissait hors de la maison la nuit, quand Cicéron était plongé dans son travail et que tous les autres dormaient. Il ne revenait souvent que juste avant l'aube. Il savait que j'avais un peu d'argent de côté et me pressait toujours de lui prêter de petites sommes. Un soir, alors que j'avais encore refusé de lui avancer quoi que ce soit, je découvris, en rentrant dans mon alcôve, qu'il avait découvert ma cachette et pris tout ce que je possédais. Je passai une nuit affreuse et sans sommeil, mais, lorsque je l'accusai, le lendemain matin, et menaçai de tout révéler à Cicéron, les larmes lui montèrent aux yeux et il promit de tout me rembourser. Et je dois reconnaître qu'il l'a fait, et même avec des intérêts généreux ; aussi je changeai de cachette et n'en soufflai jamais mot à quiconque.

Il buvait donc et fréquentait les prostituées de toute la ville avec une bande de jeunes nobles dépravés. L'un d'eux était Gaius Curion, jeune homme de vingt ans dont le père avait été consul et grand partisan de Verrès. Il y avait aussi Marc-Antoine, le neveu d'Hybrida, qui devait avoir dans les dix-huit ans. Mais le vrai chef de la bande, principalement parce qu'il était le plus âgé et le plus riche et pouvait entraîner les autres dans des méfaits dont ils n'avaient même jamais rêvé, était Clodius Pulcher. Il avait dans les vingt-cinq ans et avait passé huit années de service militaire en Orient, participant à toutes sortes de mauvais coups, y compris fomenter une mutinerie contre Lucullus – qui se trouvait aussi être son beau-frère – et se faire capturer par les pirates mêmes qu'il était censé combattre. Maintenant, il était de retour à Rome et cherchait à se faire connaître. Ainsi, un soir, il annonça qu'il savait exactement comment il allait s'y prendre – ce serait une bonne blague, un défi, osé et amusant (ce furent ses propres termes, d'après Caelius). *Il allait poursuivre Catilina.*

Lorsque Caelius courut annoncer la nouvelle à Cicéron dès le matin, le sénateur refusa tout d'abord de le croire. Il ne connaissait de Clodius que les rumeurs scandaleuses qui circulaient largement à son sujet et selon lesquelles il aurait couché avec sa propre sœur – rumeurs qui avaient pris récemment forme plus substantielle en étant invoquées par Lucullus lui-même comme l'une des raisons de son divorce.

— Que ferait un tel personnage dans une cour de justice, sinon en tant qu'accusé ? se moqua Cicéron.

Caelius, avec son insolence coutumière, lui rétorqua que, s'il voulait la preuve de ce qu'il lui disait, il n'avait qu'à aller faire un tour au tribunal des extorsions dans une heure ou deux, au moment où Clodius projetait de déposer sa plainte. Inutile de dire que c'était un spectacle auquel Cicéron ne pouvait résister et, dès qu'il eut reçu ses clients les plus importants, il descendit à son vieux repaire, au temple de Castor, en nous emmenant avec lui, Caelius et moi.

Déjà, mystérieusement, le bruit s'était répandu que quelque chose de spectaculaire allait se produire, et une centaine de personnes s'étaient rassemblées au bas des marches. Le préteur du moment, un certain Orbius qui deviendrait ensuite gouverneur d'Asie, venait de prendre place sur sa chaise curule et regardait autour de lui, se demandant visiblement ce qui se préparait, quand un groupe de six ou sept jeunes à l'air narquois et insouciant surgit en provenance du Palatin. Ils se prenaient de toute évidence pour les parangons de la mode, et peut-être l'étaient-ils, avec leurs cheveux longs, leur barbichette et leur grosse ceinture brodée portée assez lâche sur la tunique.

— Par tous les cieux, quel spectacle ! marmonna Cicéron alors qu'ils passaient devant nous, laissant sur leur passage un sillage parfumé d'huile de crocus et d'onguents safranés. Ils ressemblent plus à des femmes qu'à des hommes !

L'un des garçons se détacha des autres et gravit les marches jusqu'au préteur. Il s'arrêta à mi-hauteur et se retourna vers la foule. Il avait, si je puis m'exprimer vulgairement, tout du « mignon » avec ses longues boucles blondes, ses lèvres rouges et pleines et sa peau bronzée – une sorte de jeune Apollon. Mais sa voix, lorsqu'il prit la parole, se révéla étonnamment ferme et masculine, gâtée seulement par un accent vaguement argotique et faussement plébéien, qui transformait son nom de famille en « Clodius » au lieu de « Claudius » – encore une de ces affectations à la mode.

— Je suis Publius Clodius Pulcher, fils du consul Appius Claudius Pulcher, petit-fils de consuls en ligne directe remontant à la huitième génération, et je viens ce matin porter plainte devant ce tribunal contre Sergius Catilina, pour les crimes qu'il a commis récemment en Afrique.

A la mention du nom de Catilina, il y eut des murmures et des sifflements, et une espèce de brute épaisse qui se tenait près de nous lança :

— Tu ferais mieux de faire gaffe à tes fesses, fillette !

Mais Clodius ne semblait pas le moins du monde inquiet.

— Puissent mes ancêtres et les dieux bénir cette entreprise et la mener à une conclusion fructueuse.

Puis il gravit d'un pas vif les dernières marches le séparant d'Orbius pour lui tendre le *postulatus* soigneusement roulé et fermé par un sceau et un ruban rouge pendant que ses partisans applaudissaient bruyamment. Caelius les imita jusqu'au moment où Cicéron le fit taire d'un regard.

— Cours chercher mon frère, lui dit-il. Mets-le au courant de ce qui vient de se passer et dis-lui que nous devons nous voir tout de suite.

— C'est une tâche pour un esclave, objecta Caelius avec une moue de mépris, craignant sans doute de perdre la face devant ses amis. Tiron pourrait certainement y aller, non ?

— Fais ce qu'on te demande, coupa Cicéron d'un ton sec. Et, pendant que tu y es, trouve Frugi aussi. Et estime-toi heureux que je n'aie pas encore parlé à ton père de tes fréquentations peu recommandables.

Caelius ne se le fit pas dire deux fois et disparut du forum en direction du temple de Cérès, où les édiles plébéiens se trouvaient en général à cette heure de la matinée.

— Je l'ai trop gâté, commenta Cicéron avec lassitude alors que nous gravissions la côte qui nous ramenait chez nous. Et tu sais pourquoi ? C'est parce qu'il a du charme, ce don maudit entre tous, et que je ne peux pas m'empêcher de tout céder à quelqu'un qui a du charme.

Pour le punir, et aussi parce qu'il ne lui faisait plus totalement confiance, Cicéron refusa de laisser Caelius assister à la réunion de campagne et l'envoya à la place rédiger un compte rendu. Il attendit qu'il se fût éloigné avant de relater les événements du matin à Quintus et Frugi. Quintus fut tenté de voir les choses de façon optimiste, mais Cicéron était absolument convaincu qu'il devrait à présent affronter Catilina lors des élections au consulat.

— J'ai vérifié le calendrier du tribunal des extorsions – tu te rappelles ce que c'est – et la vérité, c'est qu'il n'y a aucune chance que l'affaire Catilina puisse être entendue avant juillet, ce qui l'empêche de présenter sa candidature cette année. Ce qui veut dire qu'il se présentera inévitablement l'année suivante, mon année, ajouta Cicéron avant de frapper du poing sur la table en jurant – chose qu'il faisait rarement. J'ai prédit exactement cette situation il y a un an – Tiron m'est témoin.

— Catilina sera peut-être déclaré coupable et exilé ? avança Quintus.

— Avec cette créature parfumée pour mener l'accusation ? Un homme dont pas un esclave à Rome ne sait pas qu'il a couché avec sa propre sœur ? Non, non, tu avais raison, Tiron. J'aurais dû démolir Catilina moi-même quand la chance m'en a été donnée. Il aurait été plus facile à battre devant un tribunal qu'il ne le sera aux urnes.

— Peut-être n'est-il pas trop tard, suggérai-je. Peut-être que Clodius se laisserait convaincre de te céder l'accusation.

— Non, il ne fera jamais cela, dit Cicéron. Il suffit de le regarder – de voir l'arrogance de ce type – pour le savoir. C'est bien un Claudius. Il tient là sa chance de connaître la gloire et il ne la lâchera pas. Tu ferais mieux d'apporter notre liste de candidats, Tiron. Il va falloir qu'on trouve qui va se présenter avec moi, ça devient urgent.

A cette époque, les candidats aux élections consulaires se présentaient par deux car c'était de toute évidence une très bonne tactique que de former une alliance avec un homme complémentaire de ses propres forces pendant la campagne. Mais ce dont Cicéron avait besoin pour équilibrer la donne, c'était de quelqu'un ayant un nom distingué qui plairait largement à l'aristocratie. En retour, il leur offrirait sa popularité parmi les *pedarii* et les classes inférieures, ainsi que le soutien de la machine électorale qu'il avait mise en place à Rome. Il avait toujours pensé que ce serait quelque chose d'assez simple à organiser le moment venu. Maintenant, alors que nous examinions les noms sur la liste, je commençais à comprendre ce qui l'inquiétait autant. Palicanus n'apporterait rien de plus. Cornificius n'avait aucun talent électoral. Hybrida n'avait que la moitié du cerveau. Cela ne laissait plus que Galba et Gallus. Et Galba était un tel aristocrate qu'il ne voudrait rien avoir à faire avec Cicéron. Quant à Gallus – malgré toutes les supplications de Cicéron –, il décrétait fermement n'avoir aucun intérêt à devenir consul.

— Vous pouvez croire ça ? se plaignit Cicéron en examinant la liste des candidats potentiels. Je lui propose la plus belle place du monde, et ne lui demande rien d'autre en échange que de rester à mes côtés pendant un jour ou deux. Et pourtant, il continue de soutenir qu'il préfère se concentrer sur la jurisprudence !

Il prit son style et raya le nom de Gallus, puis il ajouta celui de Catilina en fin de liste. Il tapota la pointe de son style à côté, le souligna, l'entoura, puis nous regarda tout à tour.

— Bien sûr, il reste un autre partenaire potentiel que nous n'avons pas encore envisagé.

— Et qui est ? s'enquit Quintus.

— Catilina.

— *Marcus !*

— Je suis parfaitement sérieux, dit Cicéron. Réfléchissons. Imaginez qu'au lieu d'essayer de le poursuivre, je propose de le défendre. Si j'assure son acquittement, il sera obligé de me soutenir pour le consulat. En revanche, s'il est déclaré coupable et est condamné à l'exil, eh bien, c'en sera fini de lui. En ce qui me concerne, les deux issues sont parfaitement acceptables.

— Mais tu défendrais *Catilina* ?

Quintus était habitué à son frère, et il en fallait beaucoup pour le choquer, mais là, les mots lui manquaient.

— Je défendrais le démon le plus noir des enfers s'il avait besoin d'un avocat. C'est notre système juridique, constata Cicéron avant de froncer les sourcils et de secouer la tête avec irritation. Mais nous avons déjà parlé de tout cela avec ce pauvre Lucius juste avant sa mort. Allons, mon frère, épargne-moi ce visage plein de reproche. C'est toi qui as écrit le livre : « Je suis un homme nouveau. Je demande le consulat. Et c'est Rome. » Ces trois choses, ils les disent toutes. Je suis un homme nouveau, donc je ne peux compter que sur moi-même, et sur vous, mes rares amis. Je demande le consulat, c'est-à-dire l'immortalité – un trophée qui vaut bien la peine qu'on se batte pour lui, non ? Et c'est bien Rome – *Rome* –, pas un lieu abstrait dans un ouvrage de philosophie mais une cité glorieuse bâtie sur un fleuve de fange. Alors oui, je défendrais Catilina si cela s'avérait nécessaire, et puis je romprais tout lien avec lui dès que possible. Et il ferait de même avec moi. C'est le monde dans lequel nous vivons, conclut

Cicéron, qui se carra dans son fauteuil et leva les mains. Rome !

Cicéron n'agit pas tout de suite : il préférait attendre de voir si la plainte contre Catilina allait aboutir. Le bruit courait en effet que Clodius essayait simplement de se faire remarquer, ou peut-être de détourner l'attention de la honte que représentait le divorce de sa sœur. Mais à la façon pesante de la justice, le processus franchit toutes les étapes obligatoires au cours de l'été – les *postulatio*, *divinatio* et *nominas dilatio*. Un jury fut sélectionné et une date fixée pour le début du procès au cours de la dernière semaine de juillet. Il n'y avait plus aucune chance pour que Catilina soit libre de tout litige à temps pour les élections consulaires : les nominations étaient déjà closes.

A ce stade, Cicéron décida de laisser entendre à Catilina qu'il pourrait être intéressé par sa défense. Il réfléchit longuement à la façon de lui transmettre son offre, car il ne voulait pas perdre la face s'il était éconduit et voulait aussi pouvoir nier l'avoir jamais faite au cas où il devrait en répondre au Sénat. Il finit par trouver un stratagème subtil très caractéristique. Il fit venir Caelius dans son bureau, lui fit jurer le secret et lui annonça qu'il avait dans l'idée de défendre Catilina : qu'en pensait-il ? (« Mais pas un mot à quiconque, attention ! ») C'était exactement le genre de potins dont se délectait Caelius et, naturellement, il ne pourrait s'empêcher de mettre ses amis dans la confidence, dont Marc-Antoine, qui, en plus d'être le neveu d'Hybrida, était aussi le fils adoptif d'un ami proche de Catilina, Lentulus Sura.

Je crois qu'il ne fallut pas attendre plus d'un jour et demi pour qu'un messager se présente à la porte de Cicéron, porteur d'une lettre de Catilina évoquant la possibilité d'une rencontre et proposant – par souci de discrétion – que le rendez-vous eût lieu à la nuit tombée.

— Le poisson a mordu, me glissa Cicéron en me montrant la lettre.

Puis il renvoya l'esclave avec la réponse verbale qu'il irait voir Catilina chez lui le soir même.

Terentia était à présent proche de son terme et trouvait la chaleur de Rome en juillet insupportable. Elle était allongée, agitée et gémissante, sur une banquette de la salle à manger étouffante, Tullia d'un côté lui faisant la lecture d'une voix flûtée, une servante avec un éventail de l'autre. Son humeur, plutôt agitée dans le meilleur des cas, s'était muée depuis plusieurs jours en véritable tempête. Alors que l'obscurité tombait et qu'on allumait les candélabres, Terentia vit que Cicéron s'apprêtait à sortir et voulut aussitôt savoir où il allait. Comme il lui donnait une réponse vague, elle décréta, en larmes, qu'il avait dû prendre une concubine et allait sûrement la rejoindre : comment expliquer autrement qu'un homme respectable sortît à cette heure de la nuit ? Il dut donc à contrecœur lui avouer la vérité, à savoir qu'il se rendait chez Catilina. Evidemment, au lieu de la calmer, cette nouvelle la mit encore plus en rage. Elle lui demanda comment il pouvait supporter l'idée de passer un moment en compagnie d'un tel monstre qui avait débauché sa propre sœur, une vierge vestale, sur quoi Cicéron rétorqua en plaisantant que Fabia avait toujours été « plus vestale que vierge ». Terentia s'efforça de se lever, mais n'y parvint pas, et ses invectives furieuses nous poursuivirent jusqu'à ce que nous fussions sortis de la maison, au grand amusement de Cicéron.

Cette nuit évoquait beaucoup celle qui avait précédé l'élection à l'édilité, lorsqu'il était allé voir Pompée. Il y avait cette même chaleur oppressante, cette même lune fiévreuse ; une même brise charriait les odeurs de putréfaction en provenance des charniers qui s'étendaient derrière la porte Esquiline et les répandait sur la cité comme une poussière moite et invisible. Nous descendîmes au forum, où des esclaves allumaient les réverbères, dépassâmes les temples sombres et silencieux et remontâmes le Palatin, où habitait Catilina. Je portais comme d'habitude une cassette à documents, et Cicéron se tenait les mains derrière le dos pour marcher tête baissée, plongé dans ses pensées. En ce temps-là, le Palatin était beaucoup moins construit qu'aujourd'hui, et les maisons beaucoup plus espacées. J'entendais le son d'un cours d'eau tout proche et respirais un parfum de chèvrefeuille et d'églantine.

— C'est ici qu'il faut vivre, Tiron, me dit Cicéron en s'arrêtant sur les marches. C'est ici que nous viendrons habiter quand il n'y aura plus d'élections à disputer et que je n'aurai plus à me soucier autant de l'opinion des gens. Un endroit avec un jardin où lire – tu imagines – et où les enfants pourraient jouer, ajouta-t-il avec un regard en direction du mont Esquilin. Ce sera un soulagement pour tous quand ce bébé sera là. C'est comme attendre qu'un orage éclate enfin.

La maison de Catilina était facile à trouver car elle se dressait près du temple de Luna, toujours illuminé la nuit par des torches en l'honneur de la déesse Lune. Un esclave nous attendait dans la rue pour nous guider, et il nous conduisit directement dans le vestibule de la demeure des Sergii, où une femme superbe accueillit Cicéron. Il s'agissait d'Aurelia Orestilla, l'épouse de Catilina, dont il était censé avoir séduit la fille avant de passer à la mère et pour qui, disait-on, il avait assassiné son propre fils de son premier mariage (le garçon ayant menacé de tuer Aurelia plutôt que d'avoir une telle courtisane pour mère). Cicéron savait à quoi s'en tenir avec elle, et coupa court à son accueil chaleureux d'un petit salut bref.

— Madame, dit-il, c'est votre mari et non vous que je suis venu voir.

Elle se mordit la lèvre et se tut. Nous nous trouvions dans l'une des demeures les plus anciennes de Rome, et l'on entendait le bois craquer tandis que nous suivions l'esclave à l'intérieur, où régnait une odeur de vieilles draperies poussiéreuses et d'encens. Un détail curieux dont je me souviens encore était qu'elle avait été en grande partie vidée, et de toute évidence récemment, car on pouvait voir les contours rectangulaires brouillés des endroits où il y avait eu des tableaux, et des cercles de poussière sur le sol indiquant la place de statues absentes. Il ne restait plus dans l'atrium que les effigies de cire miteuses des ancêtres de Catilina, jaunies par des générations de fumées. C'est là que Catilina lui-même se tenait. La première surprise fut de le découvrir si grand lorsqu'on s'en approchait – au moins une tête de plus que Cicéron – et la seconde de constater la présence derrière lui de Clodius. Ce dut être un choc terrible pour Cicéron, mais il était bien trop maître de lui pour le laisser paraître. Il serra brièvement la main de Catilina, puis celle de Clodius, refusa poliment un verre de vin, et enfin les trois hommes passèrent aussitôt au sujet qui nous amenait.

En y repensant, je fus frappé par la ressemblance entre Catilina et Clodius. C'est la seule fois que je les vis ensemble dans une même pièce, et ils auraient pu être père et fils, dotés d'une même voix traînante, et d'une même langueur dans l'attitude, comme si le monde n'attendait que de leur appartenir. J'imagine que c'est cela, ce qu'on appelle l'« éducation ». Il avait fallu quatre cents ans de mariages entre les familles les plus considérées de Rome pour produire ces deux gredins – aussi racés que des pur-sang arabes, et tout aussi rapides, impétueux et dangereux.

— Voici l'affaire telle que nous l'envisageons, annonça Catilina. Le jeune Clodius ici présent va prononcer un discours brillant pour l'accusation, et tout le monde dira qu'il est le nouveau Cicéron et que j'ai toutes les chances d'être condamné. Mais alors, toi, Cicéron, tu feras une plaidoirie encore plus brillante pour ma défense, de sorte que personne ne s'étonnera que je sois acquitté. Au bout du compte, nous aurons assuré un bon spectacle et notre situation n'en sortira que renforcée. Je serai déclaré innocent devant le peuple de Rome. Clodius apparaîtra comme un homme d'avenir plein de courage. Et tu remporteras un nouveau succès éclatant au tribunal, en défendant quelqu'un de condition bien supérieure à ton lot habituel de clients.

— Et si les juges en décident autrement ?

— Tu n'as pas à te préoccuper d'eux, assura Catilina en tapotant sa poche. Je me suis occupé des juges.

— La justice est si *chère*, intervint Clodius avec un sourire. Le pauvre Catilina a été obligé de vendre ses biens de famille pour s'assurer l'issue du procès. C'est un scandale. Mais comment font les gens pour s'en sortir ?

— J'aurai besoin de voir les documents du procès, dit Cicéron. Dans combien de temps commencent les audiences ?

— Trois jours, répondit Catilina en faisant signe à un esclave qui se tenait près de la porte. Cela te laisse-t-il assez de temps pour préparer ton discours ?

— Si le jury t'est déjà tout acquis, je peux le réduire à cinq mots : « Voici Catilina. Laissez-le partir. »

— Oh, mais je veux la représentation cicéronienne

complète ! protesta Catilina. Je veux : « Cet homme v-v-valeureux… le s-s-sang des c-c-centuries… v-v-voyez les larmes de sa f-f-femme et de ses amis… »

Il avait la main en l'air et l'agitait de manière expressive tout en imitant grossièrement le bégaiement presque imperceptible de Cicéron. Clodius riait ; ils étaient tous deux légèrement ivres.

— Je veux : « Ces s-s-sauvages africains s-s-souillant cette cour v-v-v-énérable… » Je veux que Carthage et Troie soient invoquées devant nous, Dinon et Enée…

— Tu auras, l'interrompit froidement Cicéron, un travail professionnel.

L'esclave était revenu avec les papiers du procès, et j'entrepris de les ranger rapidement dans mon coffret à documents car je sentais que l'atmosphère se dégradait à mesure que l'alcool consolidait son emprise et j'étais pressé de sortir Cicéron de là.

— Nous devrons nous rencontrer pour discuter de ton témoignage, continua-t-il sur le même ton glacé. Demain serait le mieux, si cela te convient.

— De toute façon, je n'ai rien de mieux à faire. Je pensais me présenter aux élections consulaires cet été, comme tu le sais sans doute, jusqu'à ce que cette mauvaise graine m'en empêche.

C'est l'agilité qui vous coupait le souffle chez un homme de cette taille. Il bondit soudain et enroula son bras droit puissant autour du cou de Clodius en lui abaissant la tête, ce qui plia le jeune homme en deux. Le malheureux Clodius – qui, soit dit en passant, n'avait rien d'un avorton – poussa un cri étouffé et chercha faiblement à accrocher le bras de Catilina. Mais la force de cet homme était ahurissante, et je pensé qu'il aurait très bien pu briser le cou de son visiteur d'une simple secousse de son avant-bras si Cicéron n'était intervenu d'une voix très calme :

— En tant qu'avocat de la défense, je dois te prévenir, Catilina, que ce serait une grave erreur d'assassiner ton accusateur.

A ces mots, Catilina fit volte-face et plissa les yeux pour le dévisager, comme s'il avait momentanément oublié qui il était. Puis il se mit à rire et ébouriffa les boucles blondes de Clodius avant de le lâcher. Clodius recula en titubant. Il se massa un côté de la tête et de la gorge et jeta à Catilina un regard proprement meurtrier. Puis il se mit à rire lui aussi et se redressa. Ils tombèrent alors dans les bras l'un de l'autre, Catilina réclama du vin et nous les abandonnâmes là-dessus.

— Quelle paire ils font ! s'exclama Cicéron tandis que nous passions devant le temple de Lune pour rentrer chez nous. Avec un peu de chance, ils se seront entre-tués avant le matin.

Lorsque nous arrivâmes à la maison, Terentia était en plein travail. Cela ne faisait aucun doute – nous pouvions entendre les cris depuis la rue. Cicéron resta figé dans l'atrium, blême de saisissement et d'inquiétude. Il avait été absent pour la naissance de Tullia, et rien dans ses livres de philosophie ne l'avait préparé à ce qui se passait.

— Par les dieux du ciel, on dirait qu'on la torture. Terentia !

Il voulut monter l'escalier conduisant à la chambre de son épouse, mais l'une des sages-femmes l'en empêcha.

Nous passâmes une longue nuit de veille dans la salle à manger. Il me demanda de rester avec lui, mais fut au début trop inquiet pour pouvoir travailler. A certains moments, il s'allongeait sur la banquette même qu'occupait Terentia à notre départ, puis, lorsque nous parvenait un nouveau cri, il se relevait d'un bond et faisait les cent pas. L'atmosphère était chaude et lourde, la flamme des bougies semblait immobile, leur filet de fumée noire aussi raide que des tuyaux descendant du plafond. Pour m'occuper, je vidai le coffret des documents juridiques que j'avais rapportés de chez Catilina et entrepris de les classer par genres – charges, dépositions, résumés de preuves écrites. Finalement, pour se distraire, Cicéron, toujours couché sur le ventre, tendit la main pour saisir un document et se mit à lire, prenant rouleau après rouleau et le portant à la lumière de la lampe que j'avais placée près de lui. Il ne cessait de tressaillir et de cligner des yeux, sans que je pusse déterminer si c'était à cause des hurlements qui continuaient à nous parvenir de l'étage ou des accusations épouvantables portées contre Catilina, car il y avait là les comptes rendus les plus effrayants de violences et de viols envoyés de pratiquement toutes les villes d'Afrique, d'Utique à Thaena, de Thapsos à Thelepte. Au bout d'une heure ou deux, il les écarta avec dégoût et me demanda d'aller chercher de quoi écrire afin qu'il me dicte quelques lettres, à commencer par un message à Atticus. Puis il se rallongea et ferma les yeux pour essayer de se concentrer. J'ai maintenant ce document sous les yeux.

Il y a longtemps que je n'ai pas reçu une ligne de toi. Je t'ai déjà décrit en détail ma campagne électorale. En ce moment, je me propose de défendre un autre candidat, Catilina. Nous avons le jury que nous voulons, et la pleine coopération de l'accusation. S'il est acquitté, j'espère qu'il sera plus enclin à travailler avec moi durant la campagne. Mais s'il en allait autrement, je le supporterais très bien d'un point de vue philosophique.

— Ah ! C'est le moins qu'on puisse dire ! s'exclama-t-il avant de refermer les yeux.

J'aurai bientôt besoin de toi à la maison. On est visiblement convaincu par ici que tes amis nobles vont s'opposer à mon élection.

A ce moment, je m'arrêtai d'écrire parce que, au lieu d'un hurlement, nous entendîmes un son différent – le vagissement d'un nouveau-né. Cicéron bondit de la banquette et monta quatre à quatre l'escalier menant à la chambre de Terentia. Il ne revint pas avant un long moment et, lorsqu'il réapparut enfin, il me prit silencieusement la lettre des mains et écrivit lui-même, sur le haut du rouleau :

J'ai l'honneur de t'informer que je suis devenu le père d'un petit garçon. Terentia va bien.

Comme une maison peut être transformée par l'arrivée d'un nourrisson en bonne santé ! Je crois, même si cela se dit peu, que c'est parce que c'est une double bénédiction. Les peurs informulées qui accompagnent toute naissance – de la douleur, de la mort, de la malformation – sont bannies et le miracle d'une vie nouvelle vient occuper leur place. Le soulagement et la joie s'entremêlent.

Naturellement, je ne fus pas autorisé à monter voir Terentia mais, quelques heures plus tard, Cicéron descendit son fils pour le présenter fièrement à la maisonnée et à ses clients. Pour être franc, on ne voyait pas grand-chose sinon un petit visage rouge et colérique et un toupet de fins cheveux bruns. Il était soigneusement emmailloté dans les langes de laine qui avaient servi plus de quarante ans plus tôt pour Cicéron lui-même. Le sénateur avait également un hochet d'argent conservé depuis l'enfance, qu'il agita devant le visage minuscule. Il emporta tendrement l'enfant dans l'atrium et désigna l'endroit où il rêvait d'accrocher un jour son image consulaire.

— A ce moment-là, lui chuchota-t-il, tu seras Marcus Tullius Cicéron, fils du *consul* Marcus Tullius Cicéron – qu'est-ce que tu en dis ? Pas mal, hein ? Tu ne connaîtras pas les affres de « l'homme nouveau » ! Tiens, Tiron, fais connaissance avec une toute nouvelle dynastie politique.

Il me tendit le petit paquet, que je pris nerveusement, avec la maladresse de ceux qui n'ont pas d'enfant quand on leur met un bébé dans les bras. Je fus soulagé quand la nourrice vint me le reprendre.

Cicéron contemplait toujours l'espace vide sur le mur de son atrium, plongé à nouveau dans une de ses rêveries. Je me demande ce qu'il pouvait y voir : son masque mortuaire peut-être, le contemplant comme un visage dans un miroir ? Je m'enquis de la santé de Terentia, et il répondit distraitement :

— Oh, elle va très bien. Elle est très forte. Tu sais comment elle est. Assez forte en tout cas pour tenter à cor et à cri de me dissuader de faire alliance avec Catilina. Et maintenant, soupira-t-il en détournant son regard du mur vide, je suppose que nous ferions mieux d'honorer notre rendez-vous avec ce scélérat.

Lorsque nous arrivâmes chez Catilina, nous trouvâmes l'ancien gouverneur d'Afrique de charmante humeur. Cicéron dressa par la suite la liste de ses « qualités paradoxales », que je vous donne ici, car c'est assez bien tourné : « s'attache beaucoup de gens par l'amitié, les retient par la dévotion ; partage ce qu'il possède avec tous et n'hésite pas à se mettre au service de tous ses amis en temps de besoin, avec argent, influence, efforts et – si nécessaire – les pires crimes ; maîtrise son caractère naturel selon l'occasion et sait pencher de tel ou tel côté, se montre sérieux avec les plus stricts, souple avec les libéraux, grave avec les vieux, aimable avec les jeunes, téméraire avec les criminels, dissolu avec les dépravés... » voilà le Catilina qui nous attendait ce jour-là. Il avait déjà appris la naissance du fils de Cicéron et serra vigoureusement la main de son avocat pour le féliciter. Puis il tendit à Cicéron une magnifique boîte en vachette et insista pour qu'il l'ouvre. Il y avait à l'intérieur une amulette de nouveau-né en argent que Catilina s'était procurée à Utique.

— Ce n'est qu'une babiole locale pour éloigner la maladie et les mauvais esprits, dit-il. Je t'en prie, donne ça à ton gamin avec ma bénédiction.

— Eh bien, répliqua Cicéron, c'est très généreux de ta part, Catilina.

De fait, l'objet était superbement gravé et n'avait rien d'une babiole : quand Cicéron le porta à la lumière, je distinguai toutes sortes d'animaux sauvages exotiques se poursuivant les uns les autres, liés par un motif de serpents entremêlés. Il joua encore un dernier instant avec, le soupesa dans sa paume et le replaça dans la boîte avant de la rendre à Catilina.

— Je crains de ne pouvoir accepter.

— Pourquoi ? demanda Catilina avec un sourire étonné. Parce que tu es mon avocat et que les avocats ne doivent pas être payés ? Quelle intégrité ! Mais ce n'est qu'un petit rien pour un bébé !

— En fait, se lança Cicéron en retenant son souffle, je suis venu te dire que je ne serai pas ton avocat.

J'étais en train de disposer tous les documents légaux sur la petite table entre les deux hommes. Jusque-là, j'avais observé ceux-ci à la dérobée, maintenant, je baissai la tête et poursuivis mon ouvrage. Après ce qui me sembla un long silence, j'entendis Catilina demander d'une voix très calme :

— Et pourquoi cela ?

— Pour parler franchement : parce que tu es par trop manifestement coupable.

Un autre silence, puis la voix de Catilina reprit, toujours extrêmement posée :

— Mais Fonteius était coupable d'extorsion contre les Gaulois, et tu l'as défendu.

— Certes. Mais il y a des degrés dans la culpabilité. Fonteius était corrompu, mais inoffensif. Tu es corrompu, et tu es aussi tout autre chose.

— Ce sera au tribunal d'en décider.

— Habituellement, je suis d'accord. Mais tu as acheté le verdict à l'avance, et ce n'est pas une comédie à laquelle je tiens à participer. Tu as fait en sorte qu'il m'est impossible de me convaincre que j'agis honorablement. Et si je ne peux me convaincre moi-même, je ne pourrai convaincre personne d'autre – ni ma femme ni mon frère ni maintenant, et peut-être plus important que tout, mon fils quand il sera assez grand pour comprendre.

A cet instant, je risquai un coup d'œil vers Catilina. Il se tenait debout, parfaitement immobile, les bras pendant de part et d'autre de son corps, et cela m'évoqua un animal qui vient de tomber sur un rival – c'était une immobilité de prédateur, attentif et prêt à combattre. Il déclara d'un ton léger, mais d'une légèreté qui me parut soudain plus forcée :

— Tu te rends compte que cela sera sans conséquence pour moi, mais pas pour toi ? Peu importe qui sera mon avocat ; cela ne changera rien pour moi. Je serai acquitté. Mais pour toi, à présent – au lieu d'avoir mon amitié, tu seras mon ennemi.

Cicéron haussa les épaules.

— Je préfère n'être l'ennemi de personne, mais si c'est inévitable, je peux le supporter.

— Tu n'auras jamais eu un ennemi tel que moi, je te le promets. Demande aux Africains, ajouta-t-il avec un grand sourire. Demande à Gratidianus.

— Tu lui as arraché la langue, Catilina. La conversation serait difficile.

Catilina parut tanguer vaguement d'avant en arrière, et je me dis qu'il allait faire subir à Cicéron le sort qu'il avait à moitié réservé à Clodius la veille au soir. Mais cela aurait été un acte de pure folie, et Catilina n'était jamais totalement fou : les choses auraient été bien plus faciles si cela avait été le cas. Il se ressaisit donc et dit :

— Eh bien, je suppose que je dois te laisser partir.

— C'est cela, dit Cicéron en hochant la tête. Laisse les papiers, Tiron. Nous n'en avons plus besoin.

Je ne me souviens pas si la conversation s'est encore poursuivie, mais je ne le crois pas. Catilina et Cicéron se sont simplement tourné le dos, ce qui était la manière traditionnelle d'ouvrir les hostilités. Puis nous avons quitté cette vieille demeure vide et grinçante pour retrouver la chaleur de l'été romain.

XV

Commença alors la période la plus angoissante et difficile de la vie de Cicéron, pendant laquelle je suis certain qu'il regretta souvent de s'être fait un tel ennemi de Catilina au lieu de se contenter de trouver une excuse pour ne pas le défendre. Car il n'y avait, comme il le fit souvent remarquer, que trois issues possibles aux élections à venir, et aucune n'était plaisante. Soit il serait consul, et Catilina ne le serait pas – auquel cas qui pouvait dire jusqu'où son rival aigri était prêt à aller ? Soit Catilina serait consul, et lui ne le serait pas, et toutes les ressources de ce poste seraient alors tournées contre lui. Soit – et je crois que c'est cette solution qui l'inquiétait le plus – Catilina et lui seraient consuls ensemble, et son rêve d'*imperium* suprême se transformerait en une année de bataille ininterrompue, laissant les affaires de la République paralysées par l'acrimonie.

Le premier choc survint avec l'ouverture du procès de Catilina, quelques jours plus tard, lorsque s'avança dans le rôle de l'avocat de la défense nul autre que le premier consul en exercice, Lucius Manlius Torquatus, chef de l'une des familles patriciennes les plus anciennes et respectées de Rome. Catilina fut escorté au tribunal par toute la vieille garde traditionnelle de l'aristocratie – Catulus, bien sûr, mais aussi Hortensius, Lepidus et le vieux Curion. La seule consolation pour Cicéron était que la culpabilité de Catilina fût si manifestement évidente, et que Clodius, qui avait sa propre réputation à considérer, présentât les preuves de manière tout à fait honorable. Quoique Torquatus fût un avocat courtois et précis, il ne put (pour reprendre l'expression en vogue à l'époque) que mettre ce qu'il put de parfum sur la merde en question. Les jurés avaient été achetés, mais les preuves de la conduite de Catilina en Afrique étaient suffisamment choquantes pour qu'ils fussent à deux doigts de le déclarer coupable, et il ne fut acquitté que *per infamiam*, c'est-à-dire qu'il bénéficia d'une relaxe marquée d'infamie. Clodius, craignant des représailles de Catilina et des partisans, quitta la ville peu après pour servir dans l'état-major de Lucius Murena, le nouveau gouverneur de Gaule transalpine.

— Si seulement je m'étais chargé de l'accusation de Catilina, grogna Cicéron, il serait à Massilia avec Verrès maintenant, en train de contempler le mouvement des vagues !

Mais au moins avait-il évité le déshonneur d'avoir défendu Catilina – et il attribuait principalement le mérite de cette décision à Terentia, dont il écouta plus volontiers les conseils par la suite.

La stratégie électorale exigeait à présent de Cicéron qu'il quitte Rome pour quatre mois afin de faire campagne dans le nord de l'Italie et en Gaule cisalpine. Aucun candidat au consulat n'avait, à ma connaissance, jamais fait une pareille chose, mais Cicéron, quoiqu'il répugnât à quitter la ville si longtemps, était convaincu que cela en valait la peine. Lorsqu'il avait postulé à l'édilité, le nombre des électeurs enregistrés arrivait à quelque quatre cent mille, mais ces listes avaient été révisées par les censeurs et, avec l'extension du droit de suffrage remontant au nord jusqu'au Pô, l'électorat atteignait à présent près d'un million de personnes. Très peu de ces citoyens prendraient la peine de se rendre à Rome pour voter, mais Cicéron estimait que, s'il arrivait à persuader ne fût-ce qu'un sur dix de ceux qu'il rencontrerait à faire le voyage, cela lui donnerait un avantage décisif sur le Champ de Mars.

Il décida de partir après les jeux romains, qui commençaient comme toujours le 5 septembre. C'est alors que Cicéron connut son deuxième – je n'appellerais pas cela exactement un choc, mais ce fut certainement plus dérangeant qu'une simple surprise. Les jeux romains étaient toujours organisés par les édiles curules, dont l'un n'était autre que César. Comme cela avait été le cas avec Antonius Hybrida, nul n'en attendait grand-chose dans la mesure où l'on savait César sans le sou. Mais il prit cependant toute l'organisation à sa charge et, de sa manière seigneuriale, déclara que ces jeux étaient donnés non seulement en l'honneur de Jupiter, mais aussi à la mémoire de son père défunt. Des jours auparavant, il fit construire des colonnades sur le forum afin que les gens puissent déambuler et regarder les bêtes sauvages qu'il avait fait venir, et les gladiateurs qu'il avait achetés – pas moins de trois cent vingt paires, en pectoral d'argent : le plus grand nombre jamais produit en spectacle public. Il donna des banquets, fit faire des processions, organisa des pièces de théâtre et, au matin même des jeux, les citoyens de Rome découvrirent qu'il avait fait édifier pendant la nuit une statue du héros populaire Marius – personnage honni des aristocrates – dans l'enceinte du Capitole.

Catulus insista immédiatement pour convoquer le

Sénat et déposer une motion demandant que la statue soit démontée sans délai. Mais César lui répondit avec mépris, et sa popularité était telle à Rome que le Sénat n'osa pas insister. Chacun savait que le seul capable de prêter à César assez d'argent pour un spectacle aussi somptueux ne pouvait être que Crassus, et je me souviens de Cicéron rentrant des jeux romains aussi abattu que lorsqu'il était revenu des jeux en l'honneur d'Apollon donnés par Hybrida. Ce n'était pas tant que César, de six ans son cadet, puisse jamais devenir son adversaire dans une élection, mais plutôt que Crassus préparait visiblement quelque chose et qu'il n'arrivait pas à déterminer quoi. Cicéron me fit cette nuit-là la description d'une partie des attractions.

— Un malheureux, un criminel, a été amené, nu, au centre du cirque, armé d'une seule épée de bois, puis ils ont lâché une panthère et un lion qu'on avait visiblement affamés pendant des semaines. En fait, il a fait assez bonne figure pendant un moment et s'est servi du seul avantage qu'il avait – son cerveau – pour tenter de désorienter les bêtes et les pousser à s'entre-tuer au lieu de l'attaquer. La foule l'acclamait. Mais, à un moment, il a trébuché et les animaux l'ont réduit en pièces. J'ai regardé autour de moi, et j'ai vu Hortensius et les aristocrates qui riaient et applaudissaient d'un côté, et Crassus et César de l'autre, ensemble, et je me suis dit : Cicéron, cet homme, c'est toi.

Ses relations personnelles avec César étaient toujours cordiales, notamment parce que César appréciait ses plaisanteries, mais Cicéron ne lui avait jamais fait confiance et, maintenant qu'il soupçonnait une alliance avec Crassus, il commençait à prendre ses distances. Il y a une autre anecdote que je voudrais citer à propos de César. Vers la même époque, Palicanus vint voir Cicéron afin de lui demander son soutien pour sa propre candidature au consulat. Bigre, pauvre Palicanus ! Son exemple constituait à lui seul une mise en garde pour ceux qui, en politique, deviennent trop dépendants de la faveur d'un grand homme. Il avait été le loyal tribun de Pompée, puis son fidèle préteur, mais n'avait jamais touché sa part du butin après que le grand homme eut obtenu les pleins pouvoirs, pour la simple raison qu'il n'avait plus rien à offrir en retour ; il avait été saigné à blanc. Je me le représente, prostré chez lui, jour après jour, devant le buste géant de Pompée, ou dînant seul sous la fresque représentant Pompée en Jupiter – en vérité, il avait à peu près autant de chances que moi de devenir consul. Mais Cicéron s'efforça de repousser son offre avec ménagement et lui assura que, s'il ne pouvait pas former d'alliance électorale avec lui, il essaierait néanmoins de faire quelque chose pour lui à l'avenir (bien sûr, il n'en fit rien). A la fin de l'entretien, au moment où Palicanus se levait, Cicéron, pour terminer sur une note amicale, lui demanda de le rappeler au bon souvenir de sa fille, Pollia, la jeune débraillée, qui était mariée à Gabinius.

— Oh, ne me parle pas de cette putain ! répliqua Palicanus. Tu ne le sais pas ? Toute la ville en fait des gorges chaudes ! Elle se fait sauter tous les jours par César !

Cicéron lui assura qu'il n'avait rien entendu de tel.

— César, reprit amèrement Palicanus, en voilà un hypocrite ! Je te le demande : est-ce bien le moment de coucher avec la femme d'un ami, quand celui-ci est à mille milles, en train de se battre pour son pays ?

— C'est honteux, convint Cicéron. Remarque, me dit-il une fois Palicanus parti, quand on est prêt à faire ce genre de chose, c'est le moment idéal. Non que je sois réellement un expert en la matière, ajouta-t-il en secouant la tête, mais vraiment, on peut se poser des questions à propos de César. A partir du moment où un homme est prêt à te voler ta femme, que ne pourrait-il pas te voler d'autre ?

Cette fois encore, je fus à deux doigts de lui révéler la scène dont j'avais été témoin chez Pompée, mais, à nouveau, je me ravisai.

Ce fut par un beau matin clair d'automne que Cicéron fit ses adieux éplorés à Terentia, Tullia, et au petit Marcus, et que nous quittâmes la ville pour entamer sa grande tournée de campagne dans le Nord. Quintus, comme d'habitude, resta sur place pour s'occuper des intérêts politiques de son frère pendant que Frugi se chargeait des affaires juridiques. Quant au jeune Caelius, ce fut pour lui l'occasion de quitter Cicéron pour aller finir son internat dans la maison de Crassus.

Nous voyagions en convoi de trois chariots à quatre roues tirés par des attelages de mules – une voiture dans laquelle Cicéron pouvait dormir, une autre spécialement aménagée en bureau et une troisième pleine de bagages et de documents ; d'autres véhicules plus petits nous escortaient avec la suite du sénateur : secrétaires, valets, muletiers, cuisiniers et le ciel sait qui encore, dont plusieurs gros bras qui servaient de gardes du corps. Nous sortîmes de la ville par la porte Fontinale, sans personne pour nous dire au revoir. A cette époque, les collines au nord de Rome étaient encore couvertes de pins, à l'exception de celle sur laquelle Lucullus finissait de se faire construire son célèbre palais. Le général patricien était rentré d'Orient, mais ne pouvait pénétrer dans la ville proprement dite sans perdre son *imperium* militaire, et avec lui son droit au triomphe. Il patientait donc au milieu de ses prises de guerre, attendant que ses acolytes de l'aristocratie rassemblent une majorité au Sénat pour voter son triomphe, mais les partisans de Pompée, dont Cicéron, ne cessaient de faire obstacle. Cependant, même lui leva les yeux de ses lettres pour jeter un regard vers cette structure colossale, dont on apercevait le toit au-dessus des arbres. J'espérais secrètement que nous pourrions apercevoir le grand homme lui-même, mais, bien sûr, il demeura invisible. (Soit dit en passant, Quintus Metellus, le survivant des trois frères Metelli, venait lui aussi de rentrer de Crète et était coincé à l'extérieur de Rome dans l'attente d'un triomphe qu'une fois encore le toujours jaloux Pompée ne permettrait pas. La pénible situation des deux hommes représentait une constante source d'amusement pour Cicéron. « Un embouteillage de généraux, clamait-il, qui essaient tous d'entrer dans Rome par la porte Triomphale ! ») Nous fîmes halte au pont Mulvius alors que Cicéron griffonnait un dernier mot d'adieu à Terentia, puis nous franchîmes le Tibre en crue et prîmes au nord, vers la voie Flaminienne.

Nous avançâmes très bien ce premier jour et atteignîmes Oriculum, à une trentaine de milles de la ville, peu avant la nuit. Là, nous fûmes reçus par un notable qui avait accepté d'offrir l'hospitalité à Cicéron et, le lendemain matin, le sénateur se rendit au forum pour lancer sa campagne. Le secret d'une opération de propagande efficace, c'est la qualité du travail du personnel effectué à l'avance, et là, Cicéron eut beaucoup de chance de s'être attaché les services de deux courtiers professionnels, Ranunculus et Filum, qui étaient partis devant lui pour s'assurer qu'une foule honnête de partisans l'attendrait bien dans chaque ville où il débarquerait. Il n'y avait rien de la carte électorale italienne que ces deux gredins ne savaient pas : qui parmi les chevaliers locaux serait offensé si Cicéron ne passait pas lui présenter ses respects, et qui il valait mieux éviter ;

quelles étaient les tribus et les centuries les plus importantes dans chaque district, et lesquelles étaient susceptibles de pencher de son côté ; quels étaient les sujets qui touchaient le plus les citoyens et quelles promesses ils attendaient qu'on leur fasse contre leurs voix. Ils n'avaient aucun autre sujet de conversation que la politique. Pourtant, Cicéron pouvait passer des soirées entières avec eux à échanger des informations et des anecdotes avec autant de plaisir que s'il discutait avec un philosophe ou un grand esprit.

Je ne vous ennuierai pas avec les détails de la campagne, même si je me les rappelle très bien. Par tous les dieux, à quels tas de cendres la plupart des carrières politiques se résument-elles quand on s'y arrête vraiment ! Je pouvais citer pratiquement tous les consuls des cent dernières années et la plupart des préteurs sur quarante ans. Maintenant, ils se sont presque tous effacés de ma mémoire, soufflés comme les chandelles de la baie de Naples à minuit. Il n'est pas surprenant que les villes et les populations de la campagne de Cicéron pour l'élection consulaire se soient toutes fondues dans une impression générale de mains serrées, de récits entendus, d'ennui enduré, de pétitions reçues, de plaisanteries racontées, de promesses données et de notables locaux flattés et courtisés. Le nom de Cicéron était déjà célèbre, même en dehors de Rome, et les gens se déplaçaient en nombre pour venir le voir, surtout dans les villes de quelque importance où l'on pratiquait le droit, car les plaidoiries qu'il avait préparées pour le procès contre Verrès – y compris celles qu'il n'avait pas prononcées – y avaient été largement recopiées et distribuées. Il faisait figure de héros tant pour les classes populaires que pour les chevaliers respectables, qui voyaient en lui un défenseur contre la rapacité et la supériorité de l'aristocratie. C'est bien pour cette raison que peu de maisons prestigieuses lui étaient ouvertes et que nous dûmes supporter des sarcasmes, voire des projectiles, lorsque nous passions à proximité des propriétés de tel ou tel grand patricien.

Nous filions sur la voie Flaminienne, consacrant une journée à chaque ville de relative importance – Narnia, Carsulae, Mevania, Fulginiae, Nuceria, Tadinae et Cales – et arrivâmes sur la côte Adriatique quinze jours après avoir quitté Rome. Il y avait des années que je n'avais pas vu la mer, et quand cette ligne de bleu scintillant surgit au-dessus de la poussière et des buissons, je me sentis aussi excité qu'un enfant. C'était un après-midi doux et sans nuages, une de ces journées égarées, vestiges d'un été déjà lointain. Pris d'une impulsion, Cicéron ordonna une halte pour que nous puissions aller marcher sur la plage. Comme la mémoire est capricieuse : alors que je n'arrive pas à me rappeler grand-chose des questions politiques majeures, je me souviens parfaitement de chaque détail de cet interlude d'une heure – l'odeur des algues et le goût des embruns salés sur mes lèvres, la chaleur du soleil sur mes joues, le bruit des galets secoués par les vagues et le sifflement de celles-ci en se retirant, et Cicéron en train de rire alors qu'il essayait de me montrer comment Démosthène était censé avoir amélioré son élocution en lui faisant répéter ses discours avec des cailloux plein la bouche.

Quelques jours plus tard, à Ariminum, nous prîmes la voie Emilienne et virâmes vers l'ouest, nous éloignant de la mer pour pénétrer dans la province de Gaule cisalpine. Là, nous sentîmes les premières morsures de l'hiver. Les montagnes noires et violacées des Apennins se dressaient à pic sur notre gauche tandis qu'à notre droite, le delta du Pô s'étendait, plat et gris jusqu'à l'horizon. J'avais la curieuse sensation que nous n'étions que des insectes rampant au pied d'un mur, sur le bord d'une salle immense. En Gaule cisalpine, à l'époque, le droit au suffrage constituait le grand problème politique. Ceux qui vivaient au sud du Pô avaient le droit de vote alors que ceux qui vivaient au nord ne l'avaient pas. Le parti populaire, conduit par Pompée et César, se déclarait en faveur d'étendre la citoyenneté au-delà du fleuve, jusqu'aux Alpes ; les aristocrates, dont le porte-parole était Catulus, soupçonnaient un complot destiné à diluer un peu plus leur pouvoir, et s'y opposaient. Cicéron, naturellement, soutenait l'élargissement du droit de vote au plus grand nombre possible, et c'était le fer de lance de sa campagne.

On n'avait jamais vu de candidat à l'élection consulaire par ici, aussi, dans chaque petite ville, des foules de plusieurs centaines de personnes se rassemblaient-elles pour l'écouter. Cicéron les haranguait généralement depuis l'arrière d'un chariot, et prononçait le même discours à chaque étape, de sorte qu'au bout de quelque temps, je pouvais remuer les lèvres en parfaite synchronie avec les siennes. Il dénonçait comme une absurdité le fait qu'un homme qui vivait d'un côté d'un cours d'eau puisse être romain tandis que son cousin, qui habitait de l'autre côté de ce cours d'eau, était un barbare, alors qu'ils parlaient tous les deux latin.

— Rome n'est pas qu'une question de géographie, assurait-il. Rome n'est définie ni par des fleuves, ni par des montagnes ni même par des mers ; Rome n'est pas une question de sang, de race ou de religion ; Rome est un idéal. Rome est la plus haute incarnation de la liberté et de la loi à laquelle l'homme ait pu parvenir dix mille ans après que nos ancêtres furent descendus des montagnes et eurent appris à vivre en communautés régies par des lois.

Alors, si ses auditeurs avaient le droit de vote, il concluait en leur disant qu'ils devaient l'utiliser pour le compte de ceux qui ne l'avaient pas, car c'était là leur devoir civique, un don spécial, aussi précieux que le secret du feu. Chacun devrait aller voir Rome avant de mourir. Ils feraient mieux d'y aller dès cet été, quand les conditions de voyage seraient plus faciles, et ils en profiteraient pour voter sur le Champ de Mars. Et si on leur demandait pourquoi ils étaient venus d'aussi loin :

— Vous pourrez leur répondre que c'est Marcus Cicéron qui vous envoie.

Il sautait alors au bas du chariot et passait parmi la foule qui applaudissait encore pour distribuer des poignées de pois chichcs prises dans un sac tenu par un de ses intendants. Moi, je veillais à me trouver juste derrière lui pour saisir ses instructions et noter des noms.

J'appris beaucoup sur Cicéron durant cette campagne. En fait, je dirais même que, malgré toutes les années que nous avions passées ensemble, je n'ai fini par le connaître que dans ces petites villes au sud du Pô – Faventia, disons, ou Claterna – alors que la faible lumière de fin d'automne commençait à décliner et qu'un vent glacé soufflait des montagnes, qu'on allumait les petites lanternes devant les boutiques de la grand-rue pour éclairer les visages levés des fermiers locaux qui contemplaient avec respect ce sénateur célèbre dressé à l'arrière de son chariot, trois doigts tendus vers la gloire de Rome. Je pris alors conscience que, malgré tout son raffinement, il faisait encore partie de ces gens – qu'il était un personnage issu d'une petite ville de province, mû par une conception idéalisée de la République et de la citoyenneté, un rêve d'autant plus vif que lui aussi était un homme nouveau.

Pendant les deux mois suivants, Cicéron se consacra entièrement aux électeurs de Gaule cisalpine, en particulier ceux de la région de la capitale provinciale de Placentia, qui s'étendait sur les deux rives du Pô et où des familles entières étaient divisées par cet épineux problème de la citoyenneté. Il reçut une assistance appréciable dans sa campagne de la part du gouverneur Pison – ce même Pison qui, curieusement, avait menacé Pompée de connaître le même destin que Romulus s'il insistait avec son désir de commandement suprême. Mais Pison était un pragmatique, et sa famille avait des intérêts commerciaux de l'autre côté du Pô. Il était donc pour une extension du droit de vote. Il gratifia même Cicéron d'une autorisation spéciale lui permettant de circuler plus librement. Nous passâmes les saturnales au quartier général de Pison, coincés par la neige, et je pus constater que le gouverneur était de plus en plus charmé par l'esprit et la civilité de Cicéron, au point qu'un soir, après avoir bu pas mal de vin, il lui assena une claque sur l'épaule en assurant :

— Cicéron, tu n'es pas un mauvais bougre en fin de compte. Tu es bien plus respectable et meilleur patriote que je ne pensais. Personnellement, je serais heureux de te voir consul. Dommage que cela ne puisse pas se produire.

— Et pourquoi en es-tu si sûr ? demanda Cicéron, interloqué.

— Parce que les aristocrates ne le permettront jamais et qu'ils contrôlent trop de voix.

— Il est vrai qu'ils ont une influence considérable, concéda Cicéron, mais j'ai le soutien de Pompée.

Pison éclata de rire.

— Grand bien te fasse ! Il mène la grande vie à l'autre bout du monde, et puis – tu n'as pas remarqué ? – il ne lève jamais le petit doigt pour quelqu'un d'autre que lui-même. Tu sais qui j'aurais à l'œil si j'étais toi ?

— Catilina ?

— Oui, lui aussi. Mais celui dont tu dois te préoccuper avant tout est Antonius Hybrida.

— Mais c'est un abruti !

— Cicéron, tu me déçois. Depuis quand l'imbécillité est-elle un frein à une carrière politique ? Tu peux me croire : c'est autour d'Hybrida que les aristocrates vont se rassembler, et Catilina et toi n'aurez plus qu'à vous battre pour la deuxième place. Et ne compte pas sur Pompée pour t'aider.

Cicéron sourit et feignit l'insouciance, mais la remarque de Pison avait touché juste, et dès que la neige fondit, nous retournâmes à Rome aussi vite que possible.

Nous regagnâmes la cité à la mi-janvier et, au début, tout sembla bien se passer. Cicéron reprit ses activités frénétiques d'avocat dans les tribunaux romains, et son équipe de campagne se réunit à nouveau quotidiennement sous la direction de Quintus, qui lui assurait qu'il était plus soutenu que jamais. Il nous manquait le jeune Caelius, mais son absence fut largement compensée par la présence du plus vieux et plus proche ami de Cicéron, Atticus, qui revenait vivre à Rome après une vingtaine d'années passées en Grèce.

Il faut que je vous parle un peu d'Atticus, dont je n'ai fait jusqu'à présent que sous-entendre l'importance dans la vie de Cicéron, et qui allait y occuper une place prépondérante. Déjà riche, il venait d'hériter une belle demeure sur le Quirinal ainsi que vingt millions de sesterces en monnaie sonnante et trébuchante de son oncle, Quintus Caecilius, l'un des prêteurs sur gages les plus détestés et misanthropes de Rome.

Qu'Atticus fût le seul à être resté en relativement bons termes avec ce vieillard repoussant jusqu'à sa mort en dit d'ailleurs long sur sa personnalité. Certains auraient pu le taxer d'opportunisme, mais, en raison de sa philosophie, Atticus s'était en vérité fait un principe de ne jamais se brouiller avec personne. C'était un disciple fervent des enseignements d'Epicure – « le plaisir est le point de départ et le point d'arrivée d'une vie heureuse » – bien que je m'empresse d'ajouter qu'il n'était pas épicurien au sens courant abusif qu'on attribue à ce mot, à savoir cherchant le luxe et le plaisir, mais bien au sens propre, suivant ce que les Grecs appellent l'*ataraxia*, ou l'affranchissement des troubles. Il évitait donc toute dispute et tout désagrément quels qu'ils fussent (inutile de dire qu'il n'était pas marié) et n'aspirait qu'à étudier la philosophie le jour et dîner le soir avec des amis cultivés. Il pensait que toute l'humanité aurait dû avoir des visées similaires et n'en revenait pas qu'il en allât autrement : il avait tendance à oublier, comme Cicéron le lui rappelait parfois, que tout le monde n'avait pas reçu une fortune en héritage. Pas un instant il n'avait envisagé d'entreprendre quoi que ce soit d'aussi dangereux et perturbant qu'une carrière politique, et pourtant, en même temps, il avait pris soin pour se prémunir des accidents d'entretenir des liens avec tous les aristocrates qui passaient par Athènes – ce qui, en deux décennies, représentait beaucoup de monde – en leur offrant leur arbre généalogique, tracé par lui-même et superbement illustré par ses esclaves. Il se montrait également extrêmement habile dans la gestion de son argent. En bref, on ne saurait trouver qui que ce soit d'aussi efficace dans la poursuite du détachement philosophique que Titus Pomponius Atticus.

Il avait trois ans de plus que Cicéron, lequel était

toujours en admiration devant lui, non seulement à cause de sa fortune, mais aussi du fait de ses liens sociaux, car s'il y avait un homme assuré d'avoir ses entrées partout dans la haute société, c'était bien un célibataire quarantenaire, riche et spirituel qui affichait un intérêt non feint pour la généalogie de ses hôtes. Cela faisait de lui une source d'informations inestimable, et c'est par Atticus que Cicéron commença à prendre conscience de l'opposition considérable à sa candidature. Tout d'abord, lors d'un dîner, Atticus apprit par sa grande amie Servilia – la demi-sœur de Caton – qu'Antonius Hybrida se présenterait effectivement à l'élection consulaire. Quelques semaines plus tard, Atticus rapporta un commentaire d'Hortensius (une autre de ses accointances) comme quoi Hybrida et Catilina projetaient de faire liste commune. C'était un rude coup, et même si Cicéron s'efforça de faire comme s'il le prenait à la légère – « Oh, une cible deux fois plus grosse est deux fois plus facile à atteindre » –, je vis qu'il était ébranlé car lui n'avait pas encore de colistier et aucune perspective sérieuse d'en trouver un à ce stade.

La plus mauvaise nouvelle arriva juste après les vacances sénatoriales, à la fin du printemps. Atticus envoya un message disant qu'il avait besoin de voir les frères Cicéron de toute urgence, aussi, à peine les tribunaux fermés, nous rendîmes-nous tous trois chez lui. C'était une maison parfaite pour un célibataire, construite sur un promontoire non loin du temple de Salus – pas très grande, mais dotée d'une vue imprenable sur la ville, surtout de la bibliothèque, dont Atticus avait fait sa pièce maîtresse. Il y avait des bustes de philosophes le long des murs, et des bancs ornés de coussins pour s'asseoir, car Atticus avait pour règle de ne jamais prêter un ouvrage, mais ses amis pouvaient à tout moment venir consulter un livre ou même en faire leur propre copie. Et c'est ici, sous une tête d'Aristote, que nous trouvâmes Atticus étendu cet après-midi-là, vêtu à la grecque d'une tunique blanche ample, en train de lire, si je me souviens bien, un volume du *Kyriai doxai*, les principales doctrines d'Epicure.

Il en vint tout de suite aux faits.

— J'ai dîné hier soir sur le Palatin, chez Metellus Celer et dame Clodia et, parmi les invités, il y avait l'ancien consul, aristocrate entre tous – il souffla dans une trompette imaginaire –, Publius Cornelius Lentulus Sura.

— Par les dieux du ciel ! s'exclama Cicéron avec un sourire, tu as de ces relations !

— Savais-tu que Lentulus avait l'intention d'effectuer un retour et de se présenter à la préture l'année prochaine ?

— Vraiment ? fit Cicéron en fronçant les sourcils et se frottant le front. C'est un grand ami de Catilina, bien sûr, et j'imagine qu'ils doivent faire alliance. Tu as vu comment cette bande de vauriens gagne du terrain ?

— Oh ! oui. C'est un vrai mouvement politique. Lui, Catilina et Hybrida, et j'ai eu l'impression qu'il y en avait d'autres, mais il n'a pas voulu me donner leurs noms. A un moment, il a sorti un morceau de papyrus sur lequel était écrite la prédiction d'un oracle comme quoi il serait le troisième des Corneli à gouverner en dictateur de Rome.

— Quoi, le vieux Roupilleur ? J'espère que tu lui as ri au nez ?

— Pas le moins du monde, répondit Atticus. Je l'ai pris très au sérieux. Tu devrais essayer un jour, Cicéron, au lieu de simplement lancer tes plaisanteries dévastatrices qui font taire tout le monde. Non, je l'ai encouragé à continuer, il a bu encore un peu de l'excellent vin de Celer, et j'ai continué de l'écouter, puis il a bu encore et je l'ai écouté davantage, et il a fini par me faire jurer de me taire avant de me livrer son grand secret.

— Qui est ? demanda Cicéron en s'avançant sur son siège, certain qu'Atticus ne les aurait pas fait venir pour rien.

— Ils sont soutenus par Crassus.

Il y eut un silence.

— Crassus votera pour eux, c'est bien ça ? demanda Cicéron, et je crois bien que c'est la première fois que je l'entendais prononcer quelque chose de réellement stupide : je mis cela sur le compte du choc.

— Non, répliqua Atticus avec irritation. Il les soutient. Tu sais très bien ce que je veux dire. Il les finance. D'après Lentulus, il leur achète toute l'élection.

Cicéron parut un instant privé du don de la parole. Après un autre long silence, ce fut Quintus qui parla :

— Je n'y crois pas. Lentulus devait être complètement soûl pour sortir un truc pareil. Quelle raison pourrait avoir Crassus de vouloir des types de ce genre au pouvoir ?

— Pour me contrarier, commenta Cicéron, recouvrant la parole.

— Ridicule ! s'exclama Quintus avec colère. (Pourquoi était-il si fâché ? J'imagine que c'est parce qu'il avait peur que toute cette histoire soit vraie, auquel cas il aurait eu l'air d'un imbécile, surtout à la lumière de toutes les fois où il avait répété à son frère que l'élection était dans la poche.) C'est absolument ridicule ! répéta-t-il, quoique avec un peu moins de conviction. Nous savons déjà que Crassus investit massivement sur l'avenir de César. Combien cela lui coûterait-il en plus d'acheter deux consulats et une préture ? Ce n'est pas d'un million de sesterces que tu parles, mais de quatre, cinq millions. Il te déteste, Marcus, tout le monde le sait. Mais te hait-il tellement plus qu'il n'aime son argent ? J'en doute.

— Non, dit fermement Cicéron. Je crains que tu ne te trompes, Quintus. Cette histoire sonne vrai, et je me reproche de ne pas avoir senti venir le danger plus tôt, ajouta-t-il en se levant pour arpenter la pièce, comme il le faisait toujours lorsqu'il réfléchissait. Ça a commencé avec ces jeux en l'honneur d'Apollon donnés par Hybrida – ce devait déjà être Crassus qui payait la facture. Ce sont ces jeux qui ont sorti Hybrida de la mort politique. Et Catilina aurait-il pu vraiment trouver les fonds nécessaires pour acheter les jurés en se contentant de vendre quelques statues et tableaux ? Bien sûr que non. Et même si c'était le cas, qui règle les frais de sa campagne aujourd'hui ? Parce que je suis allé chez lui et j'ai bien vu que cet homme était ruiné.

Il pivota sur lui-même, son regard se portant vivement de droite et de gauche, sans rien voir, ses yeux travaillant aussi vite que sa pensée.

— J'ai toujours su au fond de moi qu'il y avait quelque chose de bizarre dans cette élection. Je sens une force invisible contre moi depuis le tout début. Hybrida et Catilina ! Ces fantoches n'auraient jamais dû être *candidats* dans une élection normale, sans même parler d'en faire des favoris. Ce ne sont que les outils de quelqu'un d'autre.

— Alors on doit se battre contre Crassus ? questionna Quintus, qui paraissait enfin résigné.

— Crassus, oui. A moins que ce ne soit César se servant de l'argent de Crassus. Dès que je me retourne, j'ai l'impression d'entrevoir un bout du manteau de César qui disparaît aussitôt. Il se croit plus intelligent que tout le monde, et il a peut-être raison. Mais pas cette fois. Atticus, fit Cicéron, qui s'arrêta devant lui et lui prit les deux mains dans les siennes, mon vieil ami, je ne te remercierai jamais assez.

— Pourquoi ? J'ai simplement prêté l'oreille à un casse-pieds et j'ai rempli son verre. Ce n'était rien du tout.

— Au contraire, la capacité d'écouter les casse-pieds exige beaucoup d'endurance ; et cette endurance est l'essence même de la politique. C'est avec les raseurs qu'on découvre des choses.

Cicéron serra chaleureusement les mains de son ami, puis se tourna vers son frère.

— Il faut qu'on trouve des preuves, Quintus. Ranunculus et Filum sauront renifler cette pistc – il ne se passe pas grand-chose dans cette ville en période d'élection sans que ces deux-là ne soient au courant.

Quintus acquiesça, et c'est de cette façon quc s'acheva enfin l'échauffement, et que commença le combat proprement dit de l'élection consulaire.

XVI

Pour découvrir ce qui se passait, Cicéron organisa un piège. Plutôt que de demander à droite et à gauche ce que Crassus mijotait – ce qui ne l'aurait mené nulle part, et n'aurait pas manqué de prévenir ses ennemis qu'il se doutait de quelque chose –, il fit venir Ranunculus et Filum et leur demanda d'aller en ville pour faire savoir qu'ils représentaient un sénateur anonyme qui s'inquiétait de ses perspectives dans le scrutin consulaire à venir et était prêt à verser cinquante sesterces par voix à la bonne corporation électorale.

Ranunculus était une espèce d'avorton à la limite de la difformité, avec une tête ronde et plate au bout d'un corps rachitique, et qui méritait bien son surnom de « Têtard ». Filum était une sorte de géant tout maigre, un bâton animé. Leurs pères et leurs grands-pères avaient été courtiers corrupteurs avant eux. Ils connaissaient bien la musique. Ils se fondirent dans les ruelles et les buvettes et, une semaine environ plus tard, revinrent signaler à Cicéron qu'il se passait quelque chose de très curieux. Tous les intermédiaires habituels refusaient de coopérer.

— Ce qui signifie, comme le dit Ranunculus de sa voix criarde, que soit Rome est, pour la première fois depuis trois cents ans, peuplée d'honnêtes gens, soit que tous les votes à vendre ont déjà été achetés.

— Il doit bien y avoir quelqu'un qui cédera pour un prix plus élevé, insista Cicéron. Je voudrais que vous refassiez le tour, mais cette fois en proposant cent sesterces par voix.

Ils se remirent donc au travail, et revinrent au bout d'une semaine avec le même son de cloche. Les agents corrupteurs avaient déjà touché de telles sommes et se montraient tellement nerveux à la simple idée de s'opposer à leur mystérieux client qu'il ne restait plus un seul vote disponible, et pas la moindre rumeur concernant qui pouvait être le client en question. Vous devez vous demander, vu les milliers de suffrages concernés, comment le secret pouvait être gardé sur une opération aussi considérable. La réponse est que tout était extrêmement bien organisé, avec un nombre très réduit d'agents ou *interpretes*, comme on les appelait, une dizaine, pas plus, qui connaissaient l'identité de l'acheteur (j'ai le regret de devoir préciser que Ranunculus et Filum avaient tous les deux travaillé comme *interpretes* par le passé). Ces hommes se mettaient en rapport avec les responsables de corporations de vote et proposaient un premier marché – tel prix pour cinquante voix, mettons, ou pour cinq cents, selon l'importance de la corporation. Comme, naturellement, personne ne faisait confiance à personne dans ce jeu-là, l'argent était déposé auprès d'une seconde catégorie d'agents, les *sequesters*, qui gardaient l'argent disponible pour toute inspection. Et enfin, une fois l'élection terminée, quand le moment venait de faire les comptes, une troisième catégorie de malfaiteurs, qu'on appelait les *divisores*, répartissait les sommes. Ce processus rendait les poursuites extrêmement difficiles, car même si un homme se faisait prendre en train de verser un pot-de-vin, il pouvait réellement n'avoir aucune idée de qui avait commandé l'opération au départ. Cependant, Cicéron se refusait à admettre qu'aucune langue ne se délierait.

— Nous parlons d'intermédiaires spécialisés dans la corruption, s'écria-t-il dans une de ses rares manifestations de colère, pas d'un ordre de chevaliers vénérables ! On va bien finir par tomber sur quelqu'un qui sera prêt à trahir même un corrupteur aussi dangereux que Crassus s'il y a assez d'argent à la clé. Allez-y, dénichez-le et trouvez son prix – ou faut-il que je m'occupe de tout moi-même ?

A ce moment-là – je pense que nous devions être en juin, soit un mois avant les élections –, tout le monde savait qu'il se passait quelque chose d'anormal. La campagne semblait en passe de devenir la plus fameuse et la plus âprement disputée de mémoire d'homme, avec pas moins de sept candidats au consulat, signe qu'ils étaient nombreux à croire à leur chance cette année-là. Les trois favoris étaient Catilina, Hybrida et Cicéron. Puis venaient le hautain et acerbe Galba et le profondément religieux Cornificius. En fin de course on trouvait l'ancien préteur si corpulent, Cassius Longinus, et Gaius Licinius Sacerdos, qui avait été gouverneur de Sicile avant Verrès et avait au moins dix ans de plus que ses concurrents. (Sacerdos était l'un de ces candidats irritants qui se présentent aux élections « pas par ambition personnelle » comme ils se plaisent à le dire, mais uniquement dans l'intention de « soulever des questions » – « Il faut toujours se méfier de celui qui prétend ne pas postuler pour lui-même, assurait Cicéron, parce que c'est le plus vaniteux de tous ».) Prenant conscience que les courtiers corrupteurs déployaient une activité inhabituelle, le premier consul, Marcius Figulus, se laissa persuader par plusieurs candidats de présenter devant le Sénat une nouvelle loi plus drastique contre les malversations électorales : elle allait être connue sous le nom de *lex Figula*. Il était déjà illégal pour un candidat de proposer un pot-de-vin ; la nouvelle loi rendait délictueux pour un électeur d'en accepter un.

Lorsque vint le moment de débattre cette question au Sénat, le consul fit d'abord le tour de tous les candidats pour leur demander à chacun leur avis. Sacerdos, en tant qu'aîné, parla le premier et fit un discours pieux en faveur du texte : je voyais Cicéron, irrité, s'agiter en entendant de telles platitudes. Hybrida, naturellement, se prononça contre mais, comme d'habitude, en bredouillant et prononçant des phrases sans suite – personne n'aurait pu croire que son père avait autrefois été l'un des avocats les plus courus de Rome. Galba, qui était de toute façon assuré de perdre, en profita pour se retirer de l'élection, annonçant avec hauteur qu'il n'y avait aucune gloire à participer à une compétition aussi sordide, qui déshonorait la mémoire de ses ancêtres. Catilina, pour des raisons évidentes, se prononça également contre la *lex Figula*, et je dois avouer qu'il fut impressionnant. Totalement dépourvu de nervosité, il se dressa au-dessus des bancs qui l'entouraient et, quand il arriva à la fin de ses remarques, il désigna Cicéron et rugit que les seuls qui tireraient profit d'une nouvelle loi étaient les juristes eux-mêmes, ce qui déclencha les acclamations habituelles de la part des aristocrates. Cicéron se trouvait en position délicate et, lorsqu'il se leva, je me demandai bien ce qu'il allait pouvoir dire dans la mesure où il espérait évidemment voir cette loi votée, mais ne voulait surtout pas, à la veille de la plus importante élection de sa vie, s'aliéner les corporations de vote, qui considéraient naturellement ce texte comme une attaque contre leur intégrité. Sa réponse fut adroite.

— De façon générale, je suis très favorable à cette loi, qui ne saurait pénaliser que les coupables, commença-t-il. Les honnêtes citoyens n'ont rien à craindre d'une loi contre la corruption, et une telle loi rappellera aux malhonnêtes que le vote est un droit sacré et pas un coupon que l'on va encaisser une fois par an. Cependant, cette loi présente un défaut : un déséquilibre qu'il conviendrait de corriger. Sommes-nous réellement en train de dire que le pauvre qui succombe à la tentation est plus condamnable que le riche qui place délibérément la tentation sur son chemin ? Je prétends le contraire : que si nous devons légiférer contre le premier, nous devons renforcer les sanctions contre le second. Ainsi, avec ta permission, Figulus, je voudrais proposer un amendement à ton projet de loi : *Que toute personne qui brigue, ou cherche à briguer ou est à l'origine de la brigue des votes de tout citoyen contre de l'argent, soit passible d'une peine de dix ans d'exil.*

Il s'ensuivit des « Oohhh ! » prolongés et excités en provenance de toute la chambre.

Je ne voyais pas le visage de Crassus de là où je me tenais, mais Cicéron m'assura par la suite qu'il avait viré au rouge vif, car l'expression *ou est à l'origine de la brigue* lui était particulièrement destinée, et tout le monde le savait. Le consul accepta placidement l'amendement, et demanda si quelqu'un voulait s'y opposer. Mais la majorité des sénateurs étaient trop surpris pour réagir, et ceux qui, comme Crassus, avaient le plus à perdre n'osèrent pas s'exposer en déclarant leur opposition en public. L'amendement fut donc adopté sans opposition, et, lorsque la chambre procéda au vote du texte principal, il fut approuvé par une large majorité. Figulus quitta la curie précédé de ses licteurs, et tous les sénateurs se rangèrent en file derrière lui pour le regarder monter aux rostres et remettre le texte de la loi au héraut pour lecture immédiate. Je vis Hybrida tenter un mouvement vers Crassus, mais Catilina le retint aussitôt par le bras et Crassus sortit rapidement du forum pour éviter d'être vu en compagnie de ses candidats. Il faudrait à présent attendre que s'écoulent les trois jours de marché hebdomadaires habituels avant que la loi puisse être votée, ce qui signifiait que le peuple ne pourrait se prononcer qu'à la veille des élections consulaires ou presque.

Cicéron était assez content de son travail : s'il s'avérait que la *lex Figula* passait et qu'il perdait les élections pour cause de corruption, cela lui laisserait au moins le recours de lancer une procédure non seulement contre Catilina et Hybrida, mais aussi contre son ennemi juré Crassus. Il n'y avait malgré tout que deux ans que deux consuls désignés avaient été démis de leurs fonctions pour malversations électorales. Mais pour réussir dans ce genre de procédure, il fallait avoir des preuves, et la pression qu'imposait Cicéron d'en trouver n'en devint que plus intense. Il passait à présent toutes ses heures de jour à faire campagne, se déplaçant avec une grande foule de partisans, sans jamais avoir recours à un nomenclateur pour lui rappeler tel ou tel nom : contrairement à ses adversaires, Cicéron était très fier de pouvoir se rappeler des milliers de noms et, dans les rares occasions où il rencontrait quelqu'un dont l'identité lui avait échappé, il arrivait toujours à donner le change.

Je l'admirais beaucoup à l'époque, car il devait savoir qu'il avait tout contre lui, et que la logique voulait qu'il perde. La prédiction de Pison au sujet de Pompée s'était complètement avérée, et le grand homme n'avait pas levé le petit doigt pour assister Cicéron pendant la campagne. Il s'était installé à Amisus, sur la rive orientale de la mer Noire – ce qui est à peu près aussi loin de Rome qu'on peut l'être – et, là, comme certains grands potentats orientaux, il recevait hommage de pas moins de douze rois indigènes. La Syrie avait été annexée. Mithridate était en pleine débandade. La maison de Pompée, sur l'Esquilin, avait été décorée avec les proues de cinquante trirèmes pirates et on la surnommait maintenant la *domus rostra* – sorte de mausolée pour ses admirateurs venus de toute l'Italie. Qu'avait à faire Pompée des luttes minuscules de simples civils ? Les lettres que lui envoya Cicéron restèrent sans réponse. Quintus fulminait contre une telle ingratitude, mais Cicéron se montrait fataliste :

— Si c'est de la gratitude que tu veux, prends un chien.

Trois jours avant les élections consulaires, et à la veille du vote de la loi anticorruption, il y eut enfin une avancée. Ranunculus arriva en courant pour annoncer à Cicéron qu'il avait trouvé un courtier corrupteur, un certain Gaius Salinator, qui prétendait être en position de vendre trois cents suffrages pour cent vingt sesterces la voix. Il possédait un bar dans la Subura qui avait pour nom la Bacchante, et il avait été convenu que Ranunculus devait aller le voir le soir même pour lui donner le nom du candidat pour lequel les électeurs soudoyés devraient voter, et l'argent à remettre à l'un des *sequesters*, qui avait leur confiance à tous les deux. A peine Cicéron apprit-il cela qu'il fut très excité et insista pour accompagner Ranunculus au rendez-vous, avec une capuche pour dissimuler son visage déjà trop connu. Quintus s'y opposa, considérant que c'était trop dangereux, mais Cicéron insista qu'il avait besoin de preuves directes.

— Et puis j'aurai Tiron et Ranunculus pour me protéger, assura-t-il (je suppose que c'était une de ses plaisanteries), mais tu peux toujours faire en sorte que quelques partisans loyaux boivent justement un verre au même endroit, au cas où nous aurions besoin d'un peu de soutien.

J'avais à l'époque près de quarante ans et, après une vie consacrée quasi exclusivement à des tâches d'écriture, mes mains étaient presque aussi douces que celles d'une jeune fille. En cas de problème, c'est plutôt Cicéron, à qui les exercices quotidiens avaient forgé un physique impressionnant, qui aurait dû me protéger. Néanmoins, j'ouvris le coffre de son bureau et entrepris de compter l'argent nécessaire en pièces d'argent. (Il avait un fonds de campagne bien garni, constitué de dons de ses admirateurs et qui servait à financer des opérations comme sa tournée en Gaule cisalpine ; cet argent n'avait rien à voir avec des pots-de-vin, même si, de toute évidence, les donneurs trouvaient réconfortant de savoir que Cicéron n'oubliait jamais un nom.) Quoi qu'il en soit, l'argent fut glissé dans une ceinture-bourse que je dus me fixer autour de la taille, et ce fut d'un pas lourd, au propre comme au figuré, que je descendis avec Cicéron dans la Subura à la nuit tombée. Comme il faisait chaud, Cicéron avait une curieuse allure bizarre avec sa tunique à capuche empruntée à l'un de ses esclaves. Mais dans les quartiers miséreux et surpeuplés, les gens curieusement habillés sont monnaie courante, et quand on voit un homme avec une capuche rabattue sur le visage, on a tendance à s'écarter en pensant plutôt à la lèpre ou quelque autre mal défigurant contagieux. Nous suivîmes Ranunculus, qui fonça, plus têtard que jamais, dans le labyrinthe de ruelles étroites et sordides qui était son habitat naturel, jusqu'à ce que nous arrivâmes à un coin de rue où des hommes se tenaient assis, appuyés contre le mur, faisant circuler un pichet de vin. Au-dessus de leur tête, près de la porte, il y avait un Bacchus peint, bas-ventre tendu pour se soulager, et il régnait dans la salle l'odeur qui allait avec l'enseigne. Ranunculus entra et nous conduisit derrière le comptoir, en haut d'un étroit escalier de bois qui menait à une pièce mansardée où les attendait Salinator en compagnie d'un autre homme, le *sequester*, dont je n'ai jamais su le nom.

Ils étaient si impatients de voir l'argent qu'ils ne prêtèrent pas vraiment attention à la silhouette encapuchonnée derrière moi. Je dus retirer ma ceinture et leur montrer une poignée de pièces, puis le *sequester* sortit une petite balance et entreprit de peser l'argent. Salinator, qui était un personnage flasque, aux longs cheveux ternes et au ventre proéminent, le regarda faire un moment, puis dit à Ranunculus :

— Ça a l'air d'aller. Tu ferais bien de me donner le nom de ton client maintenant.

— Je suis son client, intervint Cicéron en rejetant sa capuche en arrière.

Inutile de préciser que Salinator le reconnut aussitôt et, effrayé, recula précipitamment, rentrant dans le *sequester* et sa balance. L'agent corrupteur chercha à se redresser tout en faisant passer son faux pas pour une série de petits saluts, et improvisa un petit discours sur le fait que c'était un honneur et ainsi de suite pour lui d'aider à la campagne du sénateur, mais Cicéron le fit taire très vite :

— Je n'ai pas besoin de l'aide de tes semblables, scélérat. Tout ce que je veux, ce sont des informations.

Salinator se mettait tout juste à gémir qu'il ne savait rien quand, soudain, le *sequester* lâcha sa balance et plongea vers l'escalier. Il dut en dévaler la moitié avant de foncer dans la silhouette massive de Quintus, qui le fit pivoter sur lui-même, le saisit par le col et le fond de sa tunique et le renvoya dinguer dans la salle. Je fus soulagé de voir monter derrière Quintus deux solides garçons qui travaillaient souvent au service de Cicéron. En voyant tant de monde et face au plus célèbre avocat de Rome, Salinator sentit sa résistance l'abandonner. Il s'écroula complètement quand Cicéron menaça de le livrer à Crassus pour avoir tenté de vendre deux fois les mêmes suffrages. Il avait plus peur des éventuelles mesures de rétorsion de Crassus que de n'importe quoi d'autre, et cela me rappela une expression que Cicéron avait employée pour caractériser le Vieux Chauve, quelques années auparavant : « le taureau le plus dangereux du troupeau ».

— Ton client est bien Crassus, alors ? demanda Cicéron. Réfléchis bien avant de nier.

Le menton de Salinator remua légèrement : seul acquiescement qu'il osât se permettre.

— Et tu devais fournir trois cents suffrages pour Hybrida et Catilina à l'élection des consuls ?

Cette fois encore, il répondit par un semblant de hochement de tête.

— Pour eux, ajouta-t-il, et pour les autres.

— Les autres ? Tu veux dire Lentulus Sura à la préture ?

— Oui. Lui. Et les autres.

— Tu n'arrêtes pas de dire « les autres », s'étonna Cicéron en fronçant les sourcils. De qui parles-tu, enfin ?

— Ferme-la ! hurla le *sequester*, mais Quintus le gratifia d'un coup de pied dans le ventre, qui le fit gémir et rouler sur lui-même.

— Ignore-le, fit affablement Cicéron. Il a une mauvaise influence. Je connais ce genre de type. Tu peux parler, ajouta-t-il en posant une main encourageante sur le bras de l'agent corrupteur. Les autres ?

— Cosconius, dit Salinator en lançant un regard nerveux vers la forme qui se tordait sur le sol.

Puis il prit sa respiration et débita d'une seule traite, à voix basse :

— Pomptinus. Balbus. Caecilius. Labienus. Faberius. Gutta. Bulbus. Calidius. Tucidius. Valgius. Et Rullus.

A mesure qu'il énonçait un nouveau nom, Cicéron paraissait de plus en plus surpris.

— C'est tout ? demanda-t-il quand Salinator eut terminé. Tu es sûr qu'il ne reste personne au Sénat que tu as oublié ?

Il jeta un regard vers Quintus, qui paraissait tout aussi stupéfait.

– Il ne s'agit pas juste de deux candidats au consulat, commenta ce dernier. Cela fait aussi trois candidats à la préture et *dix* au tribunat. Crassus essaie d'acheter tout un gouvernement !

Cicéron n'était pas homme à manifester sa surprise, mais même lui ne put dissimuler la sienne cette nuit-là.

— C'est totalement absurde, protesta-t-il. Combien coûte chacune de ces voix ?

— Cent vingt sesterces pour les consuls, répondit Salinator comme s'il vendait des porcs au marché. Quatre-vingts pour la préture et cinquante pour les tribuns.

— Alors tu es en train de me dire que Crassus est prêt à verser les trois quarts de un million de sesterces simplement pour les trois cents votes de ta corporation ?

Salinator hocha la tête, cette fois plus vigoureusement, voire gaiement et avec une certaine fierté professionnelle.

— Cette campagne a été la plus belle dont on puisse se souvenir.

Cicéron se tourna vers Ranunculus, qui avait monté la garde à la fenêtre pour le cas où il se serait passé quoi que ce soit dans la rue.

— Combien de voix penses-tu que Crassus a achetées, à ces prix-là ? questionna-t-il.

— Pour être sûr de la victoire ? s'enquit Ranunculus. (Il réfléchit soigneusement à la question.) Ça doit faire dans les sept ou huit mille.

— *Huit mille ?* répéta Cicéron. Pour acheter mille voix, il faut qu'il soit prêt à verser *vingt millions* de sesterces. As-tu déjà entendu parler d'une chose pareille ? Et à la fin, ce n'est même pas lui qui sera élu, mais il aura mis des imbéciles comme Hybrida ou Lentulus Sura à tous les postes de magistrat.

Il se retourna vers Salinator.

— A-t-il donné la moindre raison pour une opération aussi immense ?

— Non, sénateur. Crassus n'est pas du genre à répondre aux questions.

Quintus jura.

— Eh bien, il va quand même falloir qu'il donne quelques réponses, dit-il, et, pour soulager sa colère, il décocha un nouveau coup de pied dans le ventre du *sequester* qui commençait à se relever, et le renvoya s'écraser par terre en gémissant.

Quintus aurait voulu frapper les deux malheureux agents pour leur tirer les dernières bribes d'information puis, soit les traîner jusqu'à chez Crassus et exiger qu'il mette fin à ses intrigues, soit les amener devant le Sénat pour lire à haute voix leurs confessions et demander que les élections soient reportées. Mais Cicéron garda la tête froide. Sans rire, il remercia Salinator pour son honnêteté, conseilla à Quintus de boire un verre de vin et de se calmer, et me demanda de ranger l'argent. Plus tard, lorsque nous fûmes rentrés à la maison, il s'assit dans son bureau et se mit à jouer avec sa petite balle de gymnastique en cuir pendant que Quintus fulminait qu'il n'aurait jamais dû laisser partir les deux gredins, qui n'allaient pas manquer de courir prévenir Crassus ou de fuir la cité.

— Ils ne feront ni l'un ni l'autre, assura Cicéron. Aller voir Crassus et lui raconter ce qui s'est passé reviendrait à signer leur arrêt de mort. Crassus ne laisserait jamais vivre des témoins aussi compromettants, et ils le savent. Et s'enfuir produirait à peu près les mêmes résultats, sauf qu'il faudrait un petit peu plus de temps à Crassus pour les débusquer.

La balle passait d'une main à l'autre puis inversement.

— De plus, aucun crime n'a été commis. La corruption est déjà difficile à prouver dans le meilleur des cas, alors quand aucun suffrage n'a encore été exprimé, Crassus et le Sénat se contenteraient de se moquer de nous. Non, le mieux est de les laisser en liberté, à un endroit où on sait qu'on peut au moins les retrouver, et de les assigner à comparaître si jamais on perd les élections.

Il lança la balle plus haut et la rattrapa d'un petit mouvement rapide du poignet.

— Mais tu avais raison pour une chose, Quintus.

— Vraiment ? fit Quintus avec amertume. Comme c'est gentil de ta part de le dire.

— L'opération de Crassus n'a rien à voir avec son hostilité à mon égard. Il ne dépenserait pas vingt millions simplement pour anéantir *mes* espoirs. Il n'investirait vingt millions de sesterces que contre une promesse de profits immenses. De quoi peut-il s'agir ? Là, je dois avouer que je sèche.

Il contempla le mur un instant.

— Tiron, tu t'es toujours bien entendu avec le jeune Caelius Rufus, n'est-ce pas ?

Je me remémorai toutes les tâches esquivées que j'avais dû faire à sa place, les mensonges que j'avais dû dire pour lui épargner des ennuis, le jour où il avait dérobé mes économies, puis m'avait persuadé de ne pas parler de son larcin à Cicéron.

— Assez bien, répondis-je prudemment.

— Alors va lui parler demain matin. Sois subtil. Vois si tu peux lui soutirer le moindre indice nous révélant ce que prépare Crassus. Ils vivent sous le même toit, malgré tout. Il doit savoir quelque chose.

Je restai éveillé tard dans la nuit, à méditer tout cela, et je me sentis de plus en plus inquiet pour l'avenir. Cicéron ne dormit guère non plus. Je l'entendais arpenter la chambre au-dessus de moi. C'était tout juste si la force de sa concentration ne filtrait pas à travers le plancher. Et quand le sommeil me vint enfin, il se révéla agité et peuplé de présages.

Le lendemain matin, je laissai Laurea s'occuper de la foule des visiteurs de Cicéron et parcourus le mille qui nous séparait de la maison de Crassus. Aujourd'hui encore, quand le temps est clair et la chaleur de mi-juillet étouffante avant même que le soleil ne soit haut dans le ciel, je me dis : « C'est un temps d'élections ! », et je sens à nouveau l'excitation me serrer le ventre. Des bruits de scies et de coups de marteau montaient du forum, où les ouvriers finissaient d'assembler les rampes et les barrières autour du temple de Castor, car c'était le jour où la loi anticorruption devait être soumise au vote populaire. Je pris un raccourci en passant derrière le temple et m'arrêtai pour boire l'eau tiède de la fontaine de Juturna. Je n'avais aucune idée de ce que j'allais pouvoir dire à Caelius. Je suis un très mauvais menteur – je l'ai toujours été – et je m'aperçus que j'aurais dû demander à Cicéron de me conseiller sur la marche à suivre, mais il était trop tard, de toute façon. Je gravis le sentier jusqu'au Palatin et, lorsque j'arrivai chez Crassus, je dis au portier que j'avais un message urgent pour Caelius Rufus. Il me proposa d'attendre à l'intérieur, mais je refusai et, pendant qu'il allait chercher le jeune homme, traversai même la rue pour essayer de passer aussi inaperçu que possible.

La demeure de Crassus, comme le personnage lui-même, présentait une façade très modeste, mais l'on m'avait dit de ne pas m'y fier, et qu'en fait, elle était très profonde. La porte d'entrée était sombre, basse et étroite, mais solide, et flanquée de deux petites fenêtres à barreaux. Il y avait du lierre sur les murs ocre qui s'écaillaient. La couverture datait elle aussi, et le bord des tuiles qui surplombaient le trottoir présentait un aspect noirci et craquelé comme une rangée de dents gâtées. Cela aurait pu être la maison d'un banquier peu avisé, ou d'un propriétaire terrien désargenté qui aurait laissé sa maison de ville se détériorer. J'imagine que c'était la façon de Crassus de montrer qu'il était si fabuleusement riche qu'il n'avait même pas besoin de déployer de l'élégance, mais bien sûr, dans cette rue de familles fortunées, cela ne faisait qu'attirer plus encore l'attention sur son opulence, et il y avait quelque chose de presque grossier dans son manque de vulgarité si étudié. La petite porte sombre ne cessait de s'ouvrir et de se fermer sur des visiteurs qui filaient dans un sens ou dans l'autre, révélant l'ampleur de l'activité qui régnait à l'intérieur : cela me fit penser à un nid de guêpes bourdonnant, seulement identifiable par un petit trou dans la maçonnerie. Je ne reconnus aucun de ces hommes jusqu'au moment où Jules César sortit. Il passa sans me voir et prit aussitôt la direction du forum, suivi d'un secrétaire qui portait un coffret à documents. La porte se rouvrit peu après, et Caelius apparut. Il s'arrêta sur le seuil, mit la main en visière sur son front pour se protéger du soleil et plissa les yeux dans ma direction. Je vis tout de suite qu'il avait passé toute la nuit dehors, comme d'habitude, et il ne semblait pas ravi d'avoir été réveillé. Son beau menton était couvert de barbe, et il ne cessait de tirer la langue, et de ciller tout en déglutissant, comme s'il avait un goût trop affreux dans la bouche. Il s'approcha prudemment, et quand il me demanda ce que je pouvais bien vouloir, je bredouillai que j'avais besoin de lui emprunter de l'argent.

— Pour quoi faire ? demanda-t-il en me dévisageant avec scepticisme.

— C'est pour une fille, répondis-je en désespoir de cause, simplement parce que c'était le genre de raisons qu'il invoquait tout le temps quand il voulait de l'argent, ct que je n'avais pas la présence d'esprit de trouver autre chose. J'essayai de l'entraîner un peu plus loin, inquiet à l'idée que Crassus puisse sortir et nous voir ensemble. Mais il se dégagca et resta, vacillant, dans le caniveau.

— Une fille ? répéta-t-il, incrédule. Toi ?

Puis il se mit à rire, mais cela, visiblement, lui fit mal à la tête, aussi s'arrêta-t-il en posant doucement les doigts sur ses tempes.

— Si j'avais de l'argent, Tiron, je t'en donnerais volontiers – ce serait un cadeau que je te ferais pour le simple plaisir de te voir avec un autre être vivant que Cicéron, mais cela est impossible. Tu n'es pas le genre des filles. Pauvre Tiron – tu n'es le genre de personne, pour autant que je sache, ajouta-t-il en m'examinant attentivement. Pourquoi en as-tu besoin en vérité ?

Je sentis son haleine avinée et ne pus m'empêcher de tressaillir, ce qu'il prit pour un aveu de culpabilité.

— Tu mens, dit-il, laissant un sourire s'élargir lentement sur son visage mangé de barbe. C'est Cicéron qui t'envoie pour savoir quelque chose.

Je le suppliai de s'éloigner de la maison et, cette fois, il s'exécuta, mais la marche ne s'accordait visiblement pas avec son état général. Il s'arrêta à nouveau, blêmit et leva un doigt pour me prévenir. Ses yeux et sa gorge se gonflèrent, il poussa un grognement inquiétant puis vomit avec une telle force que cela me fit penser à une femme de chambre vidant un seau dans la rue depuis une fenêtre du premier étage. (Pardonnez-moi ces détails triviaux, mais la scène vient de me revenir à l'esprit après soixante années, et ce souvenir m'a vraiment fait rire.) Quoi qu'il en soit, Caelius parut soudain purgé ; les couleurs lui revinrent et il parut beaucoup plus vif. Il me demanda ce que voulait savoir Cicéron.

— D'après toi ? répliquai-je avec un peu d'impatience.

— Je voudrais pouvoir t'aider, Tiron, assura-t-il en s'essuyant la bouche du revers de la main. Tu sais que je le ferais si je le pouvais. Ce n'est pas moitié aussi agréable de vivre avec Crassus que ça l'était de vivre auprès de Cicéron. Le Vieux Chauve est un vrai salaud – pire encore que mon père. Il me fait apprendre de la comptabilité toute la journée et on n'a pas pu inventer quoi que ce soit de plus ennuyeux, sinon le droit commercial, qui a été ma torture du mois dernier. Quant à la politique, qui me plaît bien, il prend bien garde de ne rien me laisser voir de ce genre de choses.

Je voulus lui poser d'autres questions, par exemple sur la visite de César de ce matin, mais il devint vite évident qu'il ne savait vraiment rien des grands projets de Crassus. (Je suppose qu'il aurait pu mentir, mais il était tellement bavard que j'en doute.) Comme je le remerciais tout de même et m'apprêtais à partir, il me saisit par le coude.

— Cicéron doit être vraiment désespéré pour me demander de l'aide à moi, dit-il soudain avec une gravité inaccoutumée. Dis-lui que je suis désolé d'apprendre ça. Il vaut une bonne dizaine de Crassus et mon père réunis.

Je ne m'attendais pas à revoir Caelius avant un bon moment et il sortit complètement de mon esprit pour le reste de la journée, qui fut entièrement consacrée au vote de la loi contre la corruption. Cicéron déploya une grande activité auprès des tribus sur le forum, allant de l'une à l'autre avec sa suite pour vanter les mérites de la proposition de Figula. Il fut particulièrement content de trouver, sous l'étendard marqué VETURIA, plusieurs centaines de citoyens de Gaule cisalpine, qui avaient répondu à son appel et étaient venus voter pour la première fois. Il leur parla un long moment de l'importance d'éradiquer la corruption et, lorsqu'il les laissa, il avait les yeux brillants de larmes.

— Pauvres gens, marmonna-t-il, qui sont venus de si loin simplement pour se faire ridiculiser par l'argent de Crassus. Mais si nous arrivons à faire voter cette loi, j'aurai peut-être encore une arme pour abattre ces scélérats.

J'avais l'impression que sa campagne était efficace et que la *lex Figula* avait de bonnes chances de passer : la majorité des électeurs n'étaient pas corrompus. Ce n'est pourtant pas parce qu'une mesure est honnête et raisonnable qu'elle sera adoptée : c'est même le contraire, d'après mon expérience. Tôt dans l'après-midi, le tribun du parti populaire Mucius Orestinus – celui-là même qui, vous vous en souvenez peut-être, avait été le client de Cicéron pour une affaire de vol –

monta aux rostres et dénonça la mesure comme étant une attaque de l'aristocratie contre l'intégrité de la plèbe. Il cita en particulier Cicéron comme un homme « indigne d'être consul » – ce sont ses mots exacts – qui se posait en ami du peuple mais ne faisait jamais rien pour lui, à moins que cela ne serve ses propres intérêts. Cette déclaration déclencha des huées et des quolibets d'une partie de la foule tandis que l'autre – sans doute ceux qui avaient coutume de vendre leurs suffrages – hurlait son approbation.

C'en fut trop pour Cicéron. Il n'avait, après tout, obtenu l'acquittement de Mucius qu'un an auparavant, et si un rat aussi choyé que celui-ci quittait son navire maintenant, c'est qu'il devait déjà être à moitié coulé. Il se fraya un passage jusqu'aux marches du temple, le visage rouge de chaleur et de rage, et demanda à pouvoir répondre.

— Et toi, Mucius, qui a acheté *ton* suffrage ? cria-t-il.

Mais Mucius fit comme s'il n'avait pas entendu. La foule autour de nous montrait maintenant Cicéron du doigt, le poussait en avant et réclamait au tribun de le laisser parler. C'était visiblement la dernière chose que voulait Mucius. Comme il ne voulait pas non plus que cette loi passe. Levant le bras, il annonça solennellement qu'il opposait son veto à cette loi et, au milieu d'un tumulte indescriptible et de rixes entre les factions rivales, ce fut la fin de la *lex Figula*. Figulus annonça qu'il convoquait le Sénat pour le lendemain afin de décider de ce qu'il conviendrait de faire.

Ce fut un moment amer pour Cicéron et quand, enfin, nous arrivâmes chez lui et qu'il put refermer la porte sur la foule de ses partisans qui se pressaient dans la rue, je crus qu'il allait s'effondrer comme il l'avait fait à la veille de son élection à l'édilité. Pour une fois, il se sentit trop épuisé pour jouer avec Tullia. Et même lorsque Terentia descendit avec le petit Marcus pour lui montrer que le petit avait appris à effectuer deux ou trois pas chancelants sans aide, il ne le souleva pas pour le faire sauter dans les airs comme à son habitude, mais se contenta de lui tapoter la joue et de lui pincer distraitement l'oreille avant de se diriger vers son bureau – et de s'arrêter net au seuil de celui-ci en découvrant avec surprise Caelius Rufus assis derrière sa table de travail.

Laurea, qui attendait juste derrière la porte, s'excusa auprès de Cicéron et expliqua qu'il voulait demander à Caelius d'attendre dans le tablinum, comme tous les autres visiteurs, mais que celui-ci avait insisté en assurant qu'il s'agissait d'une affaire si confidentielle qu'il ne voulait pas risquer d'être vu.

— C'est très bien, Laurea. Je suis toujours content de voir le jeune Caelius. Mais j'ai bien peur, ajouta-t-il en serrant la main de Caelius, que tu ne trouves ma compagnie bien morne après une journée aussi longue et déprimante.

— Eh bien, fit Caelius avec un sourire, il est possible que je t'apporte la nouvelle qui va te réjouir.

— Crassus est mort ?

— Au contraire, s'esclaffa Caelius, il est plus vivant que jamais, et prévoit une grande conférence pour ce soir en prévision de sa victoire éclatante aux élections.

— Vraiment ? fit Cicéron et, immédiatement, je le vis revivre à l'idée d'apprendre de nouvelles révélations telle une fleur flétrie après une ondée. Et qui assistera à cette conférence ?

— Catilina, Hybrida, César. Je ne sais pas trop qui d'autre, mais on installait les chaises au moment où je sortais. Je tiens tout cela d'un secrétaire de Crassus qui a fait le tour de la ville avec les invitations pendant que se déroulait l'assemblée populaire.

— Bien, bien, murmura Cicéron. Que ne donnerais-je pas pour coller mon oreille contre le trou de cette serrure !

— Mais ce serait possible, rétorqua Caelius. Cette réunion aura lieu dans la salle où Crassus procède à toutes ses transactions financières. Souvent – mais pas ce soir, d'après mon informateur – il aime garder un secrétaire à portée de main pour prendre en notes tout ce qui se dit sans que la partie adverse s'en rende compte. Il a donc fait faire un petit poste d'écoute à cet effet. Ce n'est qu'une sorte de cabine aménagée derrière une tapisserie. Il me l'a montrée un jour qu'il me donnait une leçon sur la meilleure façon d'être un homme d'affaires.

— Tu veux dire que Crassus fait écouter ses propres conversations ? s'étonna Cicéron. Quelle sorte d'homme d'Etat ferait une chose pareille ?

— « Un homme qui croit qu'il n'y a pas de témoin se laisse parfois aller à des promesses inconsidérées », c'est ce qu'il a dit.

— Alors tu crois que tu pourrais te cacher là-dedans et nous donner un compte rendu de ce qui se sera dit ?

— Pas moi, répliqua Caelius en riant. Je ne suis pas secrétaire. Je pensais à Tiron, ajouta-t-il en m'assenant une claque sur l'épaule, avec ses notes miraculeuses.

Je voudrais pouvoir m'enorgueillir de m'être aussitôt porté volontaire pour cette mission suicide. Mais ce ne serait pas vrai. Au contraire, j'invoquai toutes sortes d'objections pratiques au projet de Caelius. Comment pourrais-je entrer chez Crassus sans me faire remarquer ? Comment en sortirais-je ? Comment déterminerais-je qui dit quoi dans le brouhaha des voix derrière une tenture ? Mais à toutes mes questions, Caelius avait des réponses toutes prêtes. Le fait est que j'étais terrifié.

— Et si je suis pris ? protestai-je auprès de Cicéron, lui livrant enfin l'essence de ce qui m'inquiétait tant, et torturé ? Je ne peux pas prétendre être si courageux que je ne te trahirais pas.

— Cicéron pourra simplement nier avoir eu connaissance de ce que tu faisais, intervint Caelius (ce que je trouvais pour ma part peu encourageant). Et puis chacun sait qu'on ne peut pas se fier à un témoignage obtenu sous la torture.

— Je crois que je vais m'évanouir, plaisantai-je mollement.

— Reprends-toi, Tiron, dit Cicéron, de plus en plus excité par ce qu'il entendait. Il n'y aura pas de torture et pas de procès non plus. J'y veillerai. Si tu étais découvert, je négocierais ta libération et serais prêt à payer n'importe quel prix pour qu'il ne te soit fait aucun mal.

Il me prit les mains dans les siennes et les serra avec cette sincérité qui lui était coutumière tout en plongeant son regard dans le mien.

— Tu es davantage mon second frère que mon esclave, Tiron, et c'est ainsi depuis que nous avons appris ensemble la philosophie à Athènes il y a tant d'années – t'en souviens-tu ? J'aurais déjà dû discuter de ta liberté avec toi, mais il semble qu'il y ait toujours eu de nouveaux problèmes pour détourner mon attention. Alors je te dis maintenant, avec Caelius comme témoin, que mon intention est de te donner ta liberté – oui, et cette vie simple à la campagne que tu désires depuis si longtemps. Je vois déjà le jour où je viendrai te voir dans ta petite ferme et m'assiérai dans ton jardin pour que nous regardions le soleil descendre sur une oliveraie, ou une vigne, lointaine et poussiéreuse, tout en passant en revue les grandes aventures que nous avons connues ensemble.

Il lâcha mes mains, et sa vision champêtre vacilla encore un instant dans l'air sombre et doux avant de s'évanouir.

— Maintenant, reprit-il brusquement, cette offre que je te fais n'est nullement soumise à ta décision d'entreprendre ou non cette mission – que ce soit bien clair : tu as déjà amplement mérité cet affranchissement. Et je ne te donnerai jamais l'ordre de te mettre en danger. Tu connais ma position plus que délicate ce soir. Tu dois faire ce que tu estimes être le mieux.

Ce sont ses paroles exactes : comment aurais-je pu les oublier ?

XVII

La conférence était prévue pour la tombée de la nuit, ce qui signifiait qu'il n'y avait pas de temps à perdre. Alors que le soleil disparaissait derrière la crête de l'Esquilin et que je gravissais la côte du mont Palatin pour la deuxième fois de la journée, j'eus la prémonition inquiétante de foncer tête baissée dans un piège. Comment en effet pouvais-je – ou Cicéron pouvait-il – être sûr que Caelius n'était pas passé dans le camp de Crassus ? En fait, la notion même de loyauté n'était-elle pas absurde appliquée aux centres d'intérêt et envies versatiles et éphémères qui pouvaient saisir mon jeune compagnon ? Mais il n'y avait plus rien à y faire. Caelius me conduisait déjà le long d'une petite allée vers l'arrière de la maison de Crassus. Il écarta un épais rideau de lierre et découvrit une petite porte en fer cloutée qui paraissait rouillée depuis longtemps. Un bon coup d'épaule suffit pourtant à la faire ouvrir silencieusement, et nous bondîmes dans une réserve vide.

Comme celle de Catilina, cette maison était très ancienne et avait subi de nombreux ajouts au cours des siècles, de sorte que je me perdis très vite tandis que nous suivions ses couloirs tortueux. Crassus était connu pour posséder un très grand nombre d'esclaves hautement qualifiés – il les louait parfois, à la façon d'une agence de placement – et, avec une telle activité déployée autour de nous, il paraissait impossible que nous puissions atteindre notre destination en passant inaperçus. Mais si Caelius avait acquis un talent particulier durant son apprentissage juridique, c'était bien pour les entrées et sorties clandestines. Nous coupâmes par une cour intérieure, attendîmes dans une antichambre qu'une servante soit passée, puis pénétrâmes dans une grande salle déserte tapissée de tentures de Babylone et de Corinthe. Une vingtaine de chaises dorées avaient été disposées en demi-cercle, au centre de la pièce, et un grand nombre de lampes et candélabres étaient allumés tout autour. Caelius s'empara rapidement d'une des lampes, traversa la pièce et souleva le bord d'une lourde tenture de laine représentant Diane en train d'abattre un cerf d'un coup de lance. Juste derrière se trouvait une alcôve, de celles qui abritent une statue, juste assez profonde et assez haute pour qu'un homme puisse s'y tenir, avec un petit rebord en hauteur pour y poser une lampe. Je me glissai rapidement à l'intérieur car j'entendais de sonores voix masculines se rapprocher. Caelius posa un doigt sur ses lèvres, m'adressa un clin d'œil puis remit soigneusement la tapisserie en place. Son pas rapide s'éloigna et je me retrouvai seul.

Au début, j'eus l'impression d'être aveugle, puis je m'accoutumai peu à peu à la faible lueur de la lampe à huile, juste derrière mon épaule. En examinant la tapisserie, je m'aperçus que de petits trous avaient été ménagés dans l'étoffe afin de donner une vision complète de la salle. J'entendis des pas, puis, brusquement, mon champ de vision fut obscurci par un crâne rose, chauve et plissé, et la voix de Crassus tonna à mes oreilles – si fort que le choc manqua de me faire basculer en avant – pour inviter cordialement ses visiteurs à le suivre. Puis il s'écarta et d'autres silhouettes défilèrent : l'agile Catilina ; Hybrida et sa figure d'ivrogne ; César, soigné et élégant ; l'impeccable Lentulus Sura ; Mucius, le héros de l'après-midi ; et deux agents corrupteurs notoires – ce sont ceux que je reconnus nommément, sans compter plusieurs autres sénateurs qui briguaient le tribunat. Ils semblaient tous d'excellente humeur, plaisantaient les uns avec les autres, et Crassus dut frapper dans ses mains pour obtenir leur attention.

— Messieurs, commença-t-il, face à l'assemblée et me tournant le dos, merci d'être venus. Nous avons beaucoup de points à voir et peu de temps pour le faire. La première question à l'ordre du jour est l'Egypte. César ?

Crassus s'assit et César se leva. Il renvoya en arrière une mèche de cheveux maigre et la coinça derrière son oreille avec son index. Très doucement afin de ne pas faire de bruit, je pris mon carnet et mon style et, au moment où César commençait à parler de sa voix rude, inimitable, je me mis à écrire.

Je dois dire, si vous voulez bien me pardonner quelque présomption à ce moment de mon récit, que mon système de notes est réellement une invention formidable. Je concède que Xénophon en avait conçu une version primitive près de quatre siècles avant moi, qui tenait davantage de l'aide particulière à la composition que d'une réelle prise de notes, mais elle n'était de toute façon applicable qu'au grec, alors que mon système rassemble en abrégé l'ensemble du latin, avec son vocabulaire plus vaste et sa grammaire complexe, en quatre mille symboles. Et le système est conçu de telle façon qu'il est enseignable à tout élève désireux de l'apprendre : en théorie, même une femme pourrait l'utiliser.

Comme ceux qui possèdent ce talent le savent, il n'y a pas pire pour prendre un texte en abrégé que des doigts qui tremblent. L'inquiétude rend les doigts aussi habiles que des saucisses de Lucane, et j'avais craint que ma nervosité ce soir-là ne soit un obstacle à ma retranscription. Mais une fois que j'eus commencé, je trouvai l'occupation curieusement apaisante. Je n'avais pas le temps de m'arrêter pour considérer ce que je venais d'écrire. J'entendais les mots – Egypte, colonie, domaines publics, commissaire – sans en comprendre, même de loin, la signification ; ma seule ambition était de rester au niveau de leur discours. En fait, la plus grande difficulté pratique se trouva être la chaleur : on se serait cru dans un four à l'intérieur de cette cachette confinée ; la sueur me coulait dans les yeux en ruisselets piquants et j'avais les paumes si glissantes qu'il était difficile de tenir mon style. Ce n'est qu'à certains moments, quand je pressais les yeux contre l'étoffe pour vérifier qui parlait, que je prenais conscience de l'énormité du risque que je courais. J'éprouvais alors une sensation de vulnérabilité terrifiante, renforcée par le fait que les participants semblaient souvent regarder directement dans ma direction. Catilina, en particulier, semblait fasciné par la scène dépeinte sur la tapisserie qui me dissimulait, et je connus le moment de loin le plus éprouvant de la soirée à la fin de la séance, lorsque Crassus déclara la conférence terminée :

— Et lorsque nous nous réunirons à nouveau, dit-il, notre destin et celui de Rome seront à tout jamais changés.

Dès que les applaudissements prirent fin, Catilina se leva et vint directement vers moi. Je me plaquai contre le mur tandis qu'il faisait courir ses doigts sur l'étoffe, à guère plus d'une main de mon visage en sueur. L'image de cette bosse se déplaçant juste devant moi arrive encore à me réveiller la nuit et me fait hurler. Mais tout ce qu'il voulait, c'était complimenter Crassus sur la qualité de la fabrication, et, après un bref échange sur l'endroit où il l'avait achetée et – comme toujours avec Crassus – combien elle avait coûté, les deux hommes s'éloignèrent.

J'attendis longtemps et quand, enfin, j'osai regarder par les petits trous, je vis que la salle était déserte. Seules les chaises dérangées prouvaient qu'il y avait bien eu une réunion. Je dus me retenir de ne pas écarter la tenture pour courir vers la porte : je devais, suivant notre accord, attendre Caelius, aussi me forçai-je à rester voûté dans cet espace minuscule, le dos au mur, les genoux remontés contre la poitrine et les bras serrés autour. Je n'ai aucune idée de la durée de la conférence – assez longue pour remplir les quatre polyptyques que j'avais apportés en tout cas – ni du temps que je passai à attendre là. Il est même possible que je me sois endormi, parce que, au moment où Caelius revint me chercher, toutes les lampes et les bougies, y compris la mienne, s'étaient consumées et il faisait complètement nuit. Je sursautai lorsqu'il écarta la tenture. Sans parler, il tendit la main pour m'aider à descendre, puis nous retraversâmes la maison endormie jusqu'à la réserve. Dès que j'eus regagné avec raideur l'allée derrière la maison, je me retournai pour remercier Caelius.

— Pas la peine, chuchota-t-il à son tour.

Je parvins tout juste à déceler la lueur excitée dans ses yeux à la lueur de la lune – des yeux si grands et si brillants que quand il ajouta « Je me suis bien amusé », je sus que ce n'était pas de la fanfaronnade, mais que ce jeune imbécile disait la vérité.

Il était bien après minuit quand j'arrivai à la maison. Tout le monde dormait sauf Cicéron, qui m'attendait dans la salle à manger. Aux livres éparpillés sur la banquette, je sus qu'il était resté là pendant des heures. Il bondit en me voyant surgir.

— Alors ? s'enquit-il.

Me voyant hocher la tête pour signifier que ma mission avait réussi, il me pinça la joue et déclara que j'étais le secrétaire le plus brave et le plus intelligent qu'un homme d'Etat eût jamais eu. Je sortis les carnets de ma poche et les lui montrai. Il en ouvrit un et le porta à la lumière.

— Ah, bien sûr, tout est dans tes fichus hiéroglyphes ! dit-il avec un clin d'œil. Viens t'asseoir, je vais te chercher du vin et tu pourras tout me raconter. Tu voudrais manger quelque chose ?

Il regarda distraitement autour de lui ; le rôle du serviteur ne lui venait pas facilement. Je fus bientôt assis en face de lui avec une tasse de thé intacte et une pomme, les polyptyques disposés devant moi, tel un écolier prêt à réciter ses leçons.

Je n'ai plus ces tablettes de cire en ma possession, mais Cicéron conserva les transcriptions que j'en fis ensuite parmi ses documents les plus confidentiels et, en les regardant aujourd'hui, je ne suis pas surpris de n'avoir pas pu suivre la conversation sur le moment. Les conspirateurs s'étaient visiblement déjà rencontrés fréquemment, et leur discussion de ce soir-là faisait référence à des tas de choses présupposées. Il y était beaucoup question de calendrier électoral, d'amendements à des projets de loi et de division des responsabilités. Ne vous imaginez donc pas qu'il me suffit de lire ce que j'avais écrit pour que tout soit clair. Il nous fallut à tous les deux des heures passées à réfléchir sur telle ou telle remarque cryptique, à relier ceci à cela avant que nous puissions en avoir une idée plus précise. De temps à autre, Cicéron poussait une exclamation du genre « Quels diables d'ingéniosité ! C'est incroyable ce qu'ils sont malins ! » et se levait pour arpenter un moment la pièce avant de se remettre au travail. Pour faire court et vous résumer la chose en deux mots, la conspiration que montaient Crassus et César depuis des mois se divisait en quatre parties. Premièrement, ils projetaient de prendre le contrôle de l'Etat en raflant tous les postes aux élections générales, s'assurant non seulement les deux consulats, mais aussi les dix tribunats et une paire de prétures en plus : les agents corrupteurs assuraient que la chose était déjà plus ou moins réglée, le soutien à Cicéron déclinant chaque jour. En deuxième étape, les tribuns devaient proposer en décembre une grande loi de réforme agraire impliquant le morcellement des grands domaines d'Etat, en particulier les grandes plaines fertiles de Campanie, et leur redistribution immédiate sous forme de fermes à cinq mille membres de la plèbe urbaine. La troisième étape concernait l'élection en mars de dix commissaires qui, sous l'autorité de Crassus et de César, se verraient attribuer d'immenses pouvoirs pour vendre les terres conquises à l'étranger et utiliser les fonds ainsi obtenus pour acquérir par expropriation d'autres vastes domaines en Italie destinés à un programme de colonisation plus considérable encore que le premier. La dernière étape ne demandait rien de moins que l'annexion de l'Egypte dès l'été suivant, en prenant pour prétexte le testament contesté d'un de ses défunts dirigeants, le roi Ptolémée Machinchose, rédigé quelque dix-sept ans plus tôt et en vertu duquel il cédait prétendument son pays tout entier au peuple romain ; cette fois encore, les revenus qui en découleraient seraient remis aux mains des commissaires afin d'acquérir d'autres domaines en Italie.

— Par tous les dieux, c'est un coup d'Etat déguisé en réforme agraire ! s'écria Cicéron lorsque nous fûmes arrivés à la fin de mes notes. Les dix commissaires de ce collège dirigé par Crassus et César seront les véritables maîtres du pays ; les consuls et autres magistrats ne seront plus que de simples fantoches. Et leur domination à l'intérieur du pays sera alimentée *ad vitam aeternam* en procédant à des extorsions à l'étranger.

Il s'appuya sur son dossier et resta silencieux un long moment, les bras croisés, le menton reposant sur la poitrine.

J'étais épuisé par ce que j'avais enduré et n'aspirais plus qu'à aller dormir. Mais les premières lueurs de l'aube qui s'immisçaient dans la pièce montraient que nous avions travaillé toute la nuit et qu'on était déjà à la veille des élections. J'eus conscience du concert matinal qui commençait dehors et, peu après, entendis des pas dans l'escalier. C'était Terentia qui descendait en chemise de nuit, les cheveux défaits, son visage sans maquillage encore gonflé de sommeil, un châle serré autour de ses épaules maigres. Je me levai respectueusement et détournai les yeux, gêné.

— Cicéron ! s'exclama-t-elle sans faire attention à moi. Qu'est-ce que tu fais ici à cette heure ?

Il leva les yeux vers elle et lui expliqua avec lassitude ce qui venait de se passer. Elle avait l'esprit très vif pour tout ce qui était politique et financier – ne fut-elle pas née femme, et avec son intelligence, impossible de prévoir jusqu'où elle serait allée –, aussi, naturellement, fut-elle horrifiée dès qu'elle saisit l'implication de ce qu'elle entendait, car Terentia était aristocrate jusqu'au bout des ongles, et l'idée même de privatiser des domaines publics pour les distribuer à la plèbe lui apparaissait comme un pas sur le chemin de la destruction de Rome.

— Tu dois l'empêcher à tout prix, pressa-t-elle Cicéron. Cela pourrait te faire gagner les élections. Tous les hommes honnêtes te suivront.

— Ah, vraiment ? fit Cicéron en prenant un de mes carnets. Une opposition directe pourrait avoir de très mauvaises répercussions pour moi. Une grosse faction du Sénat, la moitié d'entre eux par prétendu patriotisme, l'autre moitié par avidité pure, a toujours soutenu l'annexion de l'Egypte. Et, lancé dans la rue, le cri « des fermes gratuites pour tous » a plus de chances de rapporter des voix à Hybrida et à Catilina que de leur en coûter. Non, je suis piégé.

Il contempla la transcription de la conférence et secoua lentement la tête, comme un artiste qui admire, résigné, l'œuvre d'un rival talentueux.

— C'est vraiment un plan extraordinaire – un coup de pur génie politique. Seul César peut avoir conçu un projet pareil. Quant à Crassus, pour un acompte de tout juste vingt millions, il peut espérer obtenir le contrôle de presque toute l'Italie et de toute l'Egypte. Même toi, tu peux admettre que c'est extrêmement rentable.

— Mais il faut que tu fasses *quelque chose*, insista Terentia. Tu ne peux pas te contenter de rester les bras croisés.

— Et qu'est-ce que tu veux que je fasse, exactement ?

— Dire que tu es censé être l'homme le plus intelligent de Rome ! fit-elle, exaspérée. N'est-ce pas évident ? Va au Sénat ce matin et expose tout le complot. Dénonce-les !

— Brillante tactique, Terentia, répliqua Cicéron sur un ton sarcastique. (Je commençais à trouver la position entre eux inconfortable.) D'un côté, je révèle une mesure extrêmement populaire, et de l'autre, je la dénonce. Tu ne m'écoutes pas : le peuple, qui profitera le plus de ces mesures, est *mon* électorat.

— Eh bien, tu n'as qu'à t'en prendre qu'à toi-même de dépendre ainsi de la populace. C'est bien le problème avec toute ta démagogie, Cicéron. Tu crois que tu peux manipuler la foule, mais la foule finira toujours par te dévorer. Tu croyais sérieusement que tu pourrais battre des hommes comme Crassus et Catilina quand il s'agit de mettre les grands principes aux enchères publiques ?

Cicéron grommela avec irritation, mais je remarquai qu'il ne la contredisait pas.

— Dis-moi, reprit-elle pour l'énerver, si ce « plan extraordinaire », comme tu l'appelles – moi, je préférerais : cette entreprise criminelle –, était aussi populaire que tu le dis, pourquoi ces cachotteries, comme ça, en pleine nuit ? Pourquoi ne pas le présenter ouvertement ?

— Parce que, ma chère Terentia, presque tous les aristocrates pensent comme toi. Ils ne soutiendront jamais ce projet. Ce seront d'abord les grands domaines publics qui vont être démembrés et redistribués, puis viendra le tour des domaines privés. Chaque fois que César et Crassus donneront une ferme à quelqu'un, ils se créeront un nouveau client. Et une fois que les patriciens auront commencé à perdre le contrôle des terres, c'en sera fini d'eux. Et puis comment crois-tu que Catulus ou Hortensius réagiront s'ils doivent obéir à un collège de dix hommes élus par le peuple ? Le peuple ! Pour eux, ce serait comme une révolution – Tiberius Gracchus revenu parmi nous. Non, conclut Cicéron en rejetant le carnet sur la table, ils comploteraient, paieraient et tueraient pour préserver le statu quo, comme ils l'ont toujours fait.

— Et ils auraient raison !

Terentia le foudroyait du regard. Elle avait les poings serrés et je m'attendais presque qu'elle le frappe.

— Ils avaient raison de retirer le pouvoir aux tribuns tout comme ils avaient raison d'essayer d'arrêter ce parvenu provincial de Pompée. Et si tu avais un tout petit peu de bon sens, tu irais les voir maintenant avec ça et tu leur dirais : « Messieurs, voilà ce que Crassus et César se proposent de faire – soutenez-moi et je ferai tout pour y mettre fin ! »

Cicéron poussa un soupir d'exaspération et se laissa retomber sur la banquette. Pendant un moment, il resta silencieux, puis il leva brusquement les yeux sur elle.

— Par tous les dieux, Terentia, fit-il à voix basse, quelle femme intelligente tu es.

Il sauta sur ses pieds et embrassa sa femme sur la joue.

— Ma petite femme si brillante – tu as parfaitement raison. Enfin, à moitié, parce que, en fait, ce n'est pas à *moi* de faire quoi que ce soit. Je vais simplement transmettre la mission à Hortensius. Tiron, combien de temps te faudrait-il pour faire une bonne copie de tes notes – il serait inutile de tout mettre, juste de quoi attiser l'appétit d'Hortensius ?

— Quelques heures, répondis-je, ahuri par ce changement d'humeur radical.

— Vite ! commanda-t-il, plus excité que je me souvenais de l'avoir jamais vu. Va me chercher du papyrus et de l'encre.

J'obéis aussitôt. Il plongea la pointe du calame dans l'encrier, réfléchit un instant puis écrivit ce qui suit tandis que Terentia et moi regardions par-dessus son épaule :

> *De : Marcus Tullius Cicéron*
> *A : Quintus Hortensius Hortalus*
> *Salutations !*
> *J'estime de mon devoir de patriote de te confier cette transcription d'une réunion qui a eu lieu hier soir au*

domicile de M. Crassus, impliquant G. César, L. Catilina, G. Hybrida, P. Sura et divers candidats au tribunat dont les noms te seront familiers. J'ai l'intention de m'attaquer à certains de ces messieurs dans un discours au Sénat aujourd'hui même, et si cela t'intéresse d'en discuter avec moi, je serai ensuite chez notre estimé ami commun T. Atticus.

— Ça devrait marcher, commenta-t-il en soufflant sur l'encre pour la faire sécher. Et maintenant, Tiron, fais-moi une copie aussi complète que possible de tes notes, en veillant à bien inclure tous les passages qui figeront leur sang bleu, et va la remettre avec ma lettre à Hortensius en mains propres – je dis bien en mains propres et pas à un quelconque subalterne – au moins une heure avant la séance du Sénat. Envoie aussi l'un des garçons porter un message à Atticus pour lui demander de passer me voir avant que je parte.

Puis il me confia la lettre et fila vers la porte.

— Veux-tu que je demande à Sositheus ou à Laurea de faire entrer tes clients ? lançai-je derrière lui, car je les entendais déjà faire la queue dans la rue. Quand veux-tu qu'on fasse ouvrir les portes ?

— Pas de clients à la maison aujourd'hui ! s'écria-t-il sans s'arrêter de gravir les marches de l'escalier. Ils peuvent m'accompagner au Sénat s'ils le veulent. Tu as du travail à faire, et moi, j'ai un discours à rédiger.

Nous entendîmes son pas marteler le plancher au-dessus de nous jusqu'à sa chambre, et je me retrouvai seul avec Terentia. Elle porta la main à sa joue, là où son mari l'avait embrassée, et me regarda avec perplexité.

— Un discours ? s'étonna-t-elle. Mais de quel discours parle-t-il ?

Je dus avouer que je n'en avais pas la moindre idée,

et ne peux donc prétendre avoir participé en quoi que ce fût ni même avoir eu connaissance de ce chef-d'œuvre d'invective que le monde entier connaît aujourd'hui sous le nom de *In toga candida.*

J'écrivis aussi vite et soigneusement que la fatigue me le permettait, disposant les éléments comme le manuscrit d'une pièce, avec le nom de chaque intervenant suivi de ses propos. Je supprimai pas mal de ce que je considérais comme des remarques sans importance, mais me demandai à la fin si j'étais vraiment compétent pour juger. Je décidai donc de garder mes notes avec moi, au cas où j'aurais besoin de m'y reporter pendant la journée. Quand tout fut terminé, je scellai le rouleau, le glissai dans un cylindre et me mis en route. Je dus me frayer un chemin parmi la foule de clients et de partisans qui bloquaient la rue et tiraient sur ma tunique en me demandant quand le sénateur ferait son apparition.

La maison d'Hortensius sur le Palatin a été par la suite rachetée par notre cher et bien-aimé empereur, ce qui vous donne une idée de son raffinement. Je n'y étais jamais allé auparavant, et dus m'arrêter plusieurs fois pour demander mon chemin. Elle se trouvait tout en haut de la colline, sur le flanc sud-ouest qui dominait le Tibre, et l'on avait davantage l'impression d'être à la campagne qu'en ville, avec vue sur les arbres vert sombre qui s'étiraient jusqu'à la douce courbe argentée du fleuve et sur les champs au-delà. Son beau-frère, Catulus, comme je crois l'avoir déjà mentionné, possédait la maison voisine, et tout le quartier – qui embaumait le chèvrefeuille et la myrte et où l'on n'entendait que des chants d'oiseaux – respirait le bon goût et la richesse ancestrale. Même l'intendant avait l'air d'un aristocrate, et quand je lui dis que j'avais un message personnel pour son maître de la part du sénateur Cicéron, on aurait pu croire que j'avais lâché un vent tant fut exquise l'expression de dégoût qu'affecta son visage anguleux à la mention de ce nom. Il voulut me prendre le cylindre, mais je refusai, aussi me pria-t-il d'attendre dans l'atrium, où les masques de tous les ancêtres consulaires d'Hortensius me contemplaient de leurs yeux morts et vides. Dans le coin, posé sur un trépied, se trouvait un sphinx magnifiquement sculpté dans un seul bloc d'ivoire, et je m'aperçus qu'il devait s'agir du sphinx même que Verrès avait offert à son avocat tant d'années auparavant, et dont Cicéron avait tiré sa plaisanterie. Je me baissais pour l'examiner de plus près quand Hortensius arriva dans la pièce derrière moi.

— Eh bien, fit-il alors que je me redressais avec un air coupable. Je ne pensais pas voir un jour un représentant de Marcus Cicéron sous le toit de mes ancêtres !

Il portait la pleine tenue sénatoriale, mais avec des chaussons aux pieds au lieu de chaussures, et se préparait visiblement encore à partir au débat de la matinée. Je trouvais étrange également de voir le vieil ennemi désarmé, en dehors de l'arène. Je lui remis la lettre de Cicéron, qu'il ouvrit et lut devant moi. Dès qu'il aperçut les noms mentionnés, il m'adressa un regard pénétrant, et vit tout de suite qu'il était ferré, bien qu'il fût trop poli pour le montrer.

— Dis-lui que je vais examiner cela à loisir, me dit-il en me prenant les documents avant de repartir par où il était venu, comme si l'on n'avait jamais placé quoi que ce fût de moins intéressant entre ses mains manucurées – même si je suis certain qu'à l'instant où il se retrouva hors de vue, il dut courir à sa bibliothèque pour en briser le sceau. Pour ma part, je ressortis dans l'air frais et redescendis en ville par l'escalier Caci, en partie parce que j'avais un peu de temps à tuer avant l'ouverture du Sénat et pouvais me permettre de faire un long détour, en partie parce que l'autre chemin me faisait passer beaucoup trop près de la maison de Crassus pour mon goût. Je débouchai dans le quartier de la voie Etrusque, où sont situées toutes les boutiques de parfums et d'encens. L'air embaumé se mêlait au poids de ma fatigue pour me donner l'impression d'être drogué. J'avais l'esprit curieusement séparé du monde réel et de ses soucis. A cette heure, le lendemain, me souvins-je d'avoir pensé, le scrutin serait déjà bien entamé sur le Champ de Mars, et nous saurions probablement si Cicéron deviendrait consul ou pas mais, quelle que fût l'issue de l'élection, le soleil continuerait de briller et il continuerait de pleuvoir en automne. Je m'attardais au forum Boarium et regardais les gens acheter des fleurs, des fruits et tout le reste en me demandant ce que ce serait que de n'avoir aucun lien avec la politique et de vivre simplement, *vita umbratilis*, comme dit le poète, « une vie dans l'ombre ». C'est ce que je projetais de faire quand Cicéron m'accorderait ma liberté et ma ferme. Je mangerais les fruits de mon jardin, boirais le lait des chèvres que j'élèverais ; je fermerais ma porte la nuit et me moquerais totalement des élections. C'est le plus près que je me sois jamais approché de la sagesse.

Lorsque j'arrivai enfin au forum, au moins deux cents sénateurs s'étaient rassemblés dans le senaculum sous le regard avide d'une foule de curieux – des gens de la campagne, à en juger par leur tenue rustique, venus à Rome pour les élections. Figulus était assis sur la chaise curule, à l'entrée de la curie, les augures près de lui, attendant un quorum et, de temps à autre, un petit mouvement annonçait l'arrivée d'un candidat dans le forum avec sa cohorte de partisans. Je vis Catilina arriver, avec son curieux mélange de jeunes aristocrates et de voyous de la rue, puis Hybrida, dont le ramassis bruyant de débiteurs et de joueurs tels que Sabidius ou Panthera paraissait presque respectable en comparaison. Les sénateurs commencèrent à entrer en file dans la chambre, et je craignis un instant qu'il ne fût arrivé quelque chose à Cicéron quand, de la direction d'Argiletum, se fit entendre un bruit de tambours et de flûtes. Deux colonnes de jeunes gens pénétrèrent alors dans le forum, portant des rameaux fraîchement coupés au-dessus de leur tête, avec des enfants excités qui couraient tout autour d'eux. Ils furent suivis par une foule de chevaliers romains respectables conduits par Atticus, puis venait Quintus avec une bonne dizaine de sénateurs des bancs du fond. Des jeunes filles semaient au vent des pétales de roses. Ce spectacle était bien meilleur – et de loin – que tout ce que ses rivaux avaient réussi à présenter, et la foule autour de moi l'accueillit avec des applaudissements. Au centre de toute cette activité tourbillonnante, dans l'œil du cyclone, marchait le candidat lui-même, revêtu de la *toga candida* éclatante qui l'avait déjà vu remporter trois élections. J'avais rarement l'occasion de le voir de loin – je me trouvais généralement coincé derrière lui – et, pour la première fois, je pus apprécier ses dons naturels de comédien : il lui suffisait d'endosser le costume pour être le personnage. Toutes les qualités que la blancheur traditionnelle était censée symboliser – la clarté, l'honnêteté, la pureté – semblaient s'incarner dans cette stature solide et ce regard assuré tandis qu'il passait devant moi sans me voir. Je savais, à sa façon de marcher et à son expression détachée, qu'il était tout à son discours. Je m'immisçai en queue de procession et entendis les acclamations de ses partisans lorsqu'il pénétra dans la chambre, puis les sifflets de ses opposants. On nous maintint en arrière jusqu'à ce que le dernier des sénateurs fût entré, puis on nous permit de courir à la barrière de la curie. Je m'assurai ma place de choix habituelle, près du chambranle de la porte, et sentis aussitôt que quelqu'un venait se glisser à mes côtés. C'était Atticus, blême d'angoisse.

— Comment trouve-t-il le nerf de faire ça ? demanda-t-il.

Mais avant que je puisse dire quoi que ce soit, Figulus se leva pour récapituler l'échec de son projet de loi à l'assemblée populaire. Il parla ainsi pendant un long moment, puis demanda à Mucius d'expliquer son veto sur une mesure qui avait déjà été adoptée par la Chambre. Il régnait dans la curie une atmosphère fébrile et étouffante. Je repérai Hybrida et Catilina parmi les aristocrates, ainsi que Catulus, assis juste en face d'eux sur le banc consulaire, et Crassus à quelques places de lui. César se trouvait du même côté de la Chambre, sur le banc réservé aux anciens édiles. Mucius se leva et expliqua d'un air digne que sa charge sacrée exigeait de lui qu'il agisse dans l'intérêt du peuple, et que la *lex Figula*, loin de protéger ces intérêts, constituait une menace pour leur sécurité et une insulte à leur honneur.

— Sottises ! s'écria une voix depuis l'autre côté de l'allée centrale, et que je reconnus comme étant celle de Cicéron. Tu as été acheté !

Atticus me saisit le bras.

— Ça y est ! me chuchota-t-il.

— Ma conscience…, reprit Mucius.

— Ta conscience n'a rien à voir avec ça, menteur ! Tu t'es vendu comme une putain !

Résonna alors ce grondement sourd produit par plusieurs centaines d'hommes chuchotant en même temps, puis, soudain, Cicéron se leva, le bras tendu, réclamant la parole. Au même instant, j'entendis une voix derrière moi : un homme exigeait qu'on le laisse passer. Nous nous écartâmes pour permettre à un sénateur retardataire, qui se révéla n'être autre qu'Hortensius, de pénétrer dans la chambre. Il remonta rapidement l'allée, s'inclina devant le consul et prit place près de Catulus, avec lequel il se lança aussitôt dans une conversation à voix basse. Pendant ce temps, les partisans de Cicéron parmi les *pedarii* hurlaient qu'il fallait lui donner l'autorisation de parler, ce qu'il était, vu son rang de prétorien au-dessus de celui de Mucius, tout à fait en droit d'exiger. Très à contrecœur, Mucius se rassit donc sur le banc, tiré par les sénateurs assis à côté de lui. Cicéron pointa alors la main vers lui – son bras drapé de blanc tendu, aussi raide que celui d'une statue de la Justice vengeresse – et déclara :

— Tu es une putain, Mucius, oui, et traîtresse de surcroît, car pas plus tard qu'hier, tu déclarais devant l'assemblée populaire que je n'étais pas digne d'être consul – moi, le premier vers qui tu t'es tourné quand tu as été accusé de vol ! Assez bien pour te défendre, Mucius, mais pas assez bien pour défendre le peuple de Rome, c'est cela ? Pourquoi donc prêterais-je attention à ce que tu dis de moi alors que le monde entier sait que tu as été payé pour me calomnier ?

Mucius vira à l'écarlate. Il brandit le poing et se mit à lancer des injures, mais je n'arrivais pas à les entendre dans le tumulte général. Cicéron le regarda avec mépris, puis leva la main pour réclamer le silence.

— Mais qui est Mucius, de toute façon ? demanda-t-il en crachant le nom, qu'il fit mine d'écarter d'une chiquenaude. Mucius n'est qu'une putain solitaire au milieu d'un troupeau de prostituées sous contrat. Leur maître est un homme de haute naissance, et la corruption est son instrument de prédilection – et croyez-moi, messieurs, il en joue comme de la flûte ! C'est un corrupteur de jurés, un corrupteur d'électeurs et un corrupteur de tribuns. Pas étonnant que notre loi sur la corruption lui répugnât autant, et que la méthode utilisée pour y faire obstacle eût été… la corruption !

Il s'interrompit et baissa le ton.

— Je voudrais faire partager une information à cette Chambre. (Le Sénat était devenu très silencieux.) Hier soir, Antonius Hybrida et Sergius Catilina se sont retrouvés, avec d'autres, chez cet homme de noble extraction…

— Donne son nom ! cria quelqu'un et, pendant un instant, je crus que Cicéron allait le faire.

Il regarda Crassus de l'autre côté de l'allée avec une intensité si calculée qu'il aurait tout aussi bien pu aller lui toucher l'épaule tellement il était clair qu'il pensait à lui. Crassus se redressa légèrement sur son siège et se pencha lentement en avant, sans quitter Cicéron des yeux : il devait se demander ce qui allait venir. La Chambre tout entière retenait son souffle. Mais Cicéron avait d'autres proies à traquer et, avec un effort de volonté presque palpable, il détourna son regard de Crassus.

— Cet homme, comme je vous le dis, de noble extraction, ayant joué de corruption pour repousser la loi anticorruption, a un nouveau projet en tête. Il cherche à présent à acheter la voie du consulat, pas pour lui-même, mais pour ses deux marionnettes, Catilina et Hybrida.

Naturellement, ainsi que Cicéron l'avait escompté, les deux hommes bondirent pour protester, mais comme ils n'étaient pas d'un rang supérieur au sien, il avait le droit de ne pas leur céder la parole.

— Oh, les voilà, commenta-t-il en se tournant vers

les bancs derrière lui. Le mieux de ce que l'argent peut acheter !

Il laissa le rire s'installer et choisit l'instant parfait pour ajouter :

— Aux risques de l'acheteur ! comme disent les juristes.

Il n'est rien de plus insultant pour la dignité et l'autorité d'un politicien que de faire l'objet de la risée générale, et, si cela arrive, il est primordial de feindre la plus totale indifférence. Mais Hybrida et Catilina, victimes de véritables rafales d'hilarité, ne savaient plus s'il fallait opter pour rester debout dans une posture de défi ou s'asseoir dans une attitude dédaigneuse. Ils finirent par essayer les deux tactiques à la fois, bondissant et s'abaissant comme deux ouvriers en train d'actionner une pompe à levier, ce qui ne fit qu'accroître l'hilarité générale. Catilina, en particulier, perdait visiblement patience : comme beaucoup de personnages arrogants, il ne supportait pas la plaisanterie. César essaya de venir à leur secours et se leva pour demander à Cicéron ce qu'il cherchait à démontrer, mais celui-ci refusa de tenir compte de son intervention, et le consul, qui s'amusait tout autant que les autres, s'abstint de rappeler Cicéron à l'ordre.

— Prenons d'abord le moins important, poursuivit Cicéron lorsque ses deux cibles eurent finalement repris leur place assise. Toi, Hybrida, tu n'aurais jamais dû avoir accès à la préture et tu n'y serais jamais parvenu si je n'avais pas eu pitié de toi et ne t'avais pas recommandé auprès des centuries. Tu vis ouvertement avec une courtisane, tu ne sais pas parler en public, tu peux à peine te souvenir de ton propre nom sans l'aide d'un nomenclateur. Tu as été voleur sous Sylla et ivrogne ensuite. Tu es, en bref, une vraie plaisanterie ; mais une plaisanterie de la pire espèce – une plaisanterie qui dure depuis trop longtemps.

La Chambre était à présent beaucoup plus calme car il s'agissait là d'insultes qui faisaient de celui auquel elles s'adressaient un ennemi pour la vie, et, lorsque Cicéron se tourna vers Catilina, Atticus resserra encore son étreinte sur mon bras.

— Quant à toi, Catilina, n'est-ce pas un prodige et un présage de catastrophes, que tu puisses espérer le consulat, ou même y penser ? A qui le demandes-tu donc ? Aux chefs de l'Etat qui, il y a deux ans, ont même refusé de te laisser te présenter ? Le demandes-tu à l'ordre des chevaliers que tu as assassinés ? Ou au peuple qui se souvient encore de la cruauté monstrueuse avec laquelle tu as massacré leur chef – un parent à moi –, Gratidianus, et as fait publiquement porter sa tête encore palpitante au temple d'Apollon ? Le demandes-tu aux sénateurs qui, de leur propre autorité, ont failli te priver de tous les honneurs et te remettre, enchaîné, aux Africains ?

— J'ai été acquitté ! rugit Catilina en se levant d'un bond.

— Acquitté ! railla Cicéron. Toi ? Acquitté ? Toi – qui t'es couvert de honte à force de débauche et de perversions sexuelles ; qui as trempé les mains dans les meurtres les plus abjects, qui as pillé les alliés, qui as violé les lois et les cours de justice ; toi qui as épousé dans l'adultère la mère de la fille que tu avais déjà débauchée ? Acquitté ? Alors il ne me reste plus qu'à imaginer que les chevaliers romains ont dû être des menteurs ; que les preuves écrites présentées par une ville des plus honorables étaient des faux ; que Quintus Metellus Pius a proféré des mensonges ; que l'Afrique a proféré des mensonges. Acquitté ! O malheureux, tu ne vois même pas que tu n'as pas été acquitté par décision de la cour, mais simplement réservé pour passer devant un tribunal autrement plus sévère, afin de recevoir un châtiment autrement plus redoutable !

Il eût été difficile, même pour un homme posé, de rester assis pendant tout ce discours, mais chez Catilina, cela déclencha ni plus ni moins que de la folie meurtrière. Il poussa un cri animal de rage primitive et se jeta devant lui par-dessus les bancs, atterrissant entre Hortensius et Catulus, puis plongea vers l'autre côté de l'allée pour attraper son persécuteur. Evidemment, c'était précisément la réaction que Cicéron avait voulu susciter chez lui. Il cilla mais tint bon tandis que Quintus et quelques anciens soldats formaient un cordon défensif autour de lui – non que cela fût très utile puisque Catilina, malgré sa force, avait été aussitôt intercepté par les licteurs du consul. Ses amis, dont Crassus et César, le saisirent rapidement par les bras et entreprirent de le traîner jusqu'à son banc tandis qu'il se débattait, rugissait et, dans sa fureur, donnait des coups de pied. Le Sénat tout entier s'était levé pour essayer de voir ce qui se passait, et Figulus fit suspendre la séance jusqu'à ce que l'ordre soit restauré.

A la reprise de la séance, comme le voulait la coutume, Hybrida et Catilina se virent donner l'occasion de réagir et chacun, vibrant d'indignation, déversa un seau des insultes habituelles sur la tête de Cicéron – ambitieux, indigne de confiance, comploteur, « homme nouveau », étranger qui s'était soustrait au service militaire, couard – pendant que leurs alliés les acclamaient consciencieusement. Mais aucun d'eux n'avait le talent de Cicéron pour l'invective, et leurs partisans les plus dévoués durent être consternés qu'ils s'abstiennent de répondre à l'accusation principale, à savoir que leur candidature ne reposait que sur la corruption par un troisième parti mystérieux. On put remarquer qu'Hortensius et Catulus lui-même ne les gratifièrent que d'applaudissements mitigés. Quant à Cicéron, il afficha un masque professionnel et resta souriant et indifférent pendant toutes leurs tirades criardes, aussi à l'aise qu'un poisson dans l'eau. Ce n'est qu'après – une fois que Quintus et ses amis militaires l'eurent fait sortir promptement de la curie pour prévenir toute nouvelle attaque de la part de Catilina, et lorsque nous fûmes en sécurité chez Atticus, sur le Quirinal, porte verrouillée et grilles tirées – qu'il parut prendre conscience de l'énormité de ce qu'il avait fait.

XVIII

Cicéron n'avait à présent plus qu'à attendre la réponse d'Hortensius. Nous passâmes des heures dans le calme froid de la bibliothèque d'Atticus, entourés de toute cette sagesse ancestrale, sous le regard des grands philosophes, pendant que, par-delà la terrasse, le jour s'épanouissait puis baissait, la ville prenant une teinte safranée dans la chaleur et la poussière de cet après-midi de juillet. J'aurais aimé pouvoir rapporter que nous avons pris quelques volumes et passé le temps à échanger des pensées d'Epicure, de Zénon ou d'Aristote, ou que Cicéron nous a tenu des propos profonds sur la démocratie. Mais la vérité est qu'aucun d'entre nous n'avait la tête aux théories politiques, Quintus moins que tout autre, qui avait programmé une apparition de son candidat au Porticus Aemilia très fréquenté, et s'énervait de ce que son frère perdait un temps de campagne précieux. Nous revécûmes les péripéties du discours de Cicéron – « Tu aurais dû voir la tête de Crassus quand il a cru que j'allais le citer ! » – et tentâmes de prévoir la réaction la plus vraisemblable des aristocrates. S'ils ne mordaient pas à l'hameçon, Cicéron s'était mis dans une position très dangereuse. Régulièrement, il me demandait si j'étais bien sûr qu'Hortensius avait lu sa lettre et, encore et toujours, je lui répondais que j'en étais certain puisqu'il l'avait fait sous mes yeux.

— Alors accordons-lui encore une heure, disait Cicéron, qui se remettait à faire les cent pas, s'arrêtant de temps en temps pour adresser une remarque cinglante à Atticus : « Sont-ils toujours aussi ponctuels, tes amis de la haute société ? » ou : « Dis-moi, c'est considéré comme un crime contre la bonne éducation de consulter une horloge ? »

Nous étions à la dixième heure, à en croire le ravissant cadran solaire d'Atticus, lorsque, enfin, l'un de ses esclaves entra dans la bibliothèque pour nous annoncer que l'intendant d'Hortensius venait d'arriver.

— Et voilà que nous sommes censés négocier avec ses serviteurs, maintenant, marmonna Cicéron.

Mais il avait tellement hâte de savoir ce qu'il en était qu'il se rendit lui-même dans l'atrium, où nous l'accompagnâmes tous.

Le même personnage anguleux et arrogant que j'avais rencontré le matin chez Hortensius nous y attendait ; il ne se montra guère plus poli pour délivrer son message : il était venu dans la voiture à deux places d'Hortensius pour prendre Cicéron et le conduire à une réunion avec son maître.

— Je dois l'accompagner, protesta Quintus.

— Mes ordres sont simplement de conduire le sénateur Cicéron, répondit l'intendant. Cette réunion est extrêmement délicate et confidentielle. Une seule autre personne est réclamée : son secrétaire, celui qui est si rapide avec les mots.

Cela ne me plaisait pas du tout, et ne plut pas davantage à Quintus – moi, parce que je cherchais à tout prix à éviter d'être interrogé par Hortensius, lui, parce qu'il voyait là une rebuffade, et peut-être aussi (pour être plus charitable) parce qu'il craignait pour la sécurité de son frère.

— Et si c'est un piège ? demanda-t-il. Si Catilina t'attend là-bas ou t'intercepte en chemin ?

— Tu seras sous la protection du sénateur Hortensius, intervint l'intendant avec raideur. Je te donne sa parole d'honneur devant tous les témoins ici présents.

— Ça ira, Quintus, certifia Cicéron en posant une main rassurante sur le bras de son frère. Il n'est pas dans l'intérêt d'Hortensius qu'il m'arrive quoi que ce soit. Et puis, ajouta-t-il en souriant, je suis l'ami d'Atticus, et y a-t-il meilleure garantie d'un voyage sans danger ? Viens donc, Tiron. Allons découvrir ce qu'il a à nous dire.

Nous quittâmes la sécurité relative de la bibliothèque et descendîmes dans la rue où attendait une *carpentum* des plus élégantes, portant les armes d'Hortensius peintes sur ses flancs. L'intendant prit place à l'avant, à côté du cocher, tandis que je m'asseyais à l'arrière avec Cicéron, puis nous descendîmes la pente. Au lieu de prendre au sud vers le Palatin, nous nous dirigeâmes vers le nord, en direction de la porte Fontinale, rejoignant la circulation qui quittait la cité en fin de journée. Cicéron avait ramené les plis de sa toge blanche sur sa tête, comme s'il cherchait à se protéger des nuages de poussière soulevés par les roues, en fait pour éviter d'être reconnu par ses électeurs dans une voiture appartenant à Hortensius. Une fois que nous fûmes sortis de la ville, il rabaissa sa capuche improvisée. Il n'était visiblement pas très content de sortir des limites de Rome : malgré ses belles paroles, il savait qu'un accident fatal serait dans les parages des plus faciles à organiser. Le soleil était gros et bas, sur le point de se coucher derrière les imposantes tombes familiales qui bordaient la route. Les peupliers projetaient des ombres élancées d'un noir de jais qui semblaient des crevasses en travers de la route. Pendant un moment, nous restâmes coincés derrière un char à bœufs pesant, mais le cocher fit alors claquer son fouet et nous parvînmes à le doubler juste avant de croiser une charrette bringuebalante qui allait vers la ville. Je crois que nous avions alors tous deux compris où nous nous rendions, et Cicéron remonta sa capuche et croisa les bras, visage baissé ! Quelles pensées devaient se bousculer dans sa tête ! Nous tournâmes enfin et entreprîmes de gravir une côte abrupte, sur un chemin récemment recouvert de gravillons. Ses méandres nous firent franchir un ruisseau bouillonnant et traverser une pinède sombre et odorante où les pigeons s'appelaient dans la pénombre jusqu'au moment où nous atteignîmes des grilles gigantesques, ouvertes sur une immense villa qui trônait dans son parc et que je reconnus, grâce à la maquette que Gabinius avait présentée au forum à une foule jalouse, comme étant le palais de Lucullus.

Pendant des années par la suite, dès que je sentais une odeur de ciment frais et de peinture humide, je pensais à Lucullus et au mausolée plein d'échos qu'il s'était fait construire au-delà de l'enceinte de Rome. Quel personnage brillant et mélancolique – peut-être le plus grand général que l'aristocratie eût produit depuis cinquante ans, et pourtant dépouillé de son ultime victoire en Orient par Pompée, et condamné par les intrigues politiques de ses ennemis, dont Cicéron, à se morfondre en dehors de Rome pendant des années, sans honneurs ni même le droit de participer aux séances du Sénat puisque, en franchissant les limites de la ville, il aurait perdu son droit à un triomphe. Comme il conservait encore l'*imperium* militaire, il y avait des sentinelles dans le parc, et des licteurs armés du faisceau de verges autour de la hache attendaient d'un air maussade dans l'entrée – tant de licteurs en fait, que Cicéron estima qu'il devait y avoir un deuxième général en service actif sur les lieux.

— Penses-tu qu'il soit possible que Quintus Metellus soit ici aussi ? murmura-t-il alors que nous suivions l'intendant dans cet intérieur caverneux. Par tous les dieux, je crois bien que c'est le cas !

Nous traversâmes diverses salles d'apparat remplies de dépouilles de guerre pour arriver enfin à une grande salle baptisée la chambre d'Apollon, où un groupe de six personnes s'entretenaient sous une fresque montrant le dieu qui tirait une flèche embrasée avec son arc doré. Au son de nos pas sur le sol de marbre, la conversation s'interrompit et un lourd silence s'abattit. Quintus Metellus se trouvait effectivement parmi eux – plus trapu, grisonnant et buriné après toutes ces années de commandement en Crète, mais toujours le même homme qui avait cherché à intimider les Siciliens pour les forcer à renoncer aux poursuites contre Verrès. D'un côté de Metellus, se tenait son vieil ami des tribunaux, Hortensius, dont le beau visage un peu terne ne trahissait aucune expression, et de l'autre Catulus, aussi mince et aiguisé qu'une lame. Isauricus, l'éminent vieillard du Sénat, était également présent – il avait dans les soixante-dix ans en cette soirée de juillet, mais ne les faisait pas (il comptait au nombre de ces gens qui ne font jamais leur âge : il devait vivre jusqu'à quatre-vingt-dix ans et assister aux funérailles de presque toutes les personnes présentes dans la pièce) – et je remarquai qu'il tenait les transcriptions que j'avais remises à Hortensius. Les deux frères Lucullus complétaient le tableau. Je connaissais déjà Marcus, le plus jeune, pour l'avoir vu régulièrement sur le premier banc du Sénat. Cependant, paradoxalement, ce fut Lucius, le célèbre général, que je ne reconnus pas : sur les vingt-trois dernières années, il en avait passé dix-huit à combattre. Il avait dans les cinquante-cinq ans, et je compris très vite pourquoi Pompée était si passionnément jaloux de lui – pourquoi ils en étaient littéralement venus aux coups quand ils s'étaient rencontrés en Galatie pour la passation du commandement sur le front oriental –, car il émanait de Lucullus une grandeur glacée qui faisait paraître même Catulus assez commun.

C'est Hortensius qui mit fin à la gêne en s'avançant pour présenter Cicéron à Lucullus. Cicéron tendit la main et, pendant un instant, je crus que Lucullus allait refuser de la serrer car il ne connaissait Cicéron que comme étant un partisan de Pompée et l'un de ces politiciens qui avaient contribué à organiser sa mise à l'écart. Mais il finit par la prendre, très précautionneusement, comme on ramasserait une éponge souillée dans des latrines.

— Imperator, dit Cicéron en s'inclinant poliment. Imperator, répéta-t-il avec un bref salut de la tête en direction de Metellus.

— Et lui, qui est-ce ? s'enquit Isauricus en me désignant.

— C'est mon secrétaire, Tiron, qui a enregistré toute la réunion chez Crassus, répondit Cicéron.

— Eh bien, tout d'abord, je n'en crois pas un mot, répliqua Isauricus en brandissant la transcription dans ma direction. Personne n'aurait pu écrire tout cela pendant les conversations elles-mêmes. Cela dépasse les capacités humaines.

— Tiron a mis au point son propre système de notes en abrégé, expliqua Cicéron. Laissez-lui vous montrer sa transcription telle qu'il l'a prise hier soir.

Je sortis les polyptyques de ma poche et les distribuai aux personnes présentes.

— Remarquable, commenta Hortensius en examinant attentivement mon écriture. Ces symboles figurent des sons, n'est-ce pas ? Ou des mots entiers ?

— Principalement des mots, répondis-je, et des expressions toutes faites.

— Prouve-le, fit Catulus sur un ton agressif. Prends en notes ce que je dis.

Puis, en me donnant à peine le temps d'ouvrir un carnet vierge et de prendre mon style, il poursuivit rapidement :

— Si ce que j'ai lu ici est vrai, l'Etat est menacé par une guerre civile, résultat d'une conspiration criminelle. Si ce que j'ai lu est faux, c'est l'invention la plus pernicieuse de notre histoire. Pour ma part, je ne pense pas que ce soit vrai parce que je ne crois pas qu'un être humain ait pu faire une telle transcription. Que Catilina soit une tête brûlée, nous le savons tous, mais c'est un vrai Romain de noble extraction, pas un étranger ambitieux et sournois, et je croirai toujours davantage en sa parole qu'en celle d'un homme nouveau – toujours ! Qu'attends-tu de nous, Cicéron ? Tu ne peux pas sérieusement penser, après tout ce qui s'est passé entre nous, que je puisse soutenir ta candidature au consulat ? Alors, qu'est-ce que tu veux ?

— Rien, répondit aimablement Cicéron. Je suis tombé sur une information dont j'ai pensé qu'elle pourrait vous intéresser. Je l'ai transmise à Hortensius, c'est tout. C'est vous qui m'avez amené ici, vous vous rappelez ? Je n'ai pas demandé à venir. Il serait donc plus approprié que ce soit moi qui vous demande : et vous, messieurs, qu'est-ce que vous voulez ? Voulez-vous vous retrouver piégés entre Pompée et ses armées à l'est, et Crassus avec César et la plèbe urbaine en Italie, jusqu'à ce que vous soyez complètement exsangues ? Voulez-vous remettre votre protection entre les mains des deux hommes que vous soutenez pour le consulat – l'un stupide et l'autre dément – et qui ne sont même pas capables de tenir leur maison, sans parler de conduire les affaires de la nation ? C'est vraiment ce que vous voulez ? Eh bien, c'est parfait. J'aurai au moins la conscience tranquille. J'ai fait mon devoir de patriote en vous alertant de ce qui se passait, bien que vous n'ayez jamais été mes amis. Je crois aussi que j'ai fait la démonstration, par le courage que j'ai manifesté au Sénat aujourd'hui, de ma volonté de m'opposer à ces criminels. Aucun autre candidat au consulat ne l'a fait, ni ne le fera à l'avenir. J'en ai fait mes ennemis en vous montrant ce qu'ils sont vraiment. Mais de toi, Catulus, comme de vous *tous*, je n'attends rien, et si vous n'avez d'autre intention que de m'insulter, je vous souhaite le bonsoir.

Il fit volte-face et se dirigea vers la porte, moi à sa suite, et j'imagine que cette traversée dut lui paraître la plus longue de sa vie parce qu'il avait déjà presque atteint l'antichambre obscure – qui aurait signifié, sûrement, la plongée dans le trou noir de l'oubli politique – quand une voix (celle de Lucullus en personne) intima :

— Lis-le-nous !

Cicéron s'arrêta, et nous nous retournâmes tous les deux.

— Lis-nous, répéta Lucullus, ce que Catulus vient de dire.

Cicéron acquiesça d'un signe de tête, et je cherchai mon carnet.

— « Si ce que j'ai lu ici est vrai, récitai-je de cette façon curieusement plate que donne la lecture des notes abrégées, l'Etat est menacé par une guerre civile, résultat d'une conspiration criminelle. Si ce que j'ai lu est faux, c'est l'invention la plus pernicieuse de notre histoire. Pour ma part, je ne pense pas que ce soit vrai parce que je ne crois pas qu'un être humain ait pu faire une telle transcription… »

— Il aurait pu le mémoriser, objecta Catulus. Ce n'est qu'un tour facile, du genre qu'on peut voir faire par un prestidigitateur au forum.

— Et la fin, persista Lucullus. Lis-moi la dernière partie de ce que ton maître a dit.

Je fis courir mon doigt vers le bas de mes notes.

— « … bien que vous n'ayez jamais été mes amis. Je crois aussi que j'ai fait la démonstration, par le courage que j'ai manifesté au Sénat aujourd'hui, de ma volonté de m'opposer à ces criminels. Aucun autre candidat au consulat ne l'a fait, ni ne le fera à l'avenir. J'en ai fait mes ennemis en vous montrant ce qu'ils sont vraiment. Mais de toi, Catulus, comme de vous *tous*, je n'attends rien, et si vous n'avez d'autre intention que de m'insulter, je vous souhaite le bonsoir. »

Isauricus siffla. Hortensius hocha la tête et prononça quelque chose du genre « Je vous l'avais dit » ou « Je vous avais avertis », je ne sais plus très bien, à quoi Metellus répliqua :

— Oui, eh bien, je dois dire que, pour moi, la preuve est concluante.

Catulus se contenta de me foudroyer du regard.

— Reviens, Cicéron, dit Lucullus en lui faisant signe. Je suis satisfait. Le compte rendu est authentique. Mettons de côté pour le moment la question de savoir qui a le plus besoin de qui et partons simplement du fait que chacun de nous a besoin de l'autre.

– Je ne suis toujours pas convaincu, grommela Catulus.

– Alors laisse-moi te convaincre d'un simple mot, intervint Hortensius avec impatience. César. César… avec l'or de Crassus, deux consuls et dix tribuns derrière lui !

– Ainsi, il va vraiment falloir traiter avec ces gens ? fit Catulus avec un soupir. Bon, Cicéron, peut-être, concéda-t-il. Mais nous n'avons certainement pas besoin de *toi*, ajouta-t-il d'un ton brusque en me montrant du doigt alors que je m'apprêtais, comme toujours, à suivre mon maître. Je ne veux pas de cette créature et de ses tours à moins d'un mille de moi, à écouter tout ce que nous dirons pour tout noter avec son fichu système plus que douteux ; s'il doit y avoir un accord entre nous, il ne doit jamais être divulgué.

Cicéron hésita.

— D'accord, fit-il à contrecœur avant de m'adresser un regard d'excuse. Attends-moi dehors, Tiron.

Je n'avais pas à me sentir triste. Je n'étais qu'un esclave après tout : une main supplémentaire, un outil, une « créature », comme l'avait dit Catulus. Je me sentis pourtant profondément blessé. Je repliai mon polyptyque et pénétrai dans l'antichambre, puis continuai de marcher à travers toutes ces salles d'apparat fraîchement plâtrées et résonnant de mille échos – Vénus, Mercure, Mars, Jupiter –, tandis que les esclaves en mules capitonnées se déplaçaient silencieusement parmi les dieux avec une bougie fine pour allumer les lampes et les candélabres. Je sortis dans la pénombre douce du parc, au chant des cigales et, pour des raisons que je ne m'explique toujours pas, je m'aperçus que je pleurais. Sans doute étais-je épuisé.

L'aube était sur le point de se lever quand je me réveillai, les membres raides, froids et humides de rosée. Pendant un instant, je ne sus absolument plus où j'étais ni comment j'y étais arrivé, mais je pris alors conscience que je me trouvais allongé sur un banc de pierre, devant la façade de la maison, et que c'était Cicéron qui venait de me réveiller. Son visage, penché au-dessus de moi, était sombre.

— Nous en avons fini ici, dit-il. Et nous devons retourner en ville le plus vite possible.

Il désigna du regard la voiture qui attendait, et posa un doigt sur ses lèvres pour m'avertir de ne rien dire devant l'intendant d'Hortensius. Nous montâmes donc en silence dans la *carpentum*, et je me souviens de m'être retourné alors que nous quittions le parc pour jeter un dernier coup d'œil sur la grande villa, les torches brûlant encore sur les terrasses, mais moins vives dans la pâle lumière du matin ; des autres aristocrates, il n'y avait pas trace.

Cicéron, conscient que, dans à peine plus de deux heures, il devrait être prêt à partir de chez lui pour se rendre au Champ de Mars, ne cessait de presser le cocher d'accélérer, et les malheureux chevaux furent tellement fouettés qu'ils durent avoir les flancs à vif. Mais nous eûmes la chance de trouver les routes désertes, à l'exception de quelques citoyens très matinaux qui se rendaient en ville pour les élections, aussi pûmes-nous filer à bride abattue et arrivâmes-nous à la porte Fontinale au moment où elle ouvrait. Nous tressautâmes ensuite sur les pentes pavées du mont Esquilin plus vite qu'un homme au pas de course. Cicéron demanda au cocher de s'arrêter juste avant le temple de Tellus pour nous laisser descendre et faire le reste du chemin à pied – ordre qui me laissa perplexe jusqu'au moment où je compris qu'il voulait éviter d'être vu par la foule de ses partisans qui avaient déjà commencé à s'assembler dans la rue, devant notre porte. Il marcha devant moi comme souvent, les mains derrière le dos, plongé dans ses pensées, et je remarquai que sa toge d'un blanc éclatant était maculée de poussière. Nous passâmes derrière la maison et entrâmes par la petite porte de service. Là, nous tombâmes sur le gérant de Terentia, l'odieux Philotimus, qui revenait visiblement d'un rendez-vous nocturne avec une esclave. Cicéron ne le vit même pas tant il était préoccupé par ce qui venait de se passer et par ce qui était encore à venir. Il avait les yeux rouges de fatigue, le visage et les cheveux brunis par la poussière du voyage. Il me demanda d'aller ouvrir les portes pour faire entrer les gens. Puis il monta.

Parmi les premiers à franchir le seuil, il y avait Quintus, qui voulut naturellement savoir ce qui se passait. Lui et les autres avaient attendu notre retour dans la bibliothèque d'Atticus jusqu'à près de minuit, et il était tout autant inquiet que furieux. Cela me plaçait en position délicate, et je ne pus que bredouiller qu'il valait mieux qu'il s'adresse directement à son frère. Pour être franc, avoir vu Cicéron et ses pires ennemis tous ensemble dans un tel décor me paraissait tellement irréel que j'aurais pu croire avoir rêvé. Quintus n'était pas satisfait, mais je fus heureusement sauvé par le nombre de visiteurs qui s'engouffraient par la porte. Je m'enfuis en prétextant que je devais vérifier si tout était prêt dans le tablinum et, de là, je me glissai dans ma petite alcôve pour me rincer le cou et le visage avec l'eau tiède de ma bassine.

Lorsque je revis Cicéron, une heure plus tard, il faisait à nouveau preuve de ce formidable pouvoir de récupération dont j'avais déjà pu remarquer qu'il était l'apanage de tous les grands hommes politiques. En le regardant descendre l'escalier en toge fraîchement blanchie, le visage propre et rasé, les cheveux peignés et parfumés, nul n'aurait pu deviner qu'il venait de passer deux nuits blanches. La petite maison était à présent pleine de sympathisants. Cicéron avait le petit Marcus, dont c'était le premier anniversaire, soigneusement perché sur les épaules, et ils furent à leur arrivée accueillis par un tel cri d'enthousiasme qu'il dut desceller quelques tuiles du toit : pas étonnant que le pauvre enfant se mît à pleurer. Cicéron s'empressa de le descendre de ses épaules, de crainte que cela ne fût interprété comme un mauvais présage, et le remit à Terentia, qui se tenait derrière lui dans l'escalier. Il lui sourit et lui glissa quelques mots, et je m'aperçus à cet instant pour la première fois à quel point ils étaient devenus complices avec les années : ce qui n'était au départ qu'un mariage de convenance s'était mué en un extraordinaire partenariat. Je ne pus entendre ce qu'ils se dirent, puis Cicéron descendit dans la foule.

Il y avait tant de monde qu'il eut du mal à traverser le tablinum pour gagner l'atrium, où Quintus, Frugi et Atticus étaient entourés par une assez belle affiche de sénateurs. Parmi les personnalités présentes pour marquer leur soutien à Cicéron, il y avait son vieil ami Servius Sulpicius ; Gallus, le spécialiste renommé de la jurisprudence, qui avait refusé de se porter candidat ; le vieux Frugi avec lequel, bien entendu, il avait des liens familiaux ; Marcellinus, qui le soutenait depuis le procès Verrès ; et tous ces sénateurs qu'il avait représentés devant les tribunaux, comme Cornelius, Fundanius, Orchivius et aussi Fonteius, l'ancien gouverneur corrompu de la Gaule. En fait, alors que je me frayais un passage à la suite de Cicéron, c'était comme si ces dix dernières années revenaient soudain à la vie tant il y avait de joutes de tribunaux à demi oubliées représentées ici ; Popillius Laenas lui-même, dont Cicéron avait sauvé le neveu d'une accusation de parricide le jour où Sthenius était venu nous voir, était là. L'atmosphère tenait davantage de la fête de famille que d'un jour d'élections, et Cicéron était, comme toujours lors de ce genre d'occasions, parfaitement dans son élément. Je doute qu'il y eût un seul de ses partisans dont il oublia de serrer la main ou avec lequel il n'établit pas, un instant durant, un rapport privilégié donnant à son interlocuteur l'impression d'avoir été spécialement remarqué.

Juste avant de partir, Quintus le prit à part et, avec emportement si je m'en souviens, lui demanda où il avait bien pu passer la nuit. Cicéron, conscient du monde autour d'eux, lui répondit d'une voix tranquille qu'il lui raconterait tout cela plus tard. Mais cela ne fit qu'énerver Quintus davantage.

— Pour qui me prends-tu ? demanda-t-il. Ta servante ? Dis-le-moi tout de suite !

Cicéron lui parla donc très rapidement du trajet jusqu'au palais de Lucullus et de la présence là-bas de Metellus, de Catulus ainsi que de celle d'Hortensius et d'Isauricus.

— Toute la bande patricienne ! chuchota Quintus avec excitation, son irritation entièrement envolée. Par tous les dieux, qui aurait imaginé une chose pareille ? Est-ce qu'ils vont nous soutenir ?

— Nous avons discuté pendant des heures et des heures, mais ils n'ont pas voulu s'engager sans s'être entrctenus au préalable avec les autres grandes familles, répondit Cicéron en jetant des coups d'œil inquiets autour de lui pour le cas où quelqu'un écouterait.

Voyant qu'il y avait trop de vacarme pour qu'il pût être entendu, il continua :

— Hortensius, il me semble, aurait volontiers donné son accord tout de suite. Catulus reste viscéralement contre. Les autres feront ce que leurs intérêts leur dictent. Nous n'avons plus qu'à attendre.

Atticus, qui avait tout entendu, demanda :

— Mais ils ont cru à l'authenticité des preuves que tu leur as présentées ?

— Il me semble, oui. Grâce à Tiron. Mais nous discuterons de tout ça plus tard. Prenez l'air brave, messieurs, ajouta-t-il en leur prenant à chacun la main, nous avons une élection à gagner !

Rarement candidat mit en scène spectacle plus splendide que Cicéron ce jour-là en se rendant sur le Champ de Mars, et l'on doit au moins en remercier Quintus. Nous devions former un cortège de trois ou quatre cents personnes avec des musiciens, des jeunes gens portant des rameaux verts entrelacés de rubans, des jeunes filles lançant des pétales de roses, des amis comédiens de Cicéron venant du théâtre, des sénateurs, des chevaliers, des marchands, des forains, des habitués des tribunaux, des représentants des guildes, des clercs juridiques, des représentants des communautés romaines en Sicile et en Gaule cisalpine. Nous déclenchâmes un formidable vacarme d'acclamations et de sifflets en arrivant sur le Champ, et il y eut un grand mouvement d'électeurs dans notre direction. D'après mon expérience, on dit toujours de toute élection que celle qui est en train de se dérouler est la plus lourde de sens qui ait jamais eu lieu, et, ce jour-là du moins, c'était sans doute vrai. S'y ajoutait en plus l'excitation due au fait que personne ne savait comment les choses allaient tourner étant donné l'activité parmi les agents corrupteurs, le nombre élevé des candidats et l'hostilité qui régnait entre eux à la suite des attaques de Cicéron au Sénat contre Hybrida et Catilina.

Nous avions anticipé des conflits et Quintus avait pris la précaution de poster certains de nos partisans les plus musclés juste derrière et devant son frère. Alors que nous approchions des enclos de vote, je me sentis de plus en plus inquiet, car je pouvais voir Catilina et sa clique un peu plus loin, près de la tente du président du bureau de vote. Certains de ces bandits se mirent à nous lancer des quolibets lorsque nous arrivâmes dans le parc, mais Catilina lui-même, après un bref regard méprisant en direction de Cicéron, reprit sa conversation avec Hybrida. Je glissai au jeune Frugi que j'étais surpris qu'il ne tentât pas la moindre manœuvre d'intimidation – ce qui, après tout, était sa tactique habituelle –, à quoi Frugi, qui n'avait rien d'un naïf, répondit :

— Il n'en éprouve pas le besoin tellement il est certain de sa victoire.

Ses paroles me mirent profondément mal à l'aise.

C'est alors qu'il se produisit un événement des plus remarquables. Cicéron et tous les autres sénateurs qui se présentaient au consulat ou à la préture – soit dans les vingt-cinq personnes – se tenaient dans la partie réservée aux candidats, entourés par une clôture basse pour les séparer de la foule des partisans. Le consul qui présidait à ces élections, Marcus Figulus, s'entretenait avec l'augure pour vérifier que tout était propice au bon déroulement du scrutin, quand apparut soudain Hortensius, suivi d'une vingtaine de personnes. La foule s'ouvrit pour le laisser passer. Il s'approcha de la clôture et appela Cicéron, qui interrompit sa conversation avec un autre candidat – je crois qu'il s'agissait de Cornificius – et alla vers lui. Cela, déjà, surprit l'assistance, dans la mesure où l'on savait que les deux vieux rivaux ne s'aimaient pas beaucoup, et il y eut du mouvement parmi le public ; Catilina et Hybrida ne manquèrent pas de se retourner pour observer la scène d'un regard fixe. Pendant une seconde ou deux, Cicéron et Hortensius se dévisagèrent, puis, simultanément, ils hochèrent la tête et tendirent la main pour se la serrer longuement. Aucun mot ne fut prononcé et, tenant toujours la main de Cicéron, Hortensius se tourna à demi et leva soudain le bras de Cicéron au-dessus de sa tête. Un tonnerre d'applaudissements éclata, mêlé de quelques grognements et sifflets. Le geste, en effet, ne laissait aucun doute, et je ne me serais jamais attendu à assister à cela : *les aristocrates soutenaient Cicéron !* Immédiatement, les serviteurs d'Hortensius disparurent dans la foule, sans doute pour annoncer aux agents des nobles dans les centuries qu'ils devaient modifier leur soutien. Je risquai un coup d'œil en direction de Catilina et vit sur son visage une expression de stupéfaction plus que tout autre chose, et l'incident, bien que lourd de sens – les conversations bourdonnaient soudain –, fut si fugitif qu'Hortensius s'éloignait déjà. Un instant plus tard, Figulus appela les candidats à le suivre sur l'estrade afin que le vote puisse commencer.

On peut toujours repérer l'imbécile chez celui qui prétend connaître à l'avance le résultat d'une élection. Une élection est une chose vivante – on pourrait presque dire la chose la plus vigoureuse qui soit –, animée par des milliers et des milliers de cerveaux, de membres, d'yeux, de pensées et de désirs, et elle bouge et se tortille et part dans des directions que nul n'avait prédit, parfois pour le simple plaisir de donner tort à ceux qui savent tout. Cela, je l'ai appris au Champ de Mars ce jour-là, alors que l'on inspectait les entrailles, que l'on scrutait le ciel à la recherche de vols d'oiseaux suspects, que l'on invoquait la bénédiction des dieux et que l'on priait les épileptiques de quitter les lieux (en ce temps-là, en effet, une crise d'épilepsie, ou *morbus comitalis*, annulait automatiquement toute la procédure), que l'on déployait une légion dans les environs de Rome pour éviter toute attaque surprise, que l'on lisait la liste des candidats, que l'on faisait sonner les trompettes et hisser le drapeau rouge sur la Janicule afin que le peuple de Rome puisse commencer à passer aux urnes.

L'honneur d'être la première des cent quatre-vingt-treize centuries à voter se décidait par tirage au sort, et faire partie de cette *centuria praerogativa*, comme on l'appelait, était considéré comme un rare privilège car ses décisions fixaient le plus souvent le schéma de ce qui allait suivre. Seules les centuries les plus riches participaient au tirage au sort, et je me souviens d'être resté à fixer du regard les gagnants de cette année-là, une assemblée de braves marchands et banquiers, alors qu'ils se mettaient en file avec gravité sur les ponts de bois pour disparaître derrière les panneaux. Leurs suffrages furent rapidement comptés, Figulus s'approcha de l'avant de sa tribune et annonça qu'ils avaient mis Cicéron en tête et Catilina en deuxième place. Il y eut comme un hoquet de stupéfaction, car tous ces imbéciles dont je parlais avaient assuré que ce serait Catilina en première place et Hybrida en seconde, puis le hoquet se mua très vite en acclamations alors que les partisans de Cicéron, comprenant ce qui venait de se produire, entamaient une manifestation bruyante qui se répandit sur tout le Champ de Mars. Cicéron se tenait sous le velarium, en bas de l'estrade du consul. Il ne s'autorisa qu'un sourire des plus fugitifs, puis, tout à ses talents de comédien, se composa une expression de dignité et d'autorité convenant à un consul de Rome. Catilina – qui se tenait aussi loin de Cicéron qu'il était possible, mettant tous les autres candidats alignés entre eux – semblait avoir reçu une gifle. Seul Hybrida n'exprimait rien – je ne saurais dire si c'est parce qu'il était ivre, comme d'habitude, ou parce qu'il était trop stupide pour comprendre ce qui se passait. Quant à Crassus et à César, qui bavardaient ensemble près de l'endroit où les votants sortaient après être passés devant l'urne, ils se regardèrent avec une telle expression d'incrédulité que je faillis éclater de rire. Ils tinrent un bref conciliabule, puis partirent chacun dans une direction opposée, sans aucun doute pour chercher à savoir comment un investissement de vingt millions de sesterces avait pu ne pas réussir à mettre la *centuria praerogativa* de leur côté.

Si Crassus avait réellement acheté les huit mille suffrages estimés par Ranunculus, cela aurait normalement dû suffire à influencer l'élection. Mais, grâce à l'intérêt qu'elle suscitait dans toute l'Italie, ce scrutin était d'une densité inhabituelle et à mesure que les votes s'égrenaient tout au long de la matinée, il devint évident que le corrupteur en chef avait manqué sa cible. Cicéron avait toujours l'ordre équestre solidement derrière lui, ainsi que les pompéiens et les ordres inférieurs. Maintenant qu'Hortensius, Catulus, Metellus, Isauricus et les frères Lucullus lui livraient les blocs d'électeurs contrôlés par les aristocrates, il gagnait un suffrage de chaque centurie, soit en première ou en deuxième place, et, bientôt, la question ne fut plus de savoir s'il deviendrait consul, mais qui le deviendrait avec lui. Pendant toute la matinée, il sembla que ce serait Catilina, et mes notes (sur lesquelles j'ai remis la main l'autre jour) montrent que, à midi, le scrutin était :

Cicéron	81 centuries
Catilina	34 centuries
Hybrida	29 centuries
Sacerdos	9 centuries
Longinus	5 centuries
Cornificius	2 centuries

Vinrent alors les votes des six centuries composées exclusivement d'aristocrates, les *sex suffragia*, et là, Catilina connut réellement sa douleur. Si je dois retenir une image entre toutes de cette journée mémorable, c'est celle des patriciens qui, après avoir voté, défilaient devant les candidats. Comme le Champ de Mars était en dehors des limites de la ville, rien n'empêchait Lucius Lucullus, et Quintus Metellus avec lui, tous deux en manteau pourpre et uniforme militaire, de venir voter, et leur apparition fit sensation – ce qui ne fut rien comparé au tumulte qui accueillit l'annonce que leur centurie avait voté pour Cicéron en premier, et Hybrida en second. Après eux vinrent Isauricus, Curion père, Aemilius Alba, Claudius Pulcher, Junius Servilius – le mari de la sœur de Caton, Servilia –, le vieux Metellus Pius, le grand pontife, trop malade pour marcher mais qui vint en litière, suivi par son fils adoptif, Scipion Nasica... Et, encore et toujours, Cicéron arrivait premier, Hybrida second ; Cicéron premier, Hybrida second ; Cicéron premier... Quand, enfin, ce fut au tour d'Hortensius et de Catulus de passer devant les candidats, ni l'un ni l'autre ne purent se résoudre à regarder Catilina dans les yeux, et, une fois qu'il fut annoncé que leur centurie avait elle aussi voté pour Cicéron et Hybrida, Catilina dut prendre conscience qu'il n'avait plus aucune chance. A ce moment, Cicéron avait quatre-vingt-sept centuries contre trente-cinq à Hybrida et trente-quatre à Catilina – pour la première fois de la journée, Hybrida était passé devant son colistier, mais, ce qui importait plus que tout, les aristocrates avaient publiquement repoussé l'un des leurs, et ce sans ménagement. Après cela, la candidature de Catilina fut effectivement réduite à néant, quoiqu'on eût pu lui décerner un prix de bonne conduite. J'avais cru qu'il partirait en faisant un esclandre, ou qu'il sauterait sur Cicéron pour le trucider de ses propres mains. Mais il se contenta de passer toute cette longue et chaude journée debout, à regarder défiler les citoyens devant lui et voir ses espoirs d'obtenir le consulat sombrer avec le soleil en conservant une expression de calme imperturbable, même lorsque Figulus s'avança pour la dernière fois afin de lire le résultat final des élections :

Cicéron	193 centuries
Hybrida	102 centuries
Catilina	65 centuries
Sacerdos	12 centuries
Longinus	9 centuries
Cornificius	5 centuries

Nous laissâmes éclater notre joie à en avoir mal à la gorge, quoique Cicéron parût de son côté bien préoccupé pour un homme qui venait d'atteindre l'ambition de toute une vie, et cela me plongea curieusement dans le trouble. Il affectait maintenant en permanence ce que j'en vins à reconnaître comme son « expression consulaire » : le menton à peine relevé, la bouche serrée en un pli décidé, et son regard apparemment fixé sur un point glorieux dans le lointain. Hybrida tendit la main à Catilina, mais celui-ci l'ignora et descendit du podium comme un homme en transe. Il était ruiné, en faillite – sans doute ne faudrait-il pas attendre plus d'un an ou deux pour qu'il soit purement et simplement expulsé du Sénat. Je cherchai du regard Crassus et César, mais ils avaient quitté le Champ de Mars des heures plus tôt, dès que Cicéron avait atteint le nombre de centuries nécessaire pour l'emporter. Tous les aristocrates les avaient d'ailleurs imités. Ils étaient rentrés chez eux dès qu'ils avaient été certains que Catilina était hors d'état de nuire, comme des gens qui s'étaient vu confier une tâche désagréable – tuer un chien de chasse favori parce qu'il a attrapé la rage par exemple – et n'avaient à présent d'autre envie que de retrouver la tranquillité confortable de leurs foyers.

C'est donc ainsi que Marcus Tullius Cicéron obtint, à quarante-deux ans, soit à l'âge minimum requis, l'*imperium* suprême du consulat romain – et l'obtint, aussi incroyable que cela puisse paraître, par un vote unanime des centuries alors qu'il était un « homme nouveau » sans famille ni fortune ni la force des armes pour le soutenir : un exploit jamais vu auparavant et qui ne se reproduirait plus par la suite. Nous rentrâmes ce soir-là du Champ de Mars dans sa modeste maison et, lorsqu'il eut remercié ses partisans et eut pris congé d'eux, une fois reçues les félicitations de ses esclaves, il ordonna que l'on fît monter les banquettes de la salle à manger sur le toit afin de dîner à ciel ouvert, comme il l'avait fait cette nuit – si longtemps auparavant, semblait-il – où il avait pour la première fois déclaré son ambition de devenir consul. J'eus l'honneur d'être invité à me joindre au groupe familial, car Cicéron assura qu'il n'aurait jamais atteint son objectif sans moi. Pendant un bref moment de délire, je crus qu'il allait m'accorder ma liberté et me donner sur-le-champ cette ferme dont il avait parlé, mais il n'en dit pas un mot, et ce ne me parut ni le moment ni l'endroit d'évoquer la question. Il occupait une banquette avec Terentia, Quintus était avec Pomponia, Tullia avec son fiancé, Frugi, et moi, je partageais une banquette avec Atticus. Vu mon grand âge, je ne me souviens guère de ce que nous avons mangé ou bu, ni rien de cette sorte, mais je me rappelle que nous avons tous évoqué nos souvenirs particuliers de cette journée, et surtout le spectacle extraordinaire qu'avait constitué l'aristocratie votant en masse pour Cicéron.

— Dis-moi, Marcus, fit Atticus avec l'habileté qui

le caractérisait, alors que le bon vin avait déjà coulé à flots, comment as-tu réussi à les convaincre ? Parce que, même si je sais que tu es un génie des mots, ces hommes te méprisaient : ils détestaient tout ce que tu disais, tout ce que tu représentais. Que leur as-tu proposé à part le fait d'arrêter Catilina ?

— Bien entendu, répondit Cicéron, j'ai dû promettre de mener l'opposition contre Crassus, César et les tribuns quand ils présenteront leur projet de loi de réforme agraire.

— Ce ne sera pas évident, intervint Quintus.

— Et c'est tout ? insista Atticus. (Je pense, avec le recul, qu'il procédait à un véritable contre-interrogatoire et qu'il connaissait déjà la réponse à sa question, sans doute par son ami Hortensius.) Tu n'as vraiment pas accepté autre chose ? Tu es resté tellement d'heures là-bas.

Cicéron cilla.

— En fait, avoua-t-il à contrecœur, je dois me charger de proposer au Sénat, en tant que consul, d'accorder un triomphe à Lucullus, ainsi qu'à Quintus Metellus.

Je comprenais enfin pourquoi Cicéron avait paru si lugubre et préoccupé lorsqu'il était sorti de sa réunion avec les aristocrates. Quintus reposa son assiette et le regarda avec une horreur non dissimulée.

— Alors, ils veulent d'abord que tu te mettes le peuple à dos en t'opposant à la réforme agraire, et puis ils te demandent de te faire un ennemi de Pompée en accordant des triomphes à ses plus grands rivaux ?

— Je crains, mon frère, répliqua Cicéron avec lassitude, que l'aristocratie n'ait pas acquis sa fortune sans être dure en affaires. J'ai tenu bon aussi longtemps que j'ai pu.

— Pourquoi as-tu accepté ?

— Parce que j'avais besoin de gagner.

— Gagner quoi exactement ?

Cicéron ne répondit rien.

— C'est bien, commenta Terentia en tapotant le genou de son mari. Je crois que c'était de toute façon la bonne attitude à adopter.

— C'est ça ! protesta Quintus. Et Marcus n'aura pas pris ses fonctions depuis quelques semaines qu'il ne lui restera plus personne pour le soutenir. Le peuple l'accusera de trahison. Les pompéiens diront la même chose. Et les aristocrates le laisseront tomber dès qu'il aura servi leurs objectifs. Qui trouvera-t-il pour le défendre, alors ?

— Moi, je te défendrai, intervint Tullia, mais, pour une fois, personne ne rit à cette déclaration de loyauté précoce, et Cicéron lui-même ne parvint à produire qu'un maigre sourire.

Alors il reprit le dessus :

— Vraiment, Quintus, tu as le chic pour nous gâcher la soirée. Entre deux extrêmes, il y a toujours un chemin intermédiaire. Il faut absolument arrêter Crassus et César et, pour ça, je peux trouver des arguments. En ce qui concerne Lucullus, tout le monde s'accorde à penser qu'il mérite cent fois un triomphe pour ce qu'il a fait dans sa guerre contre Mithridate.

— Et Metellus ? coupa Quintus.

— Je suis sûr que je pourrai trouver quelque chose à louer même chez Metellus, si tu me donnes assez de temps.

— Et Pompée ?

— Pompée, comme nous le savons tous, est un humble serviteur de la République, répliqua Cicéron avec un geste vague de la main. Et surtout, ajouta-t-il très pince-sans-rire, il n'est pas là.

Il y eut un silence, puis, malgré lui, Quintus se mit à rire.

— Il n’est pas là, répéta-t-il. Cela ne fait aucun doute.

Nous finîmes tous par rire ; que faire d’autre en vérité ?

— Voilà qui est mieux ! s’exclama Cicéron avec un sourire. L’art de vivre est de traiter les problèmes quand ils se présentent au lieu de se désespérer en s’en inquiétant bien trop à l’avance. Surtout ce soir. Vous savez à qui nous devrions boire ? lança-t-il soudain, une larme au coin de l’œil. Je crois que nous devrions trinquer à la mémoire de notre cher cousin Lucius, qui était ici, sur ce toit, la première fois que nous avons parlé du consulat et qui aurait tant voulu voir ce jour.

Il leva sa tasse et nous l’imitâmes tous, bien que je ne pusse m’empêcher de repenser à la toute dernière remarque que Lucius lui avait adressée : *Des mots, des mots, rien que des mots. N’y a-t-il donc aucune limite aux subterfuges dont tu peux leur faire user ?*

Plus tard, alors que tout le monde était parti, soit pour rentrer chez eux, soit pour se mettre au lit, Cicéron était resté allongé sur l’une des banquettes, les mains croisées derrière la nuque, et contemplait les étoiles. Je me tenais sans faire de bruit sur la banquette qui lui faisait face, mon carnet prêt à servir si jamais il avait besoin de quelque chose. Je m’efforçais de rester éveillé, mais il faisait chaud et je défaillais de fatigue. Lorsque ma tête retomba pour la quatrième ou cinquième fois sur la poitrine, il me regarda et me dit d’aller me reposer.

— Tu es le secrétaire particulier d’un consul désigné à présent. Tu devras avoir l’esprit aussi aiguisé que ton calame.

Je me levai pour prendre congé et il se replongea dans la contemplation des cieux.

— Comment la postérité nous jugera-t-elle, hein,

Tiron ? dit-il. C'est la seule question qui compte pour un homme d'Etat. Mais avant de pouvoir nous juger, elle devra d'abord se souvenir de qui nous sommes.

J'attendis un long moment, pour le cas où il aurait voulu ajouter quelque chose, mais il semblait avoir oublié mon existence, aussi me retirai-je et le laissai-je à ses pensées.

Note de l'auteur

Même si *Imperium* est un roman, la plupart des événements qui y sont décrits se sont effectivement produits ; les autres auraient au moins *pu* se produire ; et rien, je l'espère (ce n'est là que le jouet du destin), ne s'est manifestement *pas* produit. Que Tiron ait écrit une biographie de Cicéron est attesté à la fois par Plutarque et Asconius ; elle a cependant disparu avec l'effondrement général de l'Empire romain.

Je suis tout particulièrement redevable aux vingt-neuf volumes des discours et de la correspondance de Cicéron rassemblés dans la Loeb Classical Library et publiés par Harvard University Press. Une autre aide inestimable m'a été apportée par *The Magistrates of the Roman Republic, volume II, 99 B.C.-31 B.C.* de T. Robert S. Broughton, publié par la American Philological Association. Je voudrais aussi saluer sir William Smith (1813-1893), qui a édité le *Dictionary of Greek and Roman Biography and Mythology*, le *Dictionary of Greek and Roman Antiquities* et le *Dictionary of Greek and Roman Geography* – trois monuments immenses et inégalés de l'érudition classique victorienne. Il y a, bien entendu, de nombreuses autres sources plus récentes que j'espère pouvoir citer le moment venu.

R. H.

Le 16 mai 2006.

Les derniers jours de Pompéi...

(Pocket n° 12936)

Été 79. Une odeur de soufre flotte sur la Campanie. Chargé de superviser le réseau d'eau de toute la région, Attilius pressent un drame irréversible : pour quelle raison obscure l'eau de la ville est-elle soudainement devenue toxique ? Mais ses études sur l'aqueduc ne sont pas l'unique objet de ses préoccupations : tandis qu'il enquête sur l'étrange disparition de son prédécesseur, il va tenter de lever le voile sur les méthodes de son ennemi juré, Ampliatus, affranchi devenu maître absolu de la cité...

Il y a toujours un Pocket à découvrir

Composition et mise en page
NORD COMPO
multimédia

Impression réalisée sur Presse Offset par

45155 – La Flèche (Sarthe), le 23-01-2008
Dépôt légal : février 2008

POCKET – 12, avenue d'Italie - 75627 Paris cedex 13

Imprimé en France